O farmacêutico de Auschwitz

Patricia Posner

# O farmacêutico de Auschwitz

## A história real de como as gigantes da indústria farmacêutica alemã apoiaram o regime nazista, fizeram fortunas com as câmaras de gás e usaram cobaias nos campos de concentração para desenvolver medicamentos que usamos até hoje.

Tradução: Fabienne Mercês

GLOBOLIVROS

Texto fixado conforme as regras do Acordo Ortográfico da Língua Portuguesa
(Decreto Legislativo nº 54, de 1995).

Título original: *The Pharmacist of Auschwitz: The Untold Story of Victor Capesius*

*Editor responsável:* Amanda Orlando
*Assistente editorial:* Lara Berruezo
*Preparação de texto:* Maria Marta Cursino
*Revisão:* Isabela Sampaio, Jane Pessoa e Julia Barreto
*Diagramação:* Gisele Baptista de Oliveira
*Capa:* Elmo Rosa
*Imagem de capa:* Shutterstock

1ª edição, 2018
3ª reimpressão, 2024

CIP-BRASIL. CATALOGAÇÃO-NA-FONTE
SINDICATO NACIONAL DOS EDITORES DE LIVROS, RJ

---

P89f Posner, Patricia
O farmacêutico de Auschwitz : A história real de como as gigantes da indústria farmacêutica alemã apoiaram o regime nazista, fizeram fortunas com as câmaras de gás e usaram cobaias nos campos de concentração para desenvolver medicamentos que usamos até hoje. / Patricia Posner ; tradução Fabienne Mercês. - 1. ed. - Rio de Janeiro : Globo Livros, 2018.

280 p. ; 23 cm.

Tradução de: The pharmacist of Auschwitz : the untold story of Victor Capesius

ISBN 9788525065100

1. Capesius, Victor, 1907-1985. 2. Auschwitz (Campo de concentração) - Oficiais e empregados - História. 3. Holocausto judeu (1939-1945). I. Mercês, Fabienne. II. Título.

18-48230 CDD: 940.5318
CDU: 94(100)"1934-1945"

---

Meri Gleice Rodrigues de Souza - Bibliotecária CRB-7/6439

Direitos de edição em língua portuguesa para o Brasil
adquiridos por Editora Globo S.A.
Rua Marquês de Pombal, 25 — 20.230-240 — Rio de Janeiro — RJ
www.globolivros.com.br

*Para Gerald, que me encorajou a canalizar neste livro minha crença apaixonada de que os crimes do Holocausto não devem jamais ser esquecidos.*

# Sumário

## Apresentação

*pelo rabino Abraham Cooper*

Tive a honra e o privilégio de conhecer e trabalhar com Simon Wiesenthal, "o Caçador de Nazistas", no início da década de 1930. Em decorrência de ter perdido 89 membros de sua família no Holocausto nazista, e devido à indescritível barbaridade e crueldade que Simon sofreu e presenciou durante o *Shoah*, ele dedicou todos os seus dias — desde 5 de maio de 1945, quando os soldados dos Estados Unidos o libertaram, mais morto do que vivo, do campo de concentração de Mauthausen — a procurar e perseguir aqueles que assassinaram em massa o seu povo. Ele ajudou a localizar aproximadamente 1.100 criminosos nazistas, inclusive o homem que prendeu Anne Frank e sua família.

"Justiça, não vingança" era seu credo. "Precisamos de criminosos condenados, não de mártires da causa neonazista", Simon dizia a nós no Centro Simon Wiesenthal, que fundou em 1977. Ele era um cruzado da justiça, que duelou solitário e sem apoio significativo durante os anos da Guerra Fria para se certificar de que a memória fosse preservada e a justiça, feita.

"Cada julgamento será uma vacina contra o ódio e um lembrete às futuras gerações sobre a capacidade humana de cometer o mal contra si mesma", discursava ele para plateias nos campi universitários dos Estados Unidos, nas décadas de 1970 e 1980.

Como estava certo esse cruzado da justiça. Vivemos num mundo em que a negação do Holocausto é política de Estado da ditadura dos mulás no

Irã, onde os termos e as imagens relacionadas ao Holocausto são distorcidas e vilipendiadas por extremistas que odeiam o Estado judeu; onde palavras como *genocídio* e até mesmo *Auschwitz* são usadas com cinismo pelos políticos, eruditos e até acadêmicos. Ainda pior é a constatação, setenta anos mais tarde, de que o *Shoah*, fazendo uma análise através do espelho retrovisor da história, considera que Auschwitz perdeu sua importância nos dias de hoje.

E é por isso que *O farmacêutico de Auschwitz*, de Patricia Posner, é tão importante e relevante. Ela delineia a trajetória de um homem bem-educado, Victor Capesius, que, antes de se tornar farmacêutico, era um vendedor da I.G. Farben e Bayer, de quem as pessoas gostavam, que conhecia e convivia com judeus em sua terra natal, na Romênia, antes da Segunda Guerra Mundial. Esse mesmo homem terminaria ao lado do "Anjo da Morte" de Auschwitz, algumas vezes mandando gente que ele conhecera em tempos de paz, inclusive jovens gêmeos judeus, para a morte imediata nas câmaras de gás. É ele quem também tomaria conta do estoque de Zyklon B e forneceria as drogas utilizadas em horripilantes experimentos médicos em mulheres grávidas e crianças. Em busca de obturações de ouro, esse homem profanaria os cadáveres dos judeus assassinados e, guiado pela ganância, arrastaria pesadas malas com ouro extraído do corpo de milhares de vítimas.

Tão importante quanto traçar a carreira de Capesius em Auschwitz é a reconstrução que a sra. Posner faz do julgamento de criminosos nazistas, no início da década de 1960, em uma Corte na Alemanha Ocidental. Além de Capesius, também foram julgados o principal auxiliar do comandante de Auschwitz, médicos, dentistas e até mesmo os *Kapos* (agentes infiltrados entre os prisioneiros). Durante o julgamento, e mesmo depois de sua condenação a nove anos de reclusão, Capesius e os demais acusados nunca demonstraram remorso. Sobreviventes que ousaram testemunhar na Corte alemã foram recebidos com olhares de desprezo pelos nazistas, que pareciam desapontados por algumas de suas vítimas estarem vivas. Capesius — o mentiroso, ladrão e saqueador de mortos — sempre negou seus crimes, recusando-se a assumir a responsabilidade por seus atos ou a se desculpar pelos judeus que assassinou. Ele se via como vítima, uma pessoa boa que teve de cumprir ordens, constituindo assim apenas uma pequena engrenagem do sistema, de modo que nunca deveria sequer ter sido preso.

Em 24 de janeiro de 1968, passados menos de dois anos e meio de sua sentença de nove, Capesius foi solto por ordem da mais alta Corte da Alemanha. Depois disso, sua primeira aparição pública foi em Göppingen, com sua família, num concerto de música clássica. Quando ele entrou na sala do espetáculo, a plateia espontaneamente explodiu em uma salva de palmas. Para muitos, inclusive para alguns dos juízes dos ex-nazistas que o haviam libertado, Capesius merecia apoio e simpatia. Afinal, ele era apenas um bom alemão que havia seguido as ordens recebidas.

Neste livro, Patricia Posner garante que as novas gerações possam entender que o caminho que Victor Capesius e outros iguais a ele escolheram os levou direto aos portões do inferno e além.

**Rabino Abraham Cooper**
Decano cofundador do Centro Simon Wiesenthal
Los Angeles, Califórnia
Agosto de 2016

Mar do Norte
DINAMARCA
REINO UNIDO
HOLANDA
ALEMANHA
BÉLGICA
Frankfurt
LUXEMBURGO
TERRITÓRIO DA BACIA DO SARRE
Göppingen
Dachau
FRANÇA
SUÍÇA
ITÁLIA

SUÉCIA
Mar Báltico
LETÔNIA
LITUÂNIA
ALEMANHA
UNIÃO DAS REPÚBLICAS SOVIÉTICAS
Berlim
POLÔNIA
Auschwitz-Birkenau
CHECOSLOVÁQUIA
Viena
HUNGRIA
ROMÊNIA
Sighişoara
Bucareste
IUGOSLÁVIA
Mar Negro
Mar Adriático
BULGÁRIA

# Prefácio da autora

Na primavera de 1986, fui ao hotel New York Plaza para uma reunião que meu marido, o autor Gerald Posner, havia organizado no Trader Vic's, um restaurante de ambientação polinésia. Era parte de uma pesquisa que estávamos fazendo sobre o dr. Josef Mengele, o infame "Anjo da Morte", responsável por experimentos médicos horripilantes em Auschwitz, o maior campo de concentração nazista. O que Gerald começara despretensiosamente como uma ação gratuita em favor de duas cobaias sobreviventes de Mengele acabou por se tornar uma biografia do fugitivo nazista. Durante os anos em que as entrevistas foram realizadas, viajamos para a Alemanha e para a África do Sul, buscando dados em arquivos selados há muito tempo e infiltrando-nos em círculos neofascistas do pós-guerra que ajudaram Mengele a estar sempre um passo à frente de seus perseguidores.

A reunião no Trader Vic's era com ninguém menos que Rolf Mengele, o filho único do notório doutor. Em uma mesa mal-iluminada, Gerald e eu esperamos pela chegada do Mengele de 42 anos. Sendo uma judia inglesa, eu sabia que, se meus avós maternos poloneses não tivessem emigrado para o Reino Unido na virada do século XX, seria provável que eles tivessem acabado em um campo de concentração nazista. Talvez tivessem morrido em Auschwitz, onde homens como Mengele reinavam supremos. Então não foi nenhuma surpresa o fato de que muito do que veio à tona com as pesquisas sobre Mengele parecesse surreal para mim. Houve também aquela conversa nada tranquila e um tanto desafiadora em Buenos Aires, quando Gerald encontrou Wilfred von Oven, um gabaritado assessor do chefe da propaganda nazista — Joseph Goebbels — e também editor de um jornal virulentamente antissemita na Argentina. Ou ainda a vez em que deparei com uma coleção de memorabilia nazista, "presentes" de um dos patrocinadores de Mengele para os cidadãos do Paraguai. Tudo isso, porém, parecia um tanto distante agora que eu estava prestes a encontrar Rolf Mengele.

Gerald e eu conversamos muitas vezes sobre isso. Um filho não é responsável pelos pecados do pai. E eu sabia, pautada por nossa pesquisa, que Rolf condenava o que o pai fizera em Auschwitz e estava realmente tentando consertar as coisas ao permitir que Gerald usasse, sem nenhum custo, os diários e as cartas de seu pai na biografia que estava escrevendo. A visita a Nova York era em parte para discutir com Rolf Mengele se ele concordaria em falar sobre o pai ao vivo, na televisão (o que ele fez, com Gerald, naquele verão, no programa de Phil Donahue, um dos mais proeminentes entrevistadores norte-americanos). Mesmo assim, apesar de meu lado racional saber que o homem que eu estava prestes a encontrar não tinha nenhuma responsabilidade pelos crimes de gelar os ossos que foram perpetrados por seu homônimo paterno em Auschwitz, ainda me sentia uma pilha de nervos e de emoções conflitantes. Gerald já encontrara Rolf antes, na Alemanha, havia algumas semanas, e ambos tinham estabelecido um bom relacionamento. Eu era o elemento novo naquele encontro.

Minha apreensão se desvaneceu logo depois que Rolf chegou. Ele parecia estar tão nervoso quanto eu, e isso de alguma maneira acabou reduzindo a ansiedade que nós dois sentíamos. Fiquei impressionada com a sinceridade com a qual ele denunciou os crimes do pai. E, nos dias que se seguiram, descobri que as atrocidades de Mengele haviam sobrecarregado o filho, deixando-lhe um legado que ele não conseguia aceitar ou entender por completo, um legado que queria muito evitar que fosse herdado por seus próprios filhos.

A certa altura, enquanto conversávamos sobre a época em que seu pai se tornou um fugitivo da justiça, falamos sobre os meses caóticos que sucederam ao término da guerra, em maio de 1945. Mengele ainda estava na Europa e americanos e britânicos o perseguiam. Ele teve a sorte de conseguir escapar muitas vezes. Mas a ocasião que mais me impressionou foi a de setembro de 1945, oito meses após fugir de Auschwitz, apenas alguns passos antes da chegada do Exército Vermelho. Mengele apareceu sem aviso na casa de um farmacêutico e sua esposa, em Munique. Esse farmacêutico, cujo nome não foi revelado, lutou com ele na frente de batalha contra os russos em 1942, antes de Mengele ser transferido para Auschwitz. No entanto, Rolf contou que o farmacêutico sabia sobre os crimes cometidos por seu pai, porque os dois tinham um conhecido em comum que havia trabalhado para Mengele no campo de concentração: um outro farmacêutico chamado Victor Capesius.

"Capesius", disse Rolf, "era o farmacêutico de Auschwitz. Meu pai e ele eram amigos."

Eu me lembro desse momento como se houvesse acontecido hoje. A primeira coisa que pensei foi: "Auschwitz tinha um farmacêutico?".

Ao longo dos anos, entre meus próprios projetos de livro e os muitos outros partilhados com Gerald, eu tinha esperança de algum dia ainda escrever sobre Capesius. Meu desejo foi crescendo à medida que percebi que sua história — e o papel que ele desempenhou em Auschwitz junto a algumas das maiores indústrias farmacêuticas da Alemanha — era completamente abafada por nazistas bem mais infames. Com o passar do tempo, conforme fui compilando informações, descobri uma narrativa irresistível sobre medicina deturpada e ganância. Aquelas poucas palavras de Rolf Mengele há trinta anos plantaram uma semente, que agora germinou enfim. O que se segue nas próximas páginas é a história peculiar, inquietante — e às vezes revoltante — do farmacêutico de Auschwitz.

# O "tio farmacêutico"

Maio de 1944. Auschwitz, o maior templo nazista de genocídio em escala industrial, estava funcionando no limite de sua capacidade. No frenesi da guerra para erradicar os judeus da Europa, o Terceiro Reich se preparava para deportar 800 mil judeus húngaros para as câmaras de gás de Auschwitz. O lugar, que ficaria conhecido como sinônimo de assassinato em massa, estava com dificuldade de dar conta do intenso fluxo de novas vítimas. Foi nesse cenário caótico que Mauritius Berner, um médico romeno, sua esposa e suas filhas ali desembarcaram. Os Berner e oitenta de seus vizinhos judeus, vindos da parte da Transilvânia sob domínio dos húngaros, chegaram ao raiar do sol, depois de viajar três dias acomodados dentro de vagões para transporte de gado.

"As trancas e correntes do lado de fora dos vagões foram retiradas, e a porta foi aberta", recordou Berner. "Havia uma enorme quantidade de malas, milhares de itens de bagagem em uma desordem inimaginável."

Uma falange das tropas da SS com pastores-alemães latindo acrescentou contornos surreais ao fundo iluminado por refletores muito fortes.

"Eu não conseguia entender onde estávamos, o que tinha acontecido e o porquê daquela imagem de devastação completa. Ao olharmos adiante entre duas linhas de trem, a algumas centenas de metros, avistamos duas chaminés industriais lançando chamas muito altas, pilares de fogo... Achamos inicialmente que estávamos em alguma estação bombardeada... Aquelas imensas colunas de fogo saindo das chaminés me fizeram pensar que tínhamos chegado em alguma metalúrgica ou na entrada do Inferno de Dante."

Apesar do medo, o dr. Berner tranquilizou a esposa e as filhas: "O mais importante é que nós cinco vamos ficar juntos... não permitiremos que ninguém nos separe".

Um oficial da SS surgiu diante deles naquele momento.

"Homens para a direita, mulheres para a esquerda."

"Em apenas um segundo eu havia sido separado de minha mulher e de minhas filhas", Berner recordou. Eles foram movidos para a frente formando duas fileiras paralelas, distantes entre si por somente alguns passos.

"Venha, meu amor, e nos beije", gritou a esposa dele.

"Eu corri para junto delas. Com lágrimas nos olhos e um nó na garganta, eu as beijei, então olhei nos olhos de minha esposa, arregalados, tristes, lindos e tomados pelo medo da morte. As meninas observavam, em silêncio, seguindo a mãe. Elas não conseguiam compreender o que estava acontecendo."

Um soldado empurrou Berner de volta para a fila dos homens. Poucos minutos mais tarde, outro gritou: "Médicos, formem uma fila aqui". Berner se reuniu a um pequeno grupo próximo de vários caminhões da Cruz Vermelha. Dali ele pôde ver um capitão da SS imaculadamente vestido, usando luvas brancas, diante de milhares de recém-chegados, que formavam mais de meio quilômetro de fila. Para cada um que se aproximava, ele apontava com o polegar para a direita ou para a esquerda, dividindo o grupo outra vez. Só mais tarde Berner ficaria sabendo que o oficial em questão era Josef Mengele e que ser mandado para a esquerda significava uma sentença de morte imediata.[1]

A poucos passos atrás de Mengele encontrava-se outro oficial da SS, um homem de baixa estatura, encorpado, que estava de costas para Berner. Ele direcionava os prisioneiros depois que Mengele fazia a seleção. Em certo momento, esse oficial se virou. Berner ficou atônito. Sacudiu a cabeça e esfregou os olhos para se certificar de que não estava enganado. O major da SS na rampa de Auschwitz era Victor Capesius, um farmacêutico de sua cidade natal.

Até 1930, Capesius era um simpático representante comercial da I.G. Farben, um conglomerado gigante da indústria química e farmacêutica alemã. Ele trabalhava vendendo remédios para uma subsidiária da Farben, a Bayer. [2]

"Quando a guerra eclodiu, eu tinha perdido contato com Capesius, até que minha família e eu chegamos a Auschwitz. E quem estava lá? O mesmo dr. Capesius." [3]

Berner aproximou-se devagar até ficar próximo o suficiente para que Capesius pudesse ouvi-lo. As palavras saíram de sua boca com rapidez:

"Lembra-se de mim?!"

Ele suplicou a Capesius que o levasse para junto da esposa, da filha de doze anos e das gêmeas de nove.

"Gêmeas?" Capesius pareceu interessado.

Capesius e outro médico da SS, dr. Fritz Klein, mandaram buscar a esposa e as filhas de Berner. Então levaram a família até Mengele, que estava extremamente concentrado nas longas filas de novos prisioneiros.

Klein contou a Mengele sobre as gêmeas.

Mengele estava obcecado por conseguir gêmeos para seus experimentos. Entretanto, como a guerra recentemente havia se voltado contra o Reich, ele sabia que não poderia mais se dar ao luxo de requisitar todos os pares de gêmeos que encontrasse.

"Idênticas ou não?", perguntou Mengele.

"Não", respondeu Klein.

"Depois", Mengele o dispensou com um gesto. "Não tenho tempo agora."

"Elas terão que voltar aos seus grupos", informou Capesius ao soluçante Berner. "Não chore. Sua esposa e suas filhas vão apenas tomar banho. Você as verá de novo em uma hora."[4]

Berner foi enviado para um dos subcampos de trabalho escravo de Auschwitz. Foi só depois da guerra que ele tomou conhecimento de que sua família tinha sido exterminada com gás uma hora após sua chegada.

Outras duas pessoas reconheceram Capesius na rampa de seleção naquele mesmo dia. A dra. Gisela Böhm, pediatra, e sua filha de dezenove anos, Ella, também haviam desembarcado daquele mesmo trem. Ella consolara as filhas gêmeas de Berner durante a assustadora viagem. E assim como Berner, ela e a mãe ficaram surpresas ao ver Capesius na rampa de acesso à estação.

A dra. Böhm também conhecia Capesius da época em que ele era representante comercial da Bayer. Ele era dono de uma farmácia na cidade natal dela, Schässburg, e fizera visitas comerciais ao seu marido, que também era médico. Em certa ocasião, o vendedor até passara um filme promocional da Bayer para eles.[5]

A primeira lembrança que Ella tinha de Capesius era de quando seu pai o apresentara como o "tio farmacêutico". Ela tinha doze anos, e ele lhe dera um bloco da Bayer de presente. "Eu tinha muito orgulho do meu bloco da Bayer", recordou, anos mais tarde. "Eu até me gabei dele na escola."[6] Capesius às vezes relaxava com a família dela na piscina pública, e Ella se lembrava de sua gentileza.

Quando o avistou em Auschwitz, pensou que Capesius talvez pudesse ajudar a separar ela e sua mãe dos outros milhares de pessoas, mas não conseguiu fazer com que ele a notasse. "O que esse homem faz aqui?", se perguntou, na ocasião. "O que faz um farmacêutico num lugar horrível como este?"[7]

# A conexão com a Farben

A resposta à pergunta de Ella não era simples. Para entender o que um farmacêutico como Capesius estava fazendo em Auschwitz, é necessário compreender primeiramente como esse campo de concentração se tornou um centro lucrativo de experimentos médicos, trabalho escravo e extermínio: um fruto mortal da parceria político-militar-industrial entre nazistas e a I.G. Farben, a maior empresa alemã existente à época. Particularmente para Capesius, isso significava mais do que apenas entender a obscura história que culminou em Auschwitz. Isso porque, antes da guerra, ele trabalhava como farmacêutico em uma das subsidiárias da Farben: a Bayer, o que lhe aferiu algum status entre muitos dos nazistas que viriam a trabalhar com ele no campo de concentração.

A Interessen-Gemeinschaft Farben (Associação de Interesses Comuns Farben) foi fundada em dezembro de 1925, apenas oito anos antes de Hitler se tornar chanceler da Alemanha. Seis indústrias farmacêuticas se juntaram para formar um imenso conglomerado empresarial. Entre elas, as maiores produtoras de tinturas sintéticas: Bayer, Hoechst, Basf e Agfa.[1]

Durante os catorze anos entre sua fundação e o início da Segunda Guerra Mundial, a Farben alardeava quatro prêmios Nobel de Química e de Medicina. Além disso, detinha o monopólio virtual de patentes inovadoras, assumindo a dianteira de manufaturas de componentes sintéticos, inclusive borracha e petróleo, bem como de medicações revolucionárias para tratar sífilis e malária, de patentes para morfina e novocaína, e até mesmo dos direitos exclusivos para a fabricação da Aspirina como analgésico. A Farben também se vangloriava por ter pesquisas de ponta em milhares de produtos extremamente diversificados, desde adoçante artificial de sacarina até poderosos gases venenosos e promissores combustíveis para foguetes. Seus 250 mil funcionários eram mais bem remunerados e tecnicamente mais desenvolvidos que os das indústrias concorrentes. Em tempo recorde, com sua complexa teia de parcerias e subsidiárias, a Farben se tornou a maior indústria química e o quarto maior conglomerado industrial do mundo, alcançando os calcanhares da General Motors, U.S. Steel e Standard Oil. Era de longe a empresa alemã mais lucrativa.[2]

Antes mesmo de Hitler assumir o poder, ele acreditava, como muitos na Alemanha, que o país perdera a Primeira Guerra Mundial devido a seus escassos recursos naturais, necessários para uma batalha militar longa. Suas indústrias de base haviam ficado paralisadas durante a guerra por causa de um bloqueio britânico, que impedia o abastecimento interno de matérias-primas como borracha, petróleo, aço e nitratos. Isso acarretou um persistente desabastecimento de produtos básicos, desde pólvora a combustível, o que derrubou a Alemanha no campo de batalha. A falta de matéria-prima associada à fome de civis acabou por aplacar a disposição da Alemanha para lutar.[3]

Hitler, que era um soldado condecorado da Primeira Guerra Mundial, estava convencido de que o país deveria ser militarmente autossuficiente. Desse modo, as tecnologias da Farben ofereciam a Hitler uma oportunidade singular de reconstruir a Alemanha sem que fosse preciso depender de outros países para obter petróleo, borracha e nitratos. Desde o início da união entre os dois, porém, a companhia monolítica, nacionalista de direita e em franco desenvolvimento enfrentou problemas. Isso porque muitos de seus melhores cientistas e um terço de seu quadro executivo eram judeus. O envolvimento inicial entre a Farben e o Terceiro Reich adquiriu então tons esquizofrênicos. A literatura e os comentaristas nazistas denegriam a Farben ao denominá-la "instrumento do capitalismo internacional", palavras-chave na visão nazista para indicar que um pequeno grupo de judeus controlava e manipulava o mercado financeiro e as indústrias no mundo. Por vezes ironizava-se a Farben chamando-a de I.G. Moloch, em referência ao deus cananeu a quem eram oferecidas criancinhas como sacrifício, buscando invocar a calúnia centenária de que os judeus matavam crianças cristãs e usavam seu sangue em rituais religiosos. O virulento semanário antissemita *Der Stürmer* publicava caricaturas de "Isidore G. Farber", numa mistura ofensiva de Shylock* e uma prostituta.[4]

Algumas das críticas mais duras ao nazismo foram feitas às divisões farmacêuticas da Farben, por usar de forma rotineira animais de laboratório para testar medicamentos. Membros da elite nazista eram defensores ferrenhos dos direitos dos animais, e Hitler era um vegetariano que sonhava algum dia banir todos os açougues da Alemanha. O nazismo criou leis de proteção à caça, ao uso de animais em filmes e em circos, e colocou os açougueiros kosher na ilegalidade. A Alemanha foi o primeiro país a criar leis contra a vivissecção. A pena para autores de experimentos em animais era confinamento em campo de concentração ou, em alguns casos, até mesmo a morte. Um dos melhores médicos cientistas da Farben, Heinrich Hörlein, argumentou que experiências com animais eram necessárias para testar medicamentos que poderiam salvar vidas. Os nazistas consideraram essa opinião nada além de mais uma evidência de que a Farben era uma "organização semita internacional".[5]

Carl Bosch, o químico e ganhador do prêmio Nobel que comandava a empresa, não era nem um pouco fã de Hitler. Bosch julgava os nazistas pouco mais do que assassinos políticos que não davam valor algum à inovação científica — espinha dorsal da Farben. No entanto, à medida que Hitler começou a galgar o poder, Bosch percebeu que a companhia teria que se metamorfosear de uma empresa estrangeira que não era digna de confiança em uma parceira indispensável.[6] Bosch decidiu então abrir os cofres da Farben e se tornou o maior apoiador financeiro do nazismo nas eleições de 1933, na qual Hitler recebeu 6 milhões de votos, consolidando sua posição de chanceler.[7] Bosch também enviou a Berlim o secretário de imprensa da Farben, um homem que se vangloriava de ter sólidos contatos entre os nazistas, para defender que a cúpula da empresa era composta em sua maioria por "homens cristãos bem-sucedidos".[8]

Nesse meio-tempo, Hitler se interessou pessoalmente pelas patentes de petróleo sintético da Farben. Quando ele se reuniu com dois executivos

* Personagem da peça *O mercador de Veneza*, de Shakespeare. Shylock é um agiota judeu considerado um dos principais antagonistas criados pelo bardo inglês. (N.E.)

seniores da companhia, o Führer os surpreendeu ao dizer que a Farben fazia parte do coração de seu plano de tornar a Alemanha autossuficiente.[9] Quando Bosch e Hitler se encontraram, no final de 1933, ambos pareciam compartilhar a paixão por um caro programa que traria a independência petrolífera do país. Mas o encontro terminou de forma um tanto quanto azeda assim que Bosch demonstrou sua preocupação com o fato de os nazistas estarem acelerando a exclusão de judeus da área científica. Bosch foi direto. Tanto a química quanto a física retrocederiam cem anos se a Alemanha forçasse os cientistas judeus a deixarem o país. A afirmação enfureceu Hitler. "Então trabalharemos cem anos sem física ou química", ele teria berrado.

Tal situação criou um clima de estranhamento. Naquele ano, os nazistas ainda anunciariam a Lei de Concessão de Plenos Poderes de 1933, que dava a Hitler uma autoridade que seria usada para banir os judeus não só das áreas científicas e tecnológicas, mas também do ensino nas universidades, de empregos civis e de serviços prestados ao governo. Indo contra os conselhos que recebera de seus colegas de diretoria, Bosch continuou com sua cruzada pela defesa dos cientistas judeus. Não é de surpreender que Hitler jamais tenha concordado em estar novamente no mesmo recinto que Bosch.[10]

Os nazistas poderiam ter escolhido desmantelar uma companhia com menos poder e influência, mas Hitler e seus seguidores sabiam que precisariam dos músculos e conhecimentos da Farben. Então, no início de 1937, fizeram a única coisa possível para torná-la aceitável ao Terceiro Reich: nazificaram a Farben. Robert Ley, um químico da Bayer, tornou-se o ministro responsável pela Frente de Trabalho Alemã. Todos os oficiais judeus foram dispensados. Um terço do conselho diretor foi tirado à força da matriz e banido de qualquer contato com a empresa. Cientistas chefes das divisões de pesquisa foram chutados para escanteio e sumariamente trocados.[11] Enquanto os judeus foram expurgados dos níveis hierárquicos mais altos da Farben, Carl Bosch tornou-se consultor honorário, uma posição de pouca influência (quando ele faleceu, três anos mais tarde, nas garras da depressão e do alcoolismo, previu aos seus médicos que Hitler levaria a Alemanha à destruição).

Em julho de 1938, quando o Terceiro Reich decretou que a presença de um único judeu no conselho diretor de uma empresa a configurava como "uma empresa judia", as tensões e punhaladas pelas costas entre o nazismo e a Farben já faziam parte do passado. Muitos oficiais da companhia tornaram-se nazistas, e alguns até mesmo entraram para a SS. A Farben havia obtido sucesso em conseguir um certificado de "empresa alemã", cumprindo totalmente as exigências das leis raciais.[12] Para demonstrar como levava a sério a missão de se tornar uma empresa ariana, a Farben dispensou 107 chefes de departamento judeus que trabalhavam em filiais fora da Alemanha.[13] Além disso, ainda converteu sua filial norte-americana em um dos centros de espionagem mais eficientes nos Estados Unidos. E com a propriedade das companhias de filmes Agfa, Ansco e General Aniline, seus "vendedores" conseguiam tudo o que queriam, desde fotos de instalações militares secretas a cópias de estratégias do Exército e da Aeronáutica.[14]

A anexação da Áustria por Hitler, em março de 1938, foi a primeira prova do potencial da bem-sucedida parceria entre a Farben e o Terceiro Reich. Em poucas semanas, a empresa havia assumido o controle da Skodawerke-Wetzler, a maior companhia química austríaca, na qual os Rothschild, uma proeminente família de banqueiros europeus, tinham participação acionária. A Farben contratou técnicos e gerentes arianos, e todos os judeus que ocupavam cargos executivos foram forçados a se demitir (Isador Pollack, gerente-geral da Skoda, foi literalmente chutado até a morte por uma tropa de assalto nazista).[15]

A incorporação da Skoda pela Farben virou o modelo utilizado em outros países que também foram vítimas das agressões de Hitler. Em 1938, durante um confronto entre Alemanha e Tchecoslováquia, a Farben aproveitou a ameaça da invasão nazista para comprar a Aussiger Verein, a maior indústria química da Tchecoslováquia, por um preço extremamente desvalorizado. Quando os nazistas começaram a *blitzkrieg* (guerra-relâmpago) na Polônia, em 1º de setembro de 1939, a Farben procurou adaptar suas alianças dentro do Terceiro Reich de maneira a maximizar os espólios de guerra. Antes do conflito, Hermann Göring, chefe na Luftwaffe, havia sido um grande aliado da Farben. Quando a Polônia caiu nas mãos dos nazistas, a Farben se alinhou o quanto pôde a Heinrich Himmler, chefe da SS e detentor do voto decisivo sobre o destino das companhias e propriedades polonesas. Tal atitude garantiu que a empresa pudesse arrebatar as três indústrias químicas e tintureiras mais importantes do país.[16]

Em junho de 1940, os nazistas tomaram a Bélgica, a Dinamarca, a Noruega, a Holanda e Luxemburgo, colocando a França surpreendentemente de joelhos durante um feroz ataque que durou seis semanas. Muitos executivos seniores da Farben tinham lembranças amargas sobre as generosas indenizações que a França recebera da indústria alemã após a Primeira Guerra Mundial. Mais ainda, as empresas francesas representavam os maiores adversários da Alemanha, de modo que foram rapidamente arianizadas. Por meio de uma nova holding, a Farben também assumiu o controle das valiosas indústrias químicas locais.[17]

A ambição da Farben crescia no mesmo compasso que a Alemanha ganhava suas batalhas. Os diretores planejavam amealhar não apenas as indústrias dos países ocupados, mas também as de suas futuras conquistas, incluindo as da neutra Suíça e as dos então Aliados, Itália e União Soviética, e até mesmo as da Inglaterra e dos Estados Unidos. A essa altura, a companhia alemã era responsável por 85% do patrimônio militar que os nazistas utilizavam em seu esforço de guerra.[18]

A queda da França marcou o ápice do sucesso da campanha militar alemã. Apesar de os nazistas conduzirem um ataque aéreo sem trégua sobre a Inglaterra, os britânicos não se curvaram. Hitler então ignorou o conselho de seus generais mais graduados e se preparou para abrir uma segunda frente de batalha ao leste, invadindo a Rússia. O alto-comando nazista sabia que o primeiro ano de campanha já havia consumido uma grande parte dos suprimentos de combustível e munição. Até a borracha, que era necessária para tudo, desde pneus até botas de combate, estava se tornando escassa, e uma guerra com duas frentes de batalha significaria um aumento exponencial na demanda de recursos. Hitler exigiu que a Farben garantisse o dobro da produção de petróleo e borracha sintética, solicitando também a construção de duas imensas fábricas. A Farben designou duas equipes para que buscassem um local para construir as fábricas, e encontraram um no sudeste da Noruega e outro no oeste da Polônia. Ambas as localizações estavam sob domínio alemão e, portanto, seguras contra ataques dos Aliados.

Otto Ambros, um químico de 39 anos, reconhecido como o maior especialista da Farben na produção de borracha sintética, supervisionou as obras da primeira grande fábrica de borracha, em Schkopau, na Alemanha

Oriental. Após visitar a Polônia, Ambros voltou à matriz, em Frankfurt, com a notícia de que encontrara o lugar ideal para construir as duas fábricas. Ficava na Silésia Polonesa, junto à embocadura de três rios, já que a produção de petróleo e borracha sintética exige enormes quantidades de água no processo químico de alta pressão, fundamental para as duas tecnologias. Três linhas de trem passavam na área. Não ficava muito longe de uma autoestrada, e os distritos mineradores estavam em um raio de menos de 32 quilômetros. Outra vantagem, segundo Ambros, é que era vizinha a um depósito da cavalaria que os nazistas estavam transformando em campo de concentração, o que possibilitaria para a Farben acesso a um suprimento permanente de mão de obra barata de prisioneiros.[19]

Os colegas de diretoria de Ambros rapidamente deram o aval, seguido da aprovação do Terceiro Reich. A Farben resolveu batizar as instalações de sua nova divisão corporativa com o nome da pequena vila polonesa vizinha: I.G. Auschwitz.[20]

# I.G. Auschwitz

A Farben tinha grandes planos para a I.G. Auschwitz. Não seria apenas a maior fábrica da empresa, mas também incluiria, pela primeira vez, uma instalação de hidrogenação para viabilizar a produção de um volume recorde de borracha e combustível sintéticos. A empresa tinha expectativa de que a I.G. Auschwitz viesse a se tornar uma formidável fonte de lucros. A Farben estava tão confiante nisso que declinou uma oferta de financiamento feita pelo governo alemão. Se tivesse aceitado o dinheiro do Terceiro Reich, a companhia e os nazistas teriam automaticamente se tornado sócios. Em vez disso, porém, a diretoria assumiu todos os riscos, de forma a ficar com todo o lucro.

A Farben reservou quase 1 bilhão de Reichsmarks (o equivalente a 55 bilhões de dólares) para aquele ambicioso projeto.[1] Os planos exigiam um empreendimento de vários quilômetros quadrados de extensão, o que demandaria mais eletricidade que toda Berlim. Heinrich Himmler, chefe da SS, considerava o sucesso dessa instalação tão importante que destacou o chefe de seu gabinete, um oficial de sua total confiança, o general Karl Wolff, como seu representante junto à Farben.

Em 20 de março de 1941, em Berlim, Wolff encontrou-se com o químico e diretor da Farben, Heinrich Bütefisch, também tenente-coronel da SS. Eles queriam definir os detalhes de como o campo de concentração vizinho a Auschwitz poderia beneficiar a empresa. Muitos trabalhadores treinados estavam servindo nas frentes de batalha nazistas, de modo que a mão de obra qualificada era escassa. Assim, a intenção era reunir não apenas os trabalhadores alemães, mas aqueles que eram eufemisticamente chamados de "trabalhadores livres" — homens vindos da Holanda, Bélgica, França e Polônia que recebiam salários drasticamente reduzidos. Himmler ordenou ao inspetor do campo de concentração que fornecesse uma quantidade superior a 12 mil prisioneiros. Devido ao fato de campos como Auschwitz serem lucrativos para a SS, Bütefisch sabia que Himmler exigiria algum tipo de compensação financeira pelos prisioneiros usados pela Farben.

Depois de meio dia de difíceis negociações, a Farben concordou em pagar quatro Reichsmarks (aproximadamente vinte dólares em 2015) por dia pelos prisioneiros qualificados, três pelos sem qualificação e 1,5 (equivalente a 60 centavos de dólar) por cada criança. Por esse valor, que eventualmente totalizou 5 milhões de dólares, a SS concordou em fornecer transporte, partindo e voltando dos alojamentos — alguns ficavam a mais de seis quilômetros do local da construção —, bem como todas as rações.[2] Poucas semanas após esse acordo ser firmado, vários diretores da Farben acompanharam Himmler em um tour privado às obras da I.G. Auschwitz. Ele ficou impressionado e prometeu garantir um suprimento regular de prisioneiros como mão de obra.[3] À época, Otto Ambros, da Farben, escreveu em um memorando: "Nossa amizade com a SS está se provando muito lucrativa".[4]

A Farben sabia que o imenso escopo do projeto se tratava de um grande desafio técnico, e que as limitações da guerra tornariam difícil a obtenção de todas as matérias-primas necessárias. Desde o início, todavia, a construção se mostrou ainda mais problemática e rapidamente começou a descumprir os prazos do cronograma.[5] Mas a I.G. Auschwitz também foi atingida por um contratempo: a Farben não antecipara as terríveis consequências dos castigos que a SS impingia à sua mão de obra de prisioneiros.

Os memorandos internos da empresa catalogavam os incansáveis abusos: eles eram "brutalmente açoitados no local das obras" e algumas vezes surrados e chutados, até mesmo espancados até a morte. Um diretor registrou: "Isto [a surra] sempre atinge os detentos mais fracos, que realmente não têm como trabalhar com mais empenho".[6] Para ele, isso não só impedia que os mais fracos fizessem seu trabalho, mas também "desanimava os trabalhadores livres e os alemães".[7] A questão é que a marcha que os prisioneiros faziam diariamente desde Auschwitz drenava suas forças antes mesmo que começassem o dia de trabalho. Usando apenas uniformes leves de prisioneiro e tamancos de madeira que não se encaixavam bem nos pés, eles sofriam com o intenso calor no verão e o frio de gelar os ossos no inverno. Os gerentes da fábrica, desalentados, observavam que eram necessários três, quatro e, às vezes, até cinco prisioneiros subnutridos para carregar um saco de cimento de cinquenta quilos.[8] Diante disso, os executivos da Farben reclamavam internamente que a SS não entendia o que era preciso para um "empreendimento privado" ser bem-sucedido.

Os nazistas, porém, obsessivamente burocráticos, exigiam que todo trabalhador forçado que saísse do campo principal depois da chamada matutina, às quatro da manhã, retornasse para a chamada da noite. Isso se refletia em cenas surreais ao fim de cada dia, quando prisioneiros arrastavam o corpo de seus colegas de trabalho que haviam sucumbido durante o turno para seus respectivos blocos de celas, de maneira que os nazistas contabilizassem seus corpos como "presentes". Várias vezes por semana, os nazistas despachavam pilhas de cadáveres para os crematórios. Esse bizarro ritual era fruto da lucratividade: a SS ganhava dinheiro com todos os corpos, tanto com a extração do ouro dos dentes quanto com o uso dos cabelos em colchões ou na confecção de meias quentes para as tripulações dos submarinos e os pilotos da Luftwaffe.[9] Caso optasse por dispor os corpos dos trabalhadores mortos nas instalações da fábrica, a SS perderia sua última oportunidade de violá-los.

Os executivos da Farben não reclamavam dos maus-tratos aos trabalhadores prisioneiros nem demonstravam qualquer tipo de preocupação humanitária. Em vez disso, ficavam frustrados com a necessidade de três prisioneiros para fazer o trabalho de um único trabalhador alemão bem-alimentado. Tal fato provocou uma intensa discussão interna sobre como acelerar as obras, que se arrastavam. Oficiais temiam que se as fábricas de borracha e petróleo sintéticos não suprissem a demanda do Exército de Hitler, a SS culpasse a empresa. Ninguém queria se arriscar a despertar a ira de Hitler e Himmler, já que, além de se tratar de projetos de tempos de guerra, também haviam sido classificados como indispensáveis. Então, em julho de 1942, um ano após a batalha na frente oriental ter início, a diretoria da Farben aprovou uma proposta fantástica, cimentando a rampa pela qual a empresa desceria em sua bancarrota moral: decidiram que a melhor forma de resolver o problema de mão de obra da I.G. Auschwitz era construir um campo de concentração próprio, o que custaria um total de 20 milhões. O local escolhido ficava a leste do original campo de concentração de Auschwitz, ao lado dos canteiros de obras. Ernst "Fritz" Sauckel, o ministro do Trabalho do Terceiro Reich, aprovou a proposta da Farben, concluindo que essa era a melhor maneira de "explorar [os prisioneiros] ao máximo possível, com o menor custo concebível".

O novo campo foi batizado de Monowitz Buna-Werke, misturando Monowice (ou Monowitz, em alemão), nome de uma vila polonesa que foi posta abaixo para a construção do campo, e *Buna*, palavra alemã usada para denominar borracha sintética. O acesso a um suprimento regular de trabalhadores escravizados ainda encorajaria a Farben e outras companhias alemãs a construir 45 campos menores — mineradoras de carvão, usinas metalúrgicas, indústrias químicas, indústrias leves e até fabricas de comida — em um raio de 48 quilômetros, conforme Auschwitz deixava suas pegadas no interior da Polônia.[10]

A qualquer observador casual, Monowitz parecia uma cópia de Auschwitz, cercada por arame farpado eletrificado, torres de vigilância com guardas munidos de metralhadoras, cães de patrulha e holofotes para iluminar a noite e evitar fugas. Monowitz tinha suas próprias forcas, celas solitárias e uma falange de ex-prisioneiros que serviam como sádicos capatazes dos trabalhadores escravizados.[11]

Havia também um bordel (*frauenblock*), onde as mulheres prisioneiras eram forçadas a trabalhar como escravas sexuais para os trabalhadores alemães. A Farben criou até mesmo uma réplica da placa cunhada em ferro que ficava sobre a entrada de Auschwitz, onde se lia: *Arbeit Macht Frei*, "O trabalho liberta" (para muitos prisioneiros, as palavras inscritas no portão do Inferno de Dante eram mais adequadas: "Abandonai toda a esperança, ó vós que entrais").

Além de gastar milhões construindo o campo, a Farben concordara em pagar todos os custos de alimentação e alojamento dos prisioneiros, enquanto a SS assumia a responsabilidade pela segurança. A empresa fez tudo que estava ao seu alcance para aumentar os lucros e cortar os custos. Em média, três trabalhadores eram forçados a dormir em cabanas de madeira originalmente projetadas para uma única pessoa, sendo que cinco vezes mais judeus do que trabalhadores livres alemães eram postos nessa situação.[12] A palha fina que fazia às vezes de colchão era fonte constante de doenças e infecções.[13] E a empresa ainda fez experiências tétricas para poder determinar a quantidade mínima de alimento necessária para manter os prisioneiros em condições de trabalhar. O prato de resistência na dieta de Monowitz era uma sopa rala, que os prisioneiros apelidaram de *Buna*, já que deixava um gosto de borracha na boca. Vivendo com menos de 1.200 calorias diárias, perdia-se em torno de quatro quilos por semana, antes que o corpo se estabilizasse em um emaciado de pele e ossos.[14]

Memorandos da Farben revelam que os oficiais da empresa se deram conta de que qualquer prisioneiro que viesse a morrer em consequência do trabalho pesado podia ser facilmente reposto por novos prisioneiros, recém-chegados no próximo trem. Benjamin Ferencz, um importante promotor americano especialista em crimes de guerra após a Segunda Guerra Mundial, registrou que "os trabalhadores judeus dos campos de concentração eram menos que escravos. Os donos de escravos se importavam com sua propriedade humana e tentavam preservá-la; os nazistas tinham o plano e a intenção de usar os judeus até o esgotamento e então queimá-los".[15]

Um problema que a Farben conseguiu solucionar foi o de a SS mandar a maioria dos prisioneiros que chegavam direto para as câmaras de gás. Os executivos da empresa reclamavam que, em um carregamento de 5.022 judeus, por exemplo, 4.092 acabavam mortos de imediato. Após uma queixa formal, a SS concordou, em uma rara decisão, com que alguns trens fossem descarregados próximo à I.G. Auschwitz para que pudessem selecionar a mão de obra mais adequada. Dos 4.087 prisioneiros no primeiro trem descarregado perto de Monowitz, metade se salvou das câmaras de gás, tornando-se trabalhadores escravos. Mesmo assim, os administradores da Farben ainda registraram seu desapontamento pelo trem ter trazido "muitas mulheres, crianças e velhos judeus".[16]

Apesar dos obstáculos pouco comuns, os executivos da cúpula consideraram Monowitz um modelo a ser seguido em projetos futuros. O presidente da empresa, Carl Krauch, escreveu a Himmler em 27 de julho de 1943 dizendo estar "particularmente satisfeito" ao tomar conhecimento, por meio de uma conversa sobre uma nova fábrica de borracha sintética, de que a SS "continuaria a patrocinar e ajudar... como fez em Auschwitz".[17]

Cerca de 300 mil trabalhadores escravos eventualmente passaram pela I.G. Auschwitz. Foi ali que Elie Wiesel, de quinze anos, e Primo Levi, de 25, trabalharam quando adolescentes (ambos sobreviveram e se tornaram escritores renomados ao descrever o que lá aconteceu). Levi contou em seus escritos que a fábrica da Farben consistia em um enorme "emaranhado de ferro, concreto, lama e fumaça. É a negação da beleza (...). Em seus limites nem uma folha de relva cresce, e a terra está impregnada da seiva da hulha e do petróleo. As únicas coisas vivas são as máquinas e os escravos, sendo elas mais vivas do que eles".[18]

Cerca de 25 mil desses trabalhadores escravos labutaram literalmente até a morte, criando uma média de sobrevida de apenas três meses.[19] Ao final da guerra, no entanto, a ambiciosa I.G. Auschwitz da Farben não passava de um experimento estratégico malsucedido. Apesar do enorme investimento da Farben e de seu custo humanitário incrivelmente alto, para o completo desapontamento de Hitler, a fábrica conseguiu produzir apenas uma pequena parte do combustível sintético que havia prometido — e nenhuma borracha. Seu legado seria apenas o papel de agente assassino na Solução Final.

# Entra Capesius

Victor Ernst Capesius era, de diversas formas, o tipo de pessoa que não se esperaria encontrar em Auschwitz. Ele não era alemão nem austríaco, ou seja, não tinha nenhuma das nacionalidades predominantes entre os soldados, médicos e oficiais que trabalhavam nos campos de concentração. Capesius nasceu no dia 2 de julho de 1907, de pais luteranos devotos, em Miercurea Sibiului, um povoado na Transilvânia conhecido apenas por sua proximidade do lugar onde Vlad Drac nasceu durante a Idade Média. Seu pai era médico e trabalhava na saúde pública.[1] A infância do jovem Capesius não foi nada marcante. Ele era um estudante quieto e inexpressivo da Escola Luterana de Sibiu, uma cidade romena em que a influência alemã era tão forte que a maioria dos descendentes de alemães a chamava de Hermannstadt. Capesius se formou em Farmacologia como membro de uma turma de 32 estudantes da Universidade Rei Ferdinando I, em 30 de junho de 1930. O campus era localizado em uma cidade chamada Cluj-Napoca, conhecida pelos descendentes de alemães como Klausenburg.[2] Seu primeiro emprego foi como assistente na farmácia de seu tio, a Apotheke zur Krone (Farmácia da Coroa), em Sighişoara.[3] A mãe de Capesius dissera que ele talvez viesse a herdar o negócio.[4]

Ele trabalhava lá havia apenas cinco meses quando o Exército romeno o alistou, em 1931, como tenente, enviando-o a Bucareste como farmacêutico assistente. Mas ele logo conseguiu licença para estudar Química na Universidade de Viena.[5] Seu tempo na faculdade coincidiu com a ascensão de

Hitler ao poder na vizinha Alemanha, algo que não passou despercebido pelo jovem estudante alemão. Em Viena, Capesius conheceu sua futura esposa, Friederike Bauer, então com 24 anos. Fritzi, como Capesius a chamava, também era estudante do Instituto de Farmacologia, e ambos fizeram seus trabalhos de conclusão de curso com o mesmo orientador, dr. Richard Wasitzky.[6]

Fritzi achou Capesius encantador. Quando começaram a namorar, disse às amigas que ele era charmoso. Ela gostava de tudo nele, do cabelo castanho prematuramente grisalho aos olhos negros. Algumas de suas amigas o achavam desajeitado, mas ela as repreendia, lembrando-lhes de que ele era um excelente dançarino.[7] O casal pensava que tinha muito em comum, visto que os pais de ambos eram médicos e suas famílias eram luteranas, apesar de o pai de Fritzi ser judeu convertido. Em 1932, o relacionamento dos dois desabrochava, e ela o apresentou a seus pais. Depois, Fritzi passou as férias de fim de semestre com ele na Transilvânia.

Nesse meio-tempo, a dissertação de Capesius sobre uma erva conhecida como *Chenopodium*, usada no tratamento de pessoas com parasitoses, o graduou no bacharelado da Universidade de Viena, em 30 de novembro de 1933.[8] Pouco tempo depois de ter voltado a Sighişoara, foi promovido a gerente da farmácia do tio. Era um empreendimento lucrativo, que pagava em torno de 200 mil Reichsmarks anuais (aproximadamente 56 mil dólares, em uma época em que a média da renda anual era de 1.601 dólares).[9]

Muitos alemães étnicos na Romênia ficaram estarrecidos quando Hitler se tornou chanceler naquele mesmo ano. Capesius, entretanto, demonstrou pouco interesse no aumento do jugo alemão. Apesar de ter se filiado a um clube social-nacionalista, ele parecia mais interessado na oportunidade de expandir seus contatos comerciais do que alimentar qualquer paixão política. Em seu tempo livre, evitava os noticiários e relaxava com os amigos. Aos domingos, podia com frequência ser encontrado na companhia das irmãs Mild, duas meninas jeitosinhas de sua idade, fazendo piqueniques em um jardim tomado por flores silvestres. Ele gostava especialmente dos pratos tradicionais, como pimentas recheadas e bolo de creme de baunilha, e se vangloriava de ser um bom dançarino, em especial de valsas. Capesius e um grande amigo, Roland Albert, acompanhados por quase uma dezena de outros jovens, costumavam passar alguns fins de semana, na primavera e no verão, nadando em um riacho muito conhecido nos arredores de Sibiu. No outono, faziam trilha nas montanhas Hargitha. Capesius falava sobre uma estudante de Medicina alemã chamada Friederike, que ele conhecera em Viena e a considerava bonitinha. Se com isso ele pretendia deixar algumas moças da vila com ciúmes, não funcionou. Pelas suas costas, elas fofocavam sobre como ele era cabeludo, "balofo e pesado" — uma chegou até a dizer que achava que ele tinha "sangue cigano". Elas também faziam caretas quando ele eventualmente cantava, porque embora forte, sua voz era terrível.[10]

O trabalho na farmácia da família era seguro e tranquilo, mas não muito animado, e Capesius então começou a procurar emprego em outro lugar. Em fevereiro de 1934, ele conseguiu um que pagava bem. Seria representante nacional de vendas na Romigefa S.A., a filial romena da Bayer, subsidiária mais bem-conceituada da I.G. Farben.[11] No mês anterior, ele e Fritzi haviam se casado e estavam ansiosos por começar uma família. De fato, antes do fim do ano ela estava grávida. Ambos concordaram que a Farben oferecia uma oportunidade de carreira mais promissora do que ficar preso à farmácia do tio.

A empresa farmacêutica alemã para a qual Capesius trabalhava era a mais importante do mundo na década de 1930. A indústria farmacêutica moderna, aliás, foi uma criação alemã. Sua história remonta a 1827, quando a empresa ainda era apenas uma farmácia familiar chamada Engel-Apotheke (Farmácia Anjo), em Darmstadt. Heinrich Emanuel Merck, bisneto do fundador, conseguira isolar os alcaloides que serviam como base de muitos remédios, incluindo a codeína e a cocaína. Na mesma época, Ernst Christian Friedrich Schering fundou a Schering AG, em Berlim, uma pequena produtora de produtos químicos que também oferecia uma grande variedade de compostos. Alguns anos mais tarde, Friedrich Bayer abria uma fábrica em Wuppertal para produzir tinturas a partir de alcatrão de carvão. Em menos de dez anos, ele havia patenteado tecnologias de baixo custo para produção em série. Quando a Bayer descobriu que suas tinturas tinham propriedades antissépticas, elas passaram a ser vendidas como remédio.

Os cientistas alemães foram responsáveis por quase todas as primeiras descobertas farmacêuticas. Friedrich Sertürner, um farmacêutico de 22 anos, purificou um ingrediente ativo da papoula e o batizou de Morpheus, em homenagem ao deus grego dos sonhos. Em 1898, um de seus pupilos na Bayer acrescentou dois grupos de acetil a uma molécula de morfina e desenvolveu a heroína (do alemão *heroisch*, ou heroico). No ano seguinte, o mesmo cientista isolou o ácido acetilsalicílico, e depois de uma acalorada discussão interna, a Bayer o registrou como seu novo remédio: a Aspirina.

Capesius tinha orgulho de que a Farben/Bayer não tivesse rivais na dianteira da criação de novos remédios. Ele se provou um empregado zeloso e leal, ganhando reputação de simpático ao promover os produtos da companhia em consultórios médicos, farmácias e clínicas de toda a Transilvânia. Ele vendeu as tinturas e os produtos químicos da Farben até para a indústria têxtil.[12]

A Segunda Guerra Mundial, como fez com a maior parte da geração de Capesius, interrompeu o que parecia ser uma carreira bem-sucedida, mas sem grande importância. Em 1939, quando os nazistas invadiram a Polônia, a Romênia era neutra. No ano seguinte, porém, em novembro, alinhou-se com o Terceiro Reich, depois de um golpe de um fascista de punhos de ferro, o marechal Ion Victor Antonescu. Após Hitler invadir a União Soviética, em junho de 1941, muitas tropas romenas foram obrigadas a fazer o trabalho sujo na região.

Capesius teve sorte. Quando o Exército o convocou, ele foi enviado por um curto período para o dispensário de remédios de um hospital em Cernavodă, no leste da Romênia, não muito distante do mar Negro.[13] Sua maior tristeza ao ser convocado foi o fato de ter que se separar de suas três filhas, Melitta, então com seis anos, Ingrid, com quatro, e Christa, com um. Em janeiro de 1942, ele foi promovido a capitão e, por razões não muito claras em seu registro no Exército, recebeu dispensa para retomar seu trabalho civil junto a Farben/Bayer. Ele viajava tanto que houve uma época em que chegou a morar em Cluj-Napoca e Sighişoara ao mesmo tempo, antes de finalmente comprar uma casa com seis andares em um condomínio na rua Brezoiano, localizada em uma vizinhança abastada de Bucareste. Capesius se mudou com a família para lá, e sua renda era alta o suficiente para que ainda pudesse investir em um moderno apartamento na rua Dr. Marcovici. Capesius frequentava os melhores clubes de negócios e era presença garantida no cenário social.[14]

Apesar de a frente de combate não ter chegado à Romênia, havia sinais da guerra por toda parte, especialmente nos grandes entroncamentos ferroviários, por onde passaram, rumo ao confronto na Rússia, 10 mil homens das tropas do Eixo e da Alemanha. Pareceu estranho a Capesius que as composições fossem para o leste repletas de soldados e retornassem vazias. O motivo era que havia ordens para que ninguém deixasse aquela frente de batalha.

O país em que Capesius cresceu e agora trabalhava fora envolvido pelo fervor do social-nacionalismo. Suas lideranças e instituições não apenas abraçaram o fascismo como também se deixaram seduzir totalmente pela ideologia virulenta e antissemita de Hitler. Em sua ascensão ao poder, Führer culpava a "cabala judaica internacional" por escravizar a Alemanha após sua derrota na Primeira Guerra Mundial, afirmando que o país só voltaria a prosperar quando se livrasse dos judeus. Tal explicação inflamada, que fazia dos judeus bodes expiatórios, conquistou vários países-satélites, como a Romênia — isto é, lugares que queriam imitar Hitler e sua maneira truculenta de governar, visando alavancar sua importância no cenário europeu. Cristãos romenos eram particularmente bastante suscetíveis a essa cantilena demagógica, já que muitos acreditavam que os judeus eram os responsáveis pela morte de Cristo e que exerciam uma influência excessiva na economia.

A Transilvânia de Capesius era o lar de uma das mais antigas comunidades judaicas da Europa, cuja história tinha origens em 87 a.C. e contava com várias perseguições antissemitas desde então. O casamento entre judeus e cristãos era proibido no século XI. Nos séculos XV e XVI, não era permitido que judeus vivessem nas cidades maiores. Na segunda metade do século XVIII, a administração dos Habsburgo impôs uma série de impostos draconianos aos judeus, forçando-os a morar em guetos. Falsos rumores de que judeus matavam criancinhas cristãs para realizar rituais religiosos se espalharam como fogo, dando início aos *pogroms* patrocinados pelo governo e que disseminavam a violência dos chamados justiceiros. Quando os russos conquistaram a Transilvânia no século XIX, os invasores trouxeram seu próprio modelo de antissemitismo eslavo, que apregoava até mesmo que os judeus faziam parte de uma raça alienígena.

Apesar de grande parte da Europa ter se beneficiado dos ventos do liberalismo político e das teorias sociais que, após a Revolução Francesa, em 1789, sopraram em direção ao leste, a Transilvânia, de alguma forma, não foi maleável na modernização de sua visão sobre os judeus. Em 1866, uma nova Constituição declarou que apenas os cristãos eram considerados cidadãos, de modo que os direitos legais e de propriedade dos judeus, que se tornaram então apátridas naquele país, foram ainda mais reduzidos. Em 1940, o marechal Antonescu deu início a um processo de hegemonia entre os romenos, muito parecido com o programa de supremacia ariana de Hitler. Todo o capital judeu foi confiscado e distribuído entre os demais romenos em cumprimento aos objetivos do regime de expulsão dos judeus.

Alguns dos mentores de Capesius e de seus amigos próximos eram entusiastas desse novo ódio. Um professor de ciências que ele "reverenciava" abraçara a posição dos nacional-socialistas, defensores de que os alemães, de linhagem ariana deveriam ser protegidos das "pessoas inferiores".[15] Um amigo de Capesius, Roland Albert, se uniu a uma milícia neofacista assim que Antonescu tomou o poder, em 1940.[16] Em pouco tempo, ele estaria imitando a brutalidade na maneira de se expressar, não apenas depreciando os judeus, mas também os ciganos e os armênios do país. "Uma lamentável porcentagem de tolos da cidade, idiotas das vilas e fracotes de todo tipo acabou poluindo o sangue que herdamos", disse Albert.[17]

Na nova Romênia, algumas vezes amigos tinham discordâncias de pontos de vista sobre temas desimportantes. Albert se lembrou de que, certa vez, foi com Capesius a um sótão onde havia um gramofone. "Você tem algum clássico?", ele teria perguntado. "Schubert ou Beethoven?"

"Não, eu prefiro escutar Charleston ou as valsas de Strauss", Capesius teria respondido.

"Filisteu", Albert comentou com franqueza.[18] Ele mais tarde diria a um jornalista que aquelas músicas "revelavam a diferença essencial entre nós e os judeus... todo aquele jazz, a música urbana americana; está envenenando o mundo... essa música crioula".[19]

Não há evidências de que o jovem Capesius, que atravessava o país como funcionário da Farben/Bayer, tenha abraçado os preconceitos de seu professor ou de seus amigos. Fazendo uma rápida análise a partir da perspectiva cultural e histórica em que um alemão étnico, assim como Capesius, foi criado, educado, viveu e trabalhou, não se podia esperar nada além de um forte impulso de combater judeus. Posteriormente, no entanto, ele teria dito o contrário: "Nunca hostilizei um judeu".[20]

A despeito de quaisquer que fossem seus sentimentos, ele sabiamente sempre priorizou os negócios. Dois de seus primeiros supervisores na Farben eram judeus, mas tiveram que deixar a empresa em 1939 devido à Lei de Nuremberg.[21] Muitos médicos, farmacêuticos, clínicos e donos de fábricas a quem Capesius atendia para a Farben/Bayer eram judeus. Nenhum deles jamais relatou que ele tivesse demonstrado qualquer indício de antissemitismo.

Na verdade, os clientes judeus de Capesius compunham uma parte muito lucrativa de sua clientela. Assim, a mente dele, focada unicamente em ganhar dinheiro, venceu qualquer hesitação que pudesse ter tido em relação a judeus. Quando Josef Glück, um industrial têxtil judeu, reclamou diretamente para a diretoria da Farben de Frankfurt sobre atrasos na entrega dos corantes que ele havia encomendado, Capesius o visitou. Ele pessoalmente removeu os obstáculos e assumiu a supervisão da conta para garantir que Glück ficasse satisfeito dali em diante. Capesius também chegou a sair de seu caminho várias vezes para atender a reposição de estoque de um de seus maiores clientes, Albert Ehrenfeld, um distribuidor de produtos farmacêuticos que era judeu. E também fez um esforço especial para manter dois médicos, a dra. Gisela Böhm e o dr. Mauritius Berner, ambos judeus, a par das novas drogas descobertas na linha de produção da Bayer.[22]

O emprego na Farben manteve Capesius longe da crescente guerra antissemita em seu país natal. Mas isso mudou na primavera de 1943, quando os bombardeios dos Aliados finalmente conseguiram alcançar a Romênia e os nazistas então aceleraram o recrutamento de alemães étnicos (*Volksdeutsche*). Os dezoito meses de interlúdio de Capesius como representante da Farben/Bayer chegavam ao fim.

Ele não se surpreendeu ao ser convocado, em 1º de agosto de 1943, para servir o Exército alemão.[23] Apenas poucos meses depois de os russos terem virado o jogo na batalha mais sangrenta da guerra, Stalingrado, ele e muitos de seus contemporâneos acreditavam que seria apenas uma questão de tempo para as tropas soviéticas avançarem sobre a Romênia e o restante da Europa Oriental. Um colega de Capesius chamado Karl Heinz Schuleri, que servira no Exército da Romênia com ele, recordou que muitos deles não estavam felizes em ser comandados por alemães.[24] Capesius, entretanto, era minoria, já que tinha uma péssima opinião a respeito do Exército romeno e achava ser "mais honrado" servir diretamente à Alemanha.[25]

Fritzi também não estava feliz. Como era típico das esposas, ela ficou agradecida enquanto o marido estava na reserva, bem longe dos campos de batalha. Com a indicação dele para o Exército alemão, ela temia que muito em breve Capesius tivesse que entrar em combate. Ela receava se tornar mais uma viúva de guerra e ter que criar sozinha as três filhas, na época com oito, seis e três anos.[26] Essa preocupação a fez mudar de Bucareste para Sighişoara, onde foram viver com alguns primos de Capesius.[27]

Capesius não estava preocupado se teria que combater em breve ou não. Em vez disso, ele se concentrou em provar sua linhagem ariana desde o século XVIII, fato que o qualificaria para participar de um treinamento de seis semanas com a Waffen-SS (a unidade de combate da SS). Ele sabiamente não comentou nada sobre Fritzi, que, pela interpretação nazista de que a religião estaria ligada ao sangue, era metade judia.[28]

"Porque a alfaiataria da SS havia sido bombardeada", Capesius se lembraria mais tarde, "tivemos que esperar quase seis semanas para que os uniformes fossem terminados na alfaiataria da polícia. Uma espera muito agradável, em trajes civis, com muito teatro e cabaré. E vivíamos no Hotel Zentral, com seus jardins murados."[29]

Ao completar o treinamento, ele foi nomeado *Hauptsturmführer*, isto é, capitão da Tropa de Assalto de Hitler, e recebeu a marca permanente do status da SS: uma pequena tatuagem preta, próxima à axila, indicando seu tipo sanguíneo.[30] Quando os uniformes ficaram prontos, Capesius relatou que os recrutas foram "espalhados aos quatro ventos".[31] Ele e uma dúzia de outros alemães étnicos da Romênia foram enviados para a Estação Central Médica da SS em Varsóvia.[32] De lá, por curtos períodos de tempo, ele trabalhou como farmacêutico no dispensário de dois campos de concentração nos arredores de Berlim e Munique, Sachsenhausen e Dachau. Esses campos haviam sido construídos para receber prisioneiros políticos, mas, com o decorrer da guerra, começaram a receber um número cada vez maior de judeus. Apesar de as condições serem brutais em ambos, nenhum deles se tratava de um campo de extermínio. Capesius, com seu pedigree da Bayer, era uma escolha natural para assumir tal posição, já que a Farben administrava os dispensários de todos os campos.

Capesius sabia que os alemães étnicos como ele, oriundos da Iugoslávia, da Bulgária e de outros países da Europa Central e Oriental, eram considerados "alemães de segunda classe" por Himmler e pela cúpula nazista. "Tínhamos um complexo de inferioridade em relação aos alemães do Reich, os verdadeiros alemães", diria ele a seu amigo Roland Albert.[33] O que Capesius ainda não sabia é que essa opinião da elite da SS significava que os alemães étnicos como ele seriam sempre nomeados somente para os postos menos desejados, o que se traduzia em um número desproporcional deles sendo enviados aos campos de concentração.[34]

Foi em Dachau que um médico, o coronel Enno Lolling, simpatizou com Capesius. Ex-viciado em morfina e médico de um dos campos de concentração há sete anos, Lolling, na época em que conheceu Capesius, era chefe dos Serviços Médicos e de Higiene no campo. Na prática, era responsável por todos os médicos da SS em todos os campos de concentração.

Lolling tinha obsessão por coisas macabras. Ele mandara reunir centenas de peles humanas tatuadas nos campos de concentração. Prisioneiros cujas tatuagens fossem consideradas colecionáveis eram mortos com injeções de fenol no coração e sua pele era cuidadosamente removida e seca antes de ser enviada a Lolling em pacotes intitulados "Material de Guerra – Urgente". Ele chegou a repassar alguns exemplares de pele para o Instituto Kaiser Wilhelm, em Berlim, um proeminente centro de pesquisa do Terceiro Reich dedicado à "higiene racial" e à emergente disciplina sobre eugenia. Os melhores exemplares ele transformava em repulsivos presentes, como carteiras e cigarreiras, para dar a seus colegas oficiais.[35] Lolling até instruiu que os médicos da SS do campo de concentração de Buchenwald pesquisassem como encolher cabeças humanas, uma de suas fascinações mórbidas. Eles esquadrinharam livros sobre a prática entre os canibais dos mares do Sul e os indígenas da América Central, mas avançaram apenas ao descobrir um texto sobre técnicas aborígenes de caçadores de cabeças que dominavam a arte. De trinta prisioneiros que foram mortos por causa de sua cabeça, em Buchenwald, apenas três foram encolhidas de forma satisfatória para o tamanho de uma maçã (uma delas era usada como peso de papel pelo comandante do campo).[36]

Em novembro de 1943, Lolling avisou a Capesius que ele seria transferido para Auschwitz. Capesius sabia que os alemães tinham centenas de campos de concentração, porém Auschwitz se destacava por sua dimensão e reputação brutais. Quando serviu em Dachau e em Sachsenhausen, ouvira falar sobre esse notório complexo de campos, que operava sob um único nome, Auschwitz, e ficava a quase cinquenta quilômetros da Cracóvia. Em abril de 1940, quando foi construído, tratava-se de um campo penal. Alguns alojamentos militares em ruínas nos arredores de uma pequena cidade — Oświęcim em polonês, Auschwitz em alemão — haviam sido transformados em um campo de prisioneiros. Um ano depois já abrigava 10 mil detentos, a maioria dissidentes políticos da Polônia.[37] Foi quando a Farben decidiu construir Monowitz a apenas seis quilômetros ao leste. Como a SS queria suprir a mão de obra para a empresa, foi ordenado que o campo original fosse ampliado, aumentando a capacidade de prisioneiros para mais de 35 mil.

A reputação sombria do campo, no entanto, foi resultado de dois eventos posteriores e independentes entre si. A invasão nazista da União Soviética em setembro de 1941 havia sido uma vitória espetacular. Em poucos meses, os alemães tinham quase 1,5 milhão de prisioneiros de guerra russos e precisavam de um lugar para abrigá-los.[38] Foi quando o chefe da SS, Heinrich Himmler, ordenou a construção de um enorme campo secundário a menos de três quilômetros dali, perto de uma vila chamada Brzezinka, que os alemães chamavam de Birkenau. Localizada do outro lado da linha férrea, tinha capacidade para 200 mil prisioneiros de guerra, muitos dos quais deveriam ser postos a serviço de empresas alemãs como a Farben, a Krupp e a Siemens, que estavam implorando para que mais campos de trabalho forçado fossem construídos. Mas o plano de fazer de Birkenau um gigantesco campo de prisioneiros de guerra não durou muito. Em janeiro de 1942, os nazistas se decidiram pela Solução Final, seu plano para dar fim a todos os judeus da Europa. Isso os impeliu a criar campos de extermínio em outros lugares da Polônia — Treblinka, Majdanek, Chełmno e Sobibor. Esses locais, porém, não tinham capacidade de matar rápido o suficiente todos os milhões de judeus que habitavam os países conquistados pelos nazistas. Birkenau então foi reformada para ter uma dupla função: campo de trabalho forçado e campo de extermínio, com suas próprias e modernas câmaras de gás.

Capesius sabia que Auschwitz, que sofrera modificações para funcionar de forma híbrida, ou seja, como prisão, campo de trabalhos forçados e de extermínio, era diferente de todas as outras instalações do gênero. Era também onde os médicos da SS e as indústrias farmacêuticas alemãs dispunham do maior número de cobaias humanas, em quem podiam testar drogas sintéticas em experimentos médicos terríveis. Quando Capesius tomou conhecimento de sua transferência para lá, a SS se referiu tecnicamente ao campo original, Auschwitz I, que então era apenas uma sede administrativa. Birkenau era Auschwitz II e Monowitz era Auschwitz III.

De acordo com Lolling, Adolf Krömer, farmacêutico em Auschwitz desde 1941, precisava com urgência de um assistente. Krömer entrara para a SS em 1933 e, em consequência disso, tinha um número de cadastro baixo e respeitado. Apesar de seu ótimo histórico profissional, Krömer evidentemente não estava conseguindo dar conta de sua missão sozinho. O que Lolling não disse a Capesius foi que Krömer estava perdendo a batalha contra a depressão.

Capesius não queria ir para o lugar que Heinz Thilo, médico da SS, havia chamado de *anus mundi* (ânus do mundo).[39] Ele tentou recorrer da decisão com a ajuda de um amigo em Dachau, o capitão dr. Hermann Josef Becker, responsável pelo Departamento Médico da Aviação, onde fazia experimentos brutais envolvendo pressão e altitude limites com os prisioneiros para desenvolver melhores equipamentos de voo para os pilotos alemães. Becker era um membro bem respeitado do partido nazista e tinha boas relações com Berlim. Capesius alegou preferir ficar em Dachau. "Gosto dali", especialmente porque, segundo ele, o campo era "bem administrado".[40] Mas Becker não foi capaz de ajudar.[41]

Capesius chegou a Auschwitz em dezembro, assim que a primeira neve havia coberto os campos de branco. Dachau e Sachsenhausen podem ter aberto os olhos do farmacêutico romeno, mas o batismo de fogo de Capesius ainda estava para acontecer.

# Bem-vindo a Auschwitz

Capesius se apresentou para o serviço ao dr. Eduard Wirths, um capitão da ss de 34 anos que era responsável pelos vinte médicos de Auschwitz. Naquela época, eram esses médicos que tomavam conta de tudo, da saúde do pessoal da ss no campo até por manter vivos os trabalhadores forçados, além de também supervisionar experimentos médicos. Capesius soubera por seus colegas em Dachau que Wirths era diferente de qualquer médico com quem já tinha servido. Era um nazista fanático que lutara na frente de batalha ao leste e, depois de um ataque cardíaco leve em 1942, se recuperou ocupando o cargo de chefe da psiquiatria no campo de concentração de Neuengamme, nos arredores de Hamburgo. Depois de três meses, foi transferido como médico-chefe para Auschwitz.

Capesius ouvira falar que Wirths se dedicava à pesquisa de esterilização em massa e de câncer cervical. O que ele não sabia ainda é que, em sua pesquisa, Wirths autorizava experimentos em centenas de prisioneiras, destruindo seus ovários com radiação ou retirando-os em cirurgias rudimentares, que resultavam em morte em 80% dos casos. O irmão caçula de Wirths, Helmut, um eminente ginecologista em Hamburgo, foi para Auschwitz em 1943 para tomar parte nesses experimentos. Entretanto, o Wirths mais novo ficou tão revoltado com o que viu que rapidamente foi embora depois de uma discussão acalorada com o irmão.

Wirths também estava interessadíssimo em erradicar o tifo, uma doença que assolava não apenas os guardas e os supervisores da ss, mas também matava milhares de prisioneiros famintos, provando-se resistente a todas as tentativas de controle. Wirths desenvolveu vários programas intensos para livrar os alojamentos e os prisioneiros de piolhos e outros vetores que facilmente transmitiam a doença em meio às precárias condições de higiene do campo. É claro que não parecia nada estranho a Wirths o fato de que muitos dos prisioneiros a quem ele se dedicava tanto para salvar do tifo provavelmente terminariam nas câmaras de gás.

Capesius conhecia a reputação de excêntrico que Wirths tinha. O capitão da SS gostava de circular em um carro com bandeiras da Cruz Vermelha — sua maneira de ironizar a organização humanitária internacional que, de vez em quando, perguntava sobre as condições dos campos de concentração. Como resquício de sua passagem de dois meses como psiquiatra sem treinamento adequado em Neuengamme, Wirths dava aconselhamento sobre questões de casamento, sem custo nenhum, para o pessoal da SS que trabalhava em Auschwitz.

Seis meses antes de Capesius chegar, havia sido introduzida uma mudança que alteraria para sempre o curso da história do campo e a maneira como as futuras gerações julgariam os médicos que ali trabalharam. Até os primórdios de 1943, eram os homens da SS escolhidos por Rudolf Höss, o comandante de Auschwitz — condenado por assassinato —, que decidiam sobre a vida ou a morte dos prisioneiros recém-chegados na linha do trem. A maioria dos prisioneiros classificados como sem condições de trabalho — o que incluía também idosos, crianças e mulheres grávidas — era automaticamente direcionada para a esquerda, o que significava morte na câmara de gás (1,1 dos 1,5 milhão de deportados para Auschwitz morreram de imediato). Contudo, como os trabalhadores dos campos morriam rapidamente devido à desnutrição, às surras, às doenças e às execuções, havia uma necessidade constante de que fossem repostos.

Os que eram poupados na rampa de acesso da linha do trem eram tatuados no antebraço, de modo que pudessem ser identificados e ter seu destino acompanhado (Auschwitz era o único campo de concentração que fazia isso). Além dos trabalhos forçados em Monowitz, havia ainda vagas para carpinteiros, eletricistas, barbeiros e pessoal da cozinha. Às vezes, os prisioneiros eram levados para pedreiras e, fora do campo, sob vigilância armada, cavavam túneis, tiravam neve das estradas e removiam entulhos dos bombardeios. As mulheres eram, em geral, colocadas na triagem das toneladas de pertences pessoais recolhidos dos prisioneiros recém-chegados, separando as coisas de valor para que fossem enviadas para a Alemanha. Outras eram designadas para trabalhar como escravas sexuais. Médicos eram frequentemente poupados da morte, sendo então nomeados para desempenhar as funções mais medonhas, como assistentes de médico, farmacêuticos e dentistas da SS. Os prisioneiros-dentistas eram obrigados a tirar dentes de ouro da boca de cadáveres. E os fisicamente mais preparados, ao serem escolhidos para continuar vivendo, eram com frequência mandados para o *Sonderkommando*, o destacamento de prisioneiros responsável por retirar os cadáveres das câmaras de gás.

Wirths queria que a seleção dos prisioneiros na rampa fosse controlada por ele, pois, de acordo com seu entendimento, apenas médicos deveriam tomar decisões de vida e morte. Se Auschwitz era uma oportunidade sem precedentes de avanço científico para os nazistas, Wirths alegava que os médicos tinham que poder escolher pessoalmente suas cobaias. Na primavera, esse ponto de vista foi reforçado com a chegada do dr. Josef Mengele, de 32 anos e um veterano condecorado da frente de batalha oriental. Mengele era protegido do dr. Otmar Freiherr von Verschuer, um dos mais importantes geneticistas europeus da frente de batalha nazista por sua suposta ciência racial. Durante a faculdade, Mengele era o assistente de pesquisa favorito de Von Verschuer no prestigioso Instituto de Hereditariedade, Biologia e Pureza Racial da Universidade de Frankfurt do Terceiro Reich.

O trabalho de Mengele com Von Verschuer o colocou no epicentro da filosofia científica nazista, que nascia achando possível selecionar, manipular, melhorar e, assim, "purificar" os seres humanos.[1] Em suas pesquisas, Von Verschuer dedicou a maior parte de seu tempo ao estudo de gêmeos. Ele era o então chefe do Departamento de Antropologia, Hereditariedade Humana e Genética do proeminente Instituto Kaiser Wilhelm, em Berlim. Foi Von Verschuer que influenciou a indicação de Mengele para Auschwitz e que conseguiu verba para alguns de seus experimentos. Uma médica prisioneira no campo, Ella Lingens, que trabalhou para Mengele, mais tarde concluiria que, "no final, as consequências fatais resultantes da ciência e da pesquisa baseadas em raças foram reveladas e, para elas, sob o nacional-socialismo e a liderança de Otmar von Verschuer, não havia limites".[2]

Mengele não perdeu tempo ao chegar no campo. O que ele precisava para sua pesquisa eram de gêmeos. Muitos deles. Mas avistá-los dentre os exaustos, sujos e desorganizados prisioneiros recém-chegados não era, como ele mesmo disse a Wirths, tarefa que pudesse ser entregue aos olhos destreinados dos guardas comuns da SS. Para Wirths, essa era mais uma razão crítica para que a seleção tivesse supervisão médica.

Todos os médicos do campo, inclusive Wirths, foram designados para fazer as seleções em turnos que cobriam as 24 horas do dia. Dois médicos recebiam cada um dos trens que chegava. Nem todos, contudo, gostaram dessas novas responsabilidades: alguns como Hans König e Werner Rohde, por exemplo, se embebedavam. Dr. Fritz Klein, um conhecido sádico, diria a Capesius mais tarde: "Eu estava alcoolizado na maioria das vezes". Outro, Hans Münch, se recusou a obedecer e foi demovido do cargo e enviado ao campo da Farben, em Monowitz, para trabalhar processando amostras de sangue. Dr. Johann Paul Kremer manteve um diário durante seus muitos meses de trabalho em Auschwitz. Ele escreveu que o campo fazia o "Inferno de Dante parecer quase uma comédia" e contou que "os homens disputavam a oportunidade de participar de tais seleções, porque ganhavam rações extras para isso — um quinto de uma garrafa de vodca, cinco cigarros e cem gramas de pão e salsicha".[3]

A maioria dos médicos não precisava de um incentivo extra: para eles aquela era apenas mais uma tarefa a ser cumprida. Alguns poucos, porém, saboreavam as "tarefas extras". Mengele era quem mais se oferecia para cobrir turnos adicionais. E foi naquela rampa que ele se tornou o primeiro nazista que dezenas de milhares de prisioneiros recém-chegados viram ao desembarcar em Auschwitz. A figura do oficial da SS vestido com apuro, ocasionalmente assobiando um trecho de uma ária de ópera, carregando um rebenque reluzente que usava para direcionar os prisioneiros para a direita ou para a esquerda, se tornou uma imagem inesquecível para muitos dos sobreviventes dos campos.[4]

Cerca de 5 mil gêmeos, muitos ainda crianças, em algum momento passaram pelo que os prisioneiros chamavam de "Zoológico de Mengele, Alojamento 14 do Campo F". Ali ele conduziu os experimentos mais atrozes daquela guerra. Mengele tinha, assim como seus colegas médicos da SS, um suprimento virtualmente ilimitado de cobaias humanas. Seu objetivo era utilizá-las para descobrir os segredos do nascimento de gêmeos, para que uma boa mãe ariana pudesse dar à luz duas crianças de uma vez, acelerando assim a reposição de alemães mortos na guerra. Ele também demonstrou curiosidade pela possibilidade de fazer alterações nas "raças inferiores", em busca de "arianizar" ciganos e judeus. Mengele dava atenção a qualquer teoria médica que despertasse seu interesse, não importando a fragilidade da proposição científica ou a crueldade e a fatalidade envolvidas nos procedimentos.

Certa vez, uma prisioneira, Vera Kriegel, foi levada a um de seus laboratórios. Ela ficou em choque ao ver uma parede coberta de olhos. "Eles eram espetados tal como borboletas", ela descreveria, "achei que eu tivesse morrido e estivesse no inferno." Mengele enviou aqueles olhos a seu mentor, Von Verschuer, para que um dos professores pesquisadores de Berlim pudesse terminar sua dissertação sobre a pigmentação dos olhos como um útil marcador biológico de raças.

Capesius não tinha ideia, em seu primeiro dia no campo, que seu empregador de antes da guerra, a Farben/Bayer, financiava muitos dos experimentos médicos que ocorriam nos campos de concentração. Também não sabia que a Farben lucrava com o uso pioneiro do Zyklon B em Auschwitz, um pesticida cuja base é o cianeto, usado nas câmaras de gás por ter efeito letal. Décadas antes de alguém ouvir falar em Auschwitz, a Farben comprara o controle da patente do Zyklon B. A Bayer era a responsável principal por sua venda e distribuição.[5] A substância foi utilizada em Auschwitz originalmente para fumegar os alojamentos e as roupas dos prisioneiros e começou a ter um uso mais importante e um papel mortal cerca de dezoito meses antes de Capesius ser convocado, quando oficiais da cúpula da SS e os ministros-chefes do Reich se encontraram em uma conferência em Wannsee, um subúrbio de Berlim. Lá eles decidiram como coordenariam a "Solução Final da Questão Judaica". Todos os planos de expulsão e reassentamento dos judeus europeus foram abandonados pelos nazistas. O chefe da SS, Himmler, mandou buscar o comandante do campo e trazê-lo a Berlim, então o informou de que o Führer dera ordem para o "completo extermínio".[6] Pouco depois da Conferência de Wannsee, Hitler fez um de seus discursos mais abomináveis sobre o destino dos judeus europeus. De forma colérica, ele prometeu: "Os judeus serão aniquilados por pelo menos mil anos!".[7]

A essa altura, mais de 1 milhão de judeus haviam sido mortos pelos esquadrões da morte (*Einsatzgruppen*), a maioria da Polônia, Ucrânia e Rússia. No campo de Chełmno, ao noroeste de Varsóvia, em setembro de 1941, judeus foram asfixiados com monóxido de carbono em veículos especialmente fabricados para esse fim. Em outros dos primeiros campos de extermínio construídos na Polônia, como Treblinka, Bełżec e Sobibor, os nazistas também usaram o monóxido de carbono, mas em salas lacradas, liberado por motores a diesel. Em Auschwitz, todavia, a tecnologia para o assassinato em massa era mais moderna. Depois de muitas experiências, Höss e sua equipe optaram pelo Zyklon B. Seus grãos azul-cinzentados eram baratos e, ao entrar em contato com o ar, transformavam-se em um gás letal. A primeira câmara de gás de Auschwitz começou a funcionar em março de 1942, apenas um mês depois que Hitler prometeu liquidar todos os judeus do continente.

As patentes para a fórmula química do Zyklon B pertenciam a uma empresa alemã, a Degesch (*Deutsche Gesellschaft für Schädlingsbekämpfung* — Corporação Alemã para Controle de Pestes). A Farben era proprietária de 42,5% da Degesch e controlava seu conselho executivo. Durante a guerra, aliás, o presidente da Degesch era também um dos diretores da Farben.[8] A empresa igualmente possuía a patente de um produto que irritava os olhos e que foi adicionado ao Zyklon B, de modo a alertar as pessoas para a presença desse gás letal, inodoro e incolor.

O chefe da Unidade Técnica de Desinfecção da SS, Kurt Gerstein, insistiu para que a Degesch retirasse o agente que causava a irritação dos olhos que havia adicionado ao Zyklon B vendido para a SS. Quando os executivos da Degesch resistiram, porém, com receio de abrir concorrência para um genérico, Gerstein compartilhou detalhes aterradores sobre como ele utilizava o produto como seu agente de mortalidade preferido. Era necessário, ele informou, tirar o irritador de olhos da composição para que aqueles que estavam para ser fumegados não percebessem nada, evitando o pânico nos últimos minutos. Em vez de recuar, horrorizados com o fato de a SS usar seu pesticida para matar milhões de pessoas, os executivos da Degesch concordaram em remover o componente da fórmula e aumentar a produção para níveis recordes. (Foi na época do primeiro grande pedido de Zyklon B feito pela SS que Gerstein, assombrado por visões horríveis do extermínio de oitocentos judeus, confessou a um bispo alemão a matança em larga escala que estava acontecendo na Europa Oriental. Foi a primeira vez que um oficial da cúpula da SS confirmou a Solução Final. A confissão de Gerstein foi levada ao Vaticano em uma mala diplomática lacrada e foi mantida em sigilo durante toda a guerra.)[9]

A partir de 1942, em decorrência dos grandes pedidos da SS, a Degesch viu seus lucros com o Zyklon B subirem exponencialmente. Só Auschwitz havia feito um pedido assombroso de 23 toneladas do inseticida. Em 1943, o Zyklon B era responsável por 70% dos ganhos da Degesch.

Em seu primeiro dia em Auschwitz, Capesius ainda não sabia do essencial papel desempenhado pelo Zyklon B no campo. Wirths havia apenas lhe apresentado uma descrição superficial do lugar. A apresentação detalhada de sua função havia sido deixada a cargo do dr. Adolf Krömer, farmacêutico do dispensário — o local que Capesius chamaria de lar pelo restante da guerra. Não demorou muito para que Capesius entendesse que o problema enfrentado por seu novo chefe ia muito além da depressão. Krömer, na verdade, parecia estar à beira de um colapso mental.

Apesar de alguns médicos, incluindo Wirths e Mengele, florescerem em Auschwitz, outros poucos sucumbiam ao peso daquela interminável barbárie. Krömer era evidentemente um desses. Um dos prisioneiros-farmacêuticos, Jan Sikorski, confidenciou a Capesius que Krömer teria lhe dito: "Esta guerra não pode mais ser vencida".[10] Capesius se recusou a acreditar que Krömer pudesse ter sido tão descuidado diante de um prisioneiro, então resolveu confrontar o chefe.

"Sim, eu disse isso mesmo", o médico admitiu.

Capesius logo percebeu que Krömer conversava abertamente, sem nenhum tipo de censura, com muitos dos prisioneiros que trabalhavam com ele no dispensário. "Seus olhos saltarão das órbitas, isto é Sodoma e Gomorra", ele alertou Capesius. "O inferno sob a terra não é nada comparado com isto aqui."[11]

Capesius estava em Auschwitz havia menos de dois meses quando Krömer foi preso, julgado sumariamente e executado por "espalhar derrotismo". Em um relato pós-guerra, Capesius deu um tom banal à narrativa desses tumultuados eventos: "Fui enviado a Auschwitz pelo *Sturmbannführer* Lolling, porque o farmacêutico do dispensário da SS, o dr. Krömer, não estava bem... Eu me reportava ao médico da guarnição, o dr. Wirths. O dr. Krömer me recebeu no dispensário da SS. Depois, ele foi para a enfermaria e morreu em 18 de fevereiro de 1944. Fui então nomeado para substituí-lo". (Em 2010, durante as reformas de uma casa próxima a Auschwitz, foi descoberto um esconderijo com documentos originais do campo. Entre eles, estava o atestado de óbito de Krömer. A SS, não querendo divulgar o fato de ter executado um de seus oficiais mais graduados, informou que a causa de sua morte havia sido "parada cardíaca".)[12]

Capesius ficou orgulhoso de sua promoção a farmacêutico-chefe. Após a guerra, ele diria que "as coisas terríveis" que vira no campo eram "deprimentes e davam ânsia de vômito". Que ele "sentia que ia vomitar a qualquer minuto. No início. Depois você se acostumava".[13] Mas ele nunca demonstrou qualquer hesitação ou desconforto diante de seus colegas. Na verdade, eles se admiravam do fato de que Capesius não parecia ter as dúvidas ou o peso na consciência que haviam sufocado seu predecessor. Ele estava decidido a tirar o máximo proveito de seu trabalho no maior campo de extermínio nazista.

# O dispensário

Capesius vivia em um alojamento de madeira próximo à sala de recreação dos oficiais. Ele compartilhava o espaço com a maioria dos médicos, inclusive com Josef Mengele e Fritz Klein, com quem desenvolveu amizade de imediato. Seu local de trabalho era o dispensário, no Bloco 9 do campo original, parte de uma rede autônoma de hospitais e consultórios da SS. A primeira enfermaria foi construída em 1940. Desde então, a equipe médica havia incorporado alas para os prisioneiros, consultórios e clínicas para pacientes da SS, um consultório dental e uma farmácia. O hospital, chamado pelos prisioneiros de "sala de espera do crematório", começara como uma única sala.[1] Quando Capesius chegou, o local já havia sido ampliado e ocupava um prédio de quatro blocos, incluindo um que era utilizado exclusivamente para experimentos médicos.[2]

"O dispensário de Auschwitz estava localizado em um prédio de tijolos, fora da área do campo principal", Capesius lembraria depois da guerra. "O prédio tinha um andar térreo, um segundo pavimento e um sótão. O dispensário era no térreo, no qual também ficava uma sala onde os remédios e os equipamentos recebidos nas plataformas de Birkenau passavam por uma triagem. Algumas vezes também havia instrumentos médicos, destinados exclusivamente aos prisioneiros. Esse serviço era minha responsabilidade, mas era feito, na verdade, por um prisioneiro polonês formado em Medicina, chamado [Jan] Sikorski."[3] Sikorski, um detento de longa data, chegara ao campo em junho de 1941.[4]

Capesius trabalhava em um espaçoso escritório no térreo. A decoração era espartana: três mesas de metal, poucas cadeiras, alguns paletes e caixas para armazenamento empilhados rente à parede dos fundos. Ele dividia o local com o guarda-livros do dispensário. Havia ainda uma sala anexa destinada a seus assistentes de farmácia, que eram prisioneiros. Um terceiro aposento no fundo era reservado ao médico da guarnição e aos dentistas do campo. Uma pequena enfermaria para pacientes da SS, com seis leitos, ficava no segundo andar. E, em um sótão de teto inclinado, no último andar, os medicamentos e itens pessoais dos prisioneiros recém-chegados eram guardados.[5]

"Meu trabalho como *Apotheker* (farmacêutico)", recordou Capesius, "era fazer os pedidos de suprimentos médicos tanto para o pessoal da SS quanto para os prisioneiros na Estação Central Médica de Berlim, isto é, na estação central da Waffen-SS. Eu tinha que fazer os pedidos de suprimentos para o campo principal de Auschwitz e para todos os campos auxiliares, inclusive Birkenau e Monowitz."[6]

Capesius guardava os remédios recebidos no porão. Era ali também que eram armazenados os milhares de latas de DDT (pesticida) enviados pela Cruz Vermelha para matar piolhos. No porão ainda havia chuveiros e armários individuais, bem como uma barbearia, de uso exclusivo do corpo médico da SS.

"Eu tinha uns doze prisioneiros trabalhando para mim no dispensário da SS", contou Capesius mais tarde. "Com exceção do guarda-livros, todos eram, de alguma forma, farmacêuticos."

Sikorski, assistente-chefe de Capesius, supervisionava os outros prisioneiros farmacêuticos. "Eu era um tipo de *Oberhäftling*, um prisioneiro-supervisor", lembrou Sikorski. "A equipe era pequena demais para ter um *Kapo* (um prisioneiro-capataz). Mas algumas vezes eles me chamavam por esse título."

A infraestrutura do campo contava com prisioneiros provenientes de toda a Europa, ao que o escritor alemão Bernd Naumann se referiu como "uma coleção heterogênea reunida pelo destino no palco da morte de Auschwitz".[7]

"Além de mim, lá também trabalhava um judeu alemão da Silésia chamado Strauch", contou Sikorski. "Antes da guerra, ele tinha sido colega de escola do farmacêutico Krömer. Havia também um guarda-livros chamado

Berliner, um homem velho. E duas mulheres da Hungria, das quais conheço apenas o primeiro nome, Piroska e Éva. Havia ainda um jovem farmacêutico da Transilvânia, de porte atlético e boa aparência, chamado Grosz, judeu também. E um grego, de nome Aaron. E mais um húngaro, um cara alto e gordo, Altmann. Acho que ele era comerciante de vinhos. Tínhamos mais dois técnicos da Polônia, Prokop e Jozef Gorzkowski, vindos da Cracóvia. E mais dois farmacêuticos, Szewczyk e Swiderski. Havia também um assistente jovem e baixo, Sulikowksi. Ele estudou com meu irmão, foi como o conheci".

"As pessoas falavam em polonês, russo, húngaro, mas também em alemão, iídiche e no dialeto dos prisioneiros, conhecido como *lagerszpracha* de Auschwitz... Nosso farmacêutico Capesius, o chefe, fazia de conta que não estava escutando quando os seus prisioneiros falavam entre si em *lagerszpracha*."[8] Além de se referirem a ele pelas costas como "chefe", também chamavam-no de "Capesius *Mopsel*" (Capesius Pug ou Peso Pesado).[9]

Na burocracia nazista, Sikorski não se reportava diretamente a Capesius, mas a vários oficiais da SS, que também eram farmacêuticos e dividiam um escritório anexo: o sargento Kurt Jurasek, o primeiro-tenente Gerhard Gerber e Boleslaw Frymark.

O dispensário era responsável por atender todo o imenso complexo de Auschwitz. Apesar de Monowitz ter uma farmácia separada, mensalmente solicitava remédios e suprimentos a Capesius. Se ele ficava sem estoque, uma farmácia especializada na rua Józefińska, na Cracóvia, o socorria com um estoque emergencial.

Capesius se concentrava primeiramente em ter provisões o suficiente para a SS. No bizarro mundo de Auschwitz, entretanto, os prisioneiros poupados na rampa de acesso da linha do trem e designados para trabalhar ou servir de cobaias em experimentos médicos deveriam receber tratamento caso adoecessem — pelo menos enquanto a SS os quisesse vivos. A despeito disso, devido às limitações para a obtenção de suprimentos médicos em tempos de guerra, sobravam poucos remédios para eles. Ludwig Wörl, um prisioneiro-enfermeiro alemão, acusou Capesius de se recusar a separar *quaisquer* que fossem seus suprimentos para os prisioneiros doentes, de forma que "ele carregava milhares de mortes em sua consciência".[10]

Recusar-se a medicar prisioneiros era uma estratégia sádica ou o simples resultado da prioridade dada ao pessoal da SS, mas é indiscutível o fato de que muitos prisioneiros que não foram imediatamente exterminados acabaram morrendo de doenças tratáveis. Os medicamentos que poderiam ter prolongado suas vidas, todavia, nunca saíram da farmácia de Capesius.

Pouco depois de se tornar farmacêutico-chefe, Capesius resolveu fazer um inventário completo de seu dispensário, "visto que não fora transferido a ele de maneira organizada".[11] Tal procedimento revelou um significativo déficit de remédios essenciais.

"Até então, medicamentos e instrumentos eram rotineiramente roubados no 'Canadá'", contou Sikorski, aludindo ao apelido dado ao conjunto de armazéns em Birkenau onde eram guardados os pertences pessoais dos judeus que chegavam. Os prisioneiros poloneses consideravam o "Canadá" uma terra distante de gente rica. "O dispensário só ficava com o que tinha de pior. Por essa razão, o dr. Capesius foi até o escritório do comandante e conseguiu uma autorização para que ele mesmo recolhesse as malas."[12]

Por isso, muitas vezes durante a semana, o motorista de Capesius o levava, com dois prisioneiros-assistentes, para a cabeceira da linha do trem em Birkenau. Capesius descreveu a situação: "O aparato de extermínio funcionava sem grandes abalos. Os transportes eram preparados cuidadosamente. Os comandantes dos campos eram avisados da chegada de novos prisioneiros por telegramas e mensagens de rádio, então davam instruções complementares aos líderes dos campos, ao departamento de polícia, à sede da guarnição médica da SS, à divisão de motoristas de caminhão, ao destacamento da guarda e ao escritório de coordenação do trabalho. Cada uma das unidades envolvidas com a administração dos transportes tinha uma equipe específica para desempenhar as funções na rampa durante a operação de descarregamento".[13]

Quando Capesius chegava à rampa, milhares de prisioneiros já haviam desembarcado dos trens. Cada um deles era autorizado a levar cinquenta quilos de pertences para a viagem, e a maioria carregava suas posses mais valiosas em sacos de pano. Todos os artigos pessoais eram amontoados em uma enorme clareira ao longo da linha do trem. A missão de Capesius era procurar por instrumentos de trabalho de médicos, dentistas e farmacêuticos, bem como remédios, em especial pó de sulfa para ferimentos e iodo, ambos sempre com o estoque muito baixo. A inspeção normalmente era feita por um policial da equipe de segurança da SS, sob supervisão de Capesius. Já que aqueles bens pertenciam aos recém-chegados, e muitos eram imediatamente sentenciados à morte, não se fazia inventário de nada.[14]

Algumas vezes, Capesius disse ter encontrado material suficiente para "suprir uma farmácia".[15] Ele levava tudo ao dispensário. "Ali fazíamos uma triagem inicial e era onde guardávamos as bagagens dos médicos e farmacêuticos que chegavam no transporte de judeus (...). Em uma bacia de zinco, eu esvaziava todos os recipientes que tivessem numeração ou etiqueta ilegíveis. Qualquer coisa que ainda estivesse em seu estojo original, ou cujos efeitos farmacológicos fossem poderosos, ou com os quais eu não estivesse totalmente familiarizado, eu guardava em uma grande caixa branca no porão. Essa caixa era trancada com dois cadeados."[16]

Mas medicamentos dos recém-chegados não eram tudo o que Capesius guardava em seu dispensário. Ácido fenólico, usado por alguns médicos da SS para matar prisioneiros, também era armazenado ali. Sikorski lembrou-se mais tarde de que Capesius, que assinava todos os formulários de pedidos, era o único responsável por todas as solicitações de fenol injetável feitas a Berlim.[17] Ludwig Wörl, o prisioneiro-enfermeiro, estimou que aproximadamente 20 mil pessoas foram mortas por injeções de fenol no coração. Nesses casos, os médicos estavam atrás de órgãos de cadáveres que estivessem em perfeito estado. Muitas dessas injeções foram administradas pelo sargento Josef Klehr (que, depois da guerra, alegou "nunca ter escutado tão grande mentira", pois ele só havia matado — "sob ordens, é claro" — 250 ou trezentos prisioneiros com injeções de fenol).[18]

Entretanto, havia um item ainda mais letal no dispensário controlado por Capesius. Certo dia, uma caixa chegou de Berlim. Quando Sikorski a abriu, verificou que estava lotada de abridores de lata redondos e com afiados dentes de metal.[19] Ele logo descobriu que tinham sido desenhados para facilitar a abertura dos recipientes de Zyklon B, diminuindo assim o risco dos grânulos venenosos escaparem.

Pouco depois da chegada dos abridores, um grupo de oficiais da SS apareceu no dispensário com um carregamento de caixas de papelão lacradas, vindas de Berlim. Elas continham dúzias de latas de quinhentos gramas de Zyklon B. Capesius, que àquela altura tinha total conhecimento de como a substância era usada em Auschwitz, disse a Sikorski que "não queria se envolver com aquilo".[20] A hesitação de Capesius, contudo, não era motivada por ele ser contra o veneno ou seu uso letal, mas apenas porque não queria se responsabilizar por um inventário tão mortífero. Administrar as demandas das farmácias de todo o campo já o tinha levado ao limite. Ele preferiria devolver a carga para a administração central, mas era impossível. Em vez disso, dúzias de caixas contendo o inseticida letal foram colocadas em armários amarelos e trancadas em uma sala vedada — anos antes, ela servira de crematório em Auschwitz —, que ficava em frente ao dispensário.[21] Outros itens ali guardados, de acordo com Capesius, incluíam "petróleo, creolina, ácido carbólico, cloreto de cálcio e possivelmente outros líquidos, que eram armazenados em garrafões cobertos por vime trançado".[22]

A chave dessa sala ficava com Capesius, trancada em uma das gavetas de sua escrivaninha, onde ele também guardava as chaves das demais salas do dispensário. Quando alguém da SS precisava ter acesso a uma dessas salas, o protocolo exigia que eles assinassem um documento ao receber as chaves de Capesius.[23]

Apesar de mais tarde Capesius negar qualquer responsabilidade com relação ao Zyklon B, várias vítimas o vincularam ao pesticida. De acordo com o dr. Władysław Fejkiel, um prisioneiro do início de 1940, "o farmacêutico do campo era o responsável pelo gás venenoso".[24] O enfermeiro Ludwig Wörl confirmou que Capesius de fato era o encarregado da "guarda, distribuição e uso" do Zyklon B,[25] enquanto o farmacêutico Szewczyk deparou com algumas das latas da substância no dispensário do porão. Kurt Jurasek e Tadeusz Dobrzański, oficiais da SS, então contaram a ele que Capesius os mandara buscar as latas de veneno para levar para as câmaras de gás."[26]

Pior ainda, de acordo com o relato de um prisioneiro-farmacêutico judeu chamado Fritz Peter Strauch, que era um dos assistentes em quem Capesius mais confiava, as embalagens de Zyklon B que o farmacêutico-chefe armazenava não traziam nenhuma etiqueta ou aviso. Era um lote produzido pela Degesch especialmente para exterminar seres humanos.[27]

Mas Capesius era mais do que apenas o simples guardião da chave do depósito do veneno. Outra testemunha relatou que o viu desempenhar um papel bem mais ativo nas engrenagens de extermínio ao transportar pessoalmente o pesticida letal até as câmaras de gás. Um prisioneiro político polonês chamado Zdzisław Mikołajski certa vez presenciou Capesius, o dr. Frank e o dr. Schatz, dentistas da SS, carregarem embalagens de Zyklon B e suas próprias máscaras de gás em uma ambulância rumo a Birkenau e às câmaras de gás.[28]

O relato de Mikołajski foi corroborado por outras duas testemunhas. Uma delas, por acaso do destino, era Roland Albert, amigo de infância de Capesius. Albert também foi enviado a Auschwitz e era tenente da SS, encarregado de um dos pelotões de guarda. Ele testemunhara uma ocasião em que um caminhão com o emblema da Cruz Vermelha estacionou próximo às câmaras de gás.

"Dr. Capesius e Josef Klehr, sargento da SS, saltaram. Klehr tinha quatro latas verdes na mão. Ambos atravessaram a faixa de grama, subiram até o telhado e vestiram suas máscaras. Klehr então levantou a pequena portinhola, mas só depois de Capesius mandar, porque um médico da SS era quem tinha que dar ordem para matar. Klehr tirou o lacre da lata e virou seu conteúdo granulado, uma maçaroca grumosa de cor violeta, pela abertura. O Zyklon B."[29]

Dov Paisikovic, nomeado *Sonderkommando*, também viu Capesius chegar ao crematório em um caminhão da Cruz Vermelha. Quando ele foi até a câmara de gás, Karl-Fritz Steinberg, cabo da SS, com a máscara balançando na mão, perguntou:

"Onde está a lata? Onde está o Zyklon?"

"Eu só trouxe uma", respondeu Capesius.

Steinberg começou a gritar com ele para que trouxesse outra rapidamente.

"As pessoas estavam na câmara de gás, mas ainda não tinham sido fumigadas", lembrou Paisikovic.

Qualquer atraso no assassinato desses judeus impactaria o cuidadosamente preparado cronograma de morte do dia. Capesius mandou seu motorista ir depressa buscar outra lata de Zyklon B na farmácia do dispensário. Quando a segunda carga chegou, Steinberg esperou a ordem de Capesius para virar os grânulos.

Cada crematório tinha uma câmara de gás embutida. Nos crematórios I e II, o Zyklon era virado em canos que levavam a uma sala lacrada, enquanto nos crematórios III e IV, os oficiais da SS tinham que subir em uma escada e virar os grânulos por uma janelinha. Quando perguntaram a Paisikovic depois da guerra: "Com que frequência você viu Capesius nos crematórios?", ele não hesitou em responder: "Muitas vezes".[30]

Apesar de negar que tivesse qualquer responsabilidade sobre as câmaras de gás e os crematórios, Capesius revelou, em suas notas após a guerra, um frio e profundo conhecimento sobre eles.

"De acordo com o desenho técnico dos crematórios, eles tinham capacidade de incinerar 4.756 corpos por dia. Mas isso era apenas um valor teórico, que incluía o tempo para fazer a manutenção e a limpeza das fornalhas. Na verdade, quase 5 mil corpos eram queimados por dia nos crematórios II e III, e quase 3 mil nos crematórios IV e V. A capacidade das piras próximas aos abrigos era ilimitada. No verão de 1944, durante a deportação dos judeus húngaros, a SS voltou a assumir a operação Bunker II. Nesse período, quase 24 mil pessoas podiam ser mortas e incineradas por dia. As cinzas dos mortos eram usadas para fertilizar os campos, aterrar os pântanos, ou eram simplesmente atiradas nos rios e lagos vizinhos. A maior parte ia para o rio Sola, que passava ali perto."[31]

Depois da guerra, Wilhelm Prokop contou que ouvira seu chefe discutir a possibilidade de usar quantidades menores do gás venenoso para matar os judeus.[32] Certo dia, Capesius foi até o depósito onde o Zyklon B era guardado, acompanhado dos sargentos Josef Klehr e Kurt Jurasek. Klehr era o oficial da SS em Auschwitz responsável pela eufêmica Unidade Técnica de Desinfecção. Correndo um risco considerável, Prokop ficou do lado de fora de uma porta ligeiramente entreaberta. Capesius mandou Klehr se preparar "para receber muitas latas". Elas eram necessárias, explicou Capesius, porque uma "operação em maior escala" estava planejada para aquele dia. O estoque de Zyklon era monitorado rigidamente para evitar que o campo ficasse sem o produto. Para estender o inventário existente do veneno e reduzir as despesas, visto que cada lata custava cinco Reichsmarks (aproximadamente dois dólares), a SS começara a experimentar a redução da quantidade utilizada. Em vez das vinte latas necessárias para matar aproximadamente 2 mil prisioneiros, a SS reduziu o número para quinze. Ninguém pareceu se incomodar com o fato de que passou a levar vinte minutos a mais — o que era de revirar o estômago — para os últimos morrerem.

Em determinada ocasião, quando Capesius encontrou com o dr. Miklós Nyiszli, um médico-prisioneiro romeno que trabalhava para Mengele, ficou sabendo sobre o momento em que os nazistas descobriram que haviam reduzido demais o Zyklon.[33]

"Klehr, que era responsável pela Unidade Técnica de Desinfecção, viera prestar queixa na sala de Nyiszli", Capesius narraria mais tarde, "e contou, de maneira bem animada, que uma adolescente havia sido encontrada com vida sob uma pilha de corpos na câmara de gás, e que ela ainda se mexia. Nyiszli então correu com sua maleta de médico para lá e, bem ali, perto da parede, ainda meio soterrada pelos corpos, estava a garota, nua como os demais, mas extraordinariamente bonita, como um anjo, ainda respirando, apenas deitada."[34]

Nyiszli lembrava dos dramáticos minutos que se seguiram. "Nós tiramos os cadáveres de cima dela. Carreguei o corpo leve da garota para a sala ao lado, onde os guardas do Comando trocavam de roupa. Então a deitei em um dos bancos. Ela devia ter uns quinze anos. Peguei uma seringa e dei três injeções seguidas nela, que estava arfante. Os homens cobriram o corpo gelado da jovem com seus casacos pesados. Alguém correu até a cozinha para trazer um chá ou uma sopa para ela tomar. Todos queriam ajudar como se estivessem lutando pela vida de seus próprios filhos."[35]

Quando os nazistas descobriram Nyiszli tratando da garota, tiveram medo de que ela contasse aos outros "tudo o que tinha vivido, o que acontecera e o que tinha visto, pois as notícias se espalhariam instantaneamente pelo campo".[36] Eles concluíram que era um risco grande demais. "A garota foi encaminhada", contou Nyiszli, "ou melhor, carregada, para a antessala, e ali foi morta com um tiro na nuca."[37]

Nos dias de declínio de Auschwitz, quando os estoques de Zyklon B estavam baixos, uma testemunha se lembrou de que o comandante Rudolf Höss dera ordens para que não matassem mais as crianças. Em vez disso, elas "deveriam ser queimadas vivas em fogueiras alimentadas com corpos retirados das câmaras de gás e regados com gasolina".[38] O campo da I.G. Farben em Monowitz teve que aumentar sua produção de metanol para ajudar a queimar todos os corpos.[39]

Prokop recordou: "Foi só mais tarde que fiquei sabendo que havia sido uma operação tão grande que faltou espaço nos incineradores, de modo que os corpos das vítimas fumigadas foram cremados em trincheiras e piras. A queima de tantos corpos ao ar livre liberou um cheiro adocicado e desagradável, que se alastrou por toda a área. Eles então tentaram encontrar um meio de neutralizar esse odor. Jurasek, também farmacêutico, foi nomeado para resolver o problema. E suspeito que ele estivesse seguindo ordens de Capesius. Jurasek me perguntou, já que eu também era farmacêutico, para que a naftalina (um pesticida) era usada. Expliquei a ele que se tratava de uma substância que podia neutralizar odores desagradáveis dentro e fora dos ambientes".[40]

Capesius não demonstrou emoção ao dar ordens sobre como "neutralizar o odor" dos corpos que queimavam. Para ele, aquele era apenas um desafio técnico. Prokop não se surpreendeu que seu chefe não tenha exprimido sequer desagrado quando discutiram a melhor maneira de mascarar o cheiro da morte. "Eu o via como um homem para quem os prisioneiros não passavam de números, cujo único propósito era a extinção."[41]

# "Conheça o diabo"

Certo dia, no início de 1944, Werner Rohde, médico da SS, entrou na sala de Capesius. Estavam com ele o dr. Bruno Weber e quatro emaciados prisioneiros que eles haviam retirado do edifício do hospital. Rohde informou a Capesius que, a partir daquele momento, ele estaria incumbido da missão de descobrir como adulterar chá ou café de maneira a fazer um agente inglês, que o Serviço Secreto Alemão havia identificado e planejava sequestrar, perder os sentidos. Rohde precisava de morfina e Evipan, um barbitúrico de ação hipnótica de curta duração. Ele sabia que ambas as drogas poderiam ser letais, visto que provocavam uma abrupta queda de pressão sanguínea. Na verdade, outra médica de Auschwitz, a dra. Herta Oberheuser, usava com regularidade injeções de Evipan para matar crianças em seu laboratório, antes de retirar seus órgãos ou membros para enviá-los a um centro de testagem genética em Berlim. (Quando Oberheuser foi transferida para o campo de Ravensbrück, ela se especializou em simular ferimentos de combate em prisioneiros, usando vidro, pregos e chaves de fenda para fazer lacerações. Surpreendentemente, depois da guerra, ela foi condenada a apenas sete anos, antes de abrir seu novo consultório na Alemanha.)

Rohde queria se certificar de que não houvesse risco de matar o agente inglês. Capesius providenciou a morfina e o Evipan. Mais tarde, os quatro prisioneiros receberam altas doses e, segundo o relatório de Rohde, "morreram felizes".[1]

Capesius permaneceu imperturbável quando tomou conhecimento de que os prisioneiros haviam morrido daquilo que os arquivos da SS chamavam de "parada cardíaca".[2] Ele pareceu indiferente sobre seu papel naquilo tudo, já que se considerava apenas o farmacêutico que distribuía as drogas fatais, não o médico que autorizava as sentenças de morte. Em Auschwitz, aprendera que os remédios podiam ser usados de formas que ele nem sequer imaginara quando trabalhou como vendedor da Bayer. Ele também havia abraçado completamente o ponto de vista de seus colegas médicos da SS, que defendiam que os experimentos do campo eram "na verdade uma questão importante, já que não havia outro lugar em que se pudesse fazer pesquisas como estas sem arrumar problemas".[3]

O lado endurecido de Capesius contrasta com a descrição que alguns poucos fizeram dele quando chegou a Auschwitz. Roland Albert, seu bom amigo, relatou que o farmacêutico "gostava de gente, era gentil... era a bondade em pessoa".[4] Jan Sikorski, seu prisioneiro-assistente, lembrou que ele "tinha uma boa reputação entre os detentos. Ele era prático".[5] Passados apenas alguns meses, no entanto, ninguém mais falava bem dele. Capesius tinha, como ele mesmo admitiu mais tarde, "se acostumado". E também havia se comprometido intelectualmente em justificar seu serviço.

A evidência mais dramática de seu declínio moral foi sua participação nas seleções em que era decidido quais dos prisioneiros recém-chegados viveriam ou morreriam. No fim da primavera de 1944, dr. Wirths mandou chamá-lo em seu escritório para informar que, a partir de então, Capesius passaria a ajudar no processo de seleção, na rampa da linha férrea. Auschwitz estava entrando no que seria seu período mais atribulado, com as deportações em massa dos judeus da Hungria e da Transilvânia. A formação de Capesius como farmacêutico incluía um preparo médico básico, considerado suficiente. Na verdade, Wirths havia também indicado o assistente de Capesius, Gerhard Gerber, e os dois dentistas, dr. Frank e dr. Schatz, para a tarefa de seleção.[6] Ele avisou que até mesmo os oficiais da SS que não eram médicos teriam que, por vezes, ajudar.

Capesius já tomara parte em algumas seleções antes, inclusive uma em março, a qual envolvera o transporte de 5.007 judeus do gueto de Theresienstadt, na Tchecoslováquia. Apenas catorze haviam sobrevivido.[7] Erich

Kulka, um judeu tcheco enviado como chaveiro para a equipe de manutenção de Birkenau, testemunhou a chegada de muitos trens a Auschwitz. Ele apontou Capesius como um dos oficiais da SS responsáveis pelas seleções dos judeus de Theresienstadt.[8] Capesius, que já tentara se esquivar da responsabilidade de supervisionar o Zyklon B, não ficou feliz que essa nova missão o tornasse ainda mais envolvido na engrenagem de matança do campo. Sua objeção não era moral: ele apenas não queria uma nova tarefa. Estava claramente explícito, no entanto, que Wirths não estava disposto a fazer exceções. Em menos de quinze dias após a nova ordem, Capesius já não se deslocava até a cabeceira da linha do trem apenas para selecionar pertences pessoais das vítimas, mas também para assumir um lugar ao lado de outros médicos, inclusive o dr. Mengele e o dr. Klein.[9]

Assim que as locomotivas apinhadas de húngaros e romenos começaram a chegar naquela primavera, um evento marcante teve lugar na rampa do trem em Auschwitz. Muitos dos novos prisioneiros começaram a reconhecer Capesius. Isso porque haviam feito negócios com ele antes da guerra, quando era representante da Farben/Bayer na Romênia. Os testemunhos dessas pessoas são ainda mais marcantes porque, depois da guerra, Capesius negou ter feito parte de qualquer seleção.[10]

Este foi o caso dos médicos romenos Mauritius Berner e Gisela Böhm. Berner estava com a esposa e as três filhas, e Böhm, com a filha Ella, que quando criança chamava Capesius de "tio farmacêutico". O mesmo se deu com Paul Pajor, um farmacêutico judeu nascido em Cluj-Napoca, que chegou a Auschwitz em um domingo, na primavera de 1944.[11] "Quando cheguei à frente, vi um oficial apontando para a direita e para a esquerda... Esse oficial era o dr. Victor Capesius. Eu o conheci antes de 1940. Naquela época, ele era o representante mais graduado da Bayer e nos visitava com frequência. Ele foi até minha drogaria várias vezes, sempre muito educado, ficava conversando comigo enquanto seu motorista montava os mostruários dos produtos que ele representava. Algumas vezes ele dizia: 'Vou lhe deixar alguns envelopes de papel da Bayer, para você não ter que gastar com coisas desse tipo', e por aí seguia. Me pareceu impossível acreditar que fosse ele quando o vi."

Capesius olhou para Pajor por um instante e perguntou: "Você não é farmacêutico?".

"Sim, sou farmacêutico", respondeu Pajor.

"Você não tem uma farmácia em Oradea?"

"Sim."

Capesius indicou o lado direito para Pajor, que não fazia ideia de que, naquele breve encontro, Capesius poupara sua vida com um simples gesto de mão.[12]

Exercitar o poder de decisão de vida e morte na rampa de acesso da linha do trem pode ter sido algo que Capesius até quis evitar no princípio. Mas controlar quem viveria ou morreria era rapidamente viciante. Em Auschwitz, a decisão padrão era sentenciar a maioria dos prisioneiros recém-chegados à morte. O verdadeiro poder, no entanto, estava na possibilidade de brincar de Deus e salvar uma vida, mesmo que isso significasse apenas um adiamento até a brutal câmara de gás.

Adrienne Krausz testemunhou em primeira mão a maneira caprichosa com que Capesius escolhia quem viveria ou não. Ela chegou em junho de 1944, com os pais e a irmã. Seus pais, médicos, conheciam Capesius de seu trabalho na Bayer.

"Quando minha mãe viu o oficial fazendo a seleção, disse: 'Aquele ali é o dr. Capesius, de Cluj-Napoca'.

Acho que ele também a reconheceu, porque acenou para ela. Ele mandou minha mãe e minha irmã para a esquerda, para o gás, mas eu fui para a direita e sobrevivi. Mais tarde, encontrei um amigo que esteve com meu pai na seleção. Ele disse que meu pai havia cumprimentado Capesius e perguntado onde estavam sua esposa e a filha de onze anos. Capesius teria respondido: 'Estou mandando você para o mesmo lugar onde sua esposa e sua filha estão. É um bom lugar'."[13]

Às vezes, Capesius parecia separar familiares sem nenhuma razão aparente. Foi o caso de Sarah Nebel, que chegou em Auschwitz com 5 mil judeus húngaros no meio de uma noite de junho. Ela conhecia Capesius de Bucareste, de antes da guerra. "Moramos no mesmo prédio", Nebel recordaria mais tarde. "Eu morava no térreo e o dr. Capesius no segundo andar. Ele era representante da Bayer. Às vezes eu falava com ele e com sua esposa."[14] Em 1939, pouco antes de a guerra começar, ela tomou café com Capesius e Friederike em sua casa na Transilvânia.

"Eu o reconheci imediatamente e estava feliz em vê-lo. Quando fiquei diante dele, porém, ele apenas perguntou: 'Quantos anos você tem?', e me mandou para a direita."

Capesius mandou o pai, as irmãs e o irmão de Sarah para a esquerda. Nebel não sabia o que as diferentes direções significavam, mas ela não queria ser separada da família, então tentou voltar até Capesius e implorar para que seus familiares ficassem juntos. No entanto, um oficial da SS a impediu.

"Não é o dr. Capesius?", Nebel perguntou ao oficial.

"Sim, é o farmacêutico dr. Capesius", ele olhou surpreso para a mulher. "Como o conhece?"

Ela disse que o conhecia da Romênia, mas ele a empurrou de volta para o grupo de prisioneiros.[15]

Algumas vezes Capesius tinha que decidir se o marido ou se a esposa viveria. Dr. Lajos Schlinger, nascido em Cluj-Napoca, conhecia Capesius desde 1939, quando recebeu a visita de um representante da Bayer com esse nome, tendo os dois se encontrado socialmente em certas ocasiões. Schlinger fazia parte dos últimos judeus deportados de Cluj-Napoca. "Havia doze de nós, doutores, e nós levamos o hospital do gueto conosco", ele recordou.[16]

Quando seu vagão de carga chegou, em junho, ficou parado e trancado na via férrea por várias horas, esperando os demais vagões serem esvaziados. Por volta das quatro da manhã, o carro em que estava finalmente foi aberto.

"Ele nos tiraram com violência. Era uma situação infernal, porque havíamos trazido os pacientes do hospital, uns duzentos ou trezentos, muitos deles em estado crítico, alguns nem podiam ficar de pé... As pessoas doentes estavam deitadas ou sentadas no chão, as mulheres choravam e as crianças gritavam. Era uma situação terrível."[17]

Foi aí que Schlinger viu Capesius.

Contente, foi até ele e o cumprimentou.

"Onde estamos?", perguntou em seguida.

"Na Alemanha Central", respondeu Capesius.

Schlinger, que vira placas em eslavo, não acreditou nele.

"O que acontecerá conosco?"

"Tudo vai ficar bem", Capesius o tranquilizou.

Schlinger contou a Capesius que sua esposa não estava bem.

"Ela não está com a saúde boa?", perguntou Capesius. "Então ela deve ficar aqui." Ele apontou para um agrupamento de pessoas muito doentes. A filha adolescente de Schlinger acompanhou a mãe até o grupo de enfermos.

"Nunca mais vi minha mulher nem minha filha de dezessete anos", disse Schlinger.[18]

Poucos judeus que chegaram na primavera de 1944 conheciam Capesius melhor do que Josef Glück, um fabricante da indústria têxtil de Cluj-Napoca. Ele chegou a Auschwitz em um carregamento de 2.800 judeus, em 11 de junho. Glück era o cliente que reclamara para a matriz da Farben, em Frankfurt, de atrasos nas entregas de corantes que ele usava. Capesius o visitara para resolver o problema e, depois disso, manteve o contato para continuar garantindo a satisfação do cliente.

Eles não se viam havia mais de dois anos e então se reencontraram na rampa de acesso da linha do trem, em Auschwitz.

Glück estava com a esposa, os filhos gêmeos de dois anos, a mãe, a cunhada e os dois filhos dela. Por coincidência, dois dos outros judeus deportados nesse carregamento eram Albert Ehrenfeld e Wilhelm Schul, antigos clientes com quem Capesius cultivara um relacionamento comercial especial antes da guerra.[19] Os três homens ficaram juntos.

"Tínhamos que desfilar diante de um oficial da SS", recordou Glück. "Ele então mandava as pessoas para a direita ou para a esquerda. Para meu assombro, eu logo reconheci esse oficial da SS! Era o dr. Capesius. Quando passei diante dele, eu estava na companhia de Schul e Ehrenfeld. Nós três o reconhecemos prontamente. Achamos que isso seria bom para nós."[20]

Apesar de haver outros oficiais da SS na rampa, Glück notou que "Capesius sozinho era que decidia quem ia para a direita ou para a esquerda".

Glück, na época com 54 anos, foi o primeiro a ficar frente a frente com Capesius. Todos estavam certos de que o oficial os havia reconhecido, mas não era isso o que ele deixava transparecer. Antes de Schul chegar no início da fila, Capesius não dirigira uma só palavra a nenhum dos recém-chegados, apenas indicara que seguissem para a direita ou para a esquerda. Para os homens que um dia haviam sido seus clientes, contudo, ele fez algumas perguntas.

"Gostaria de trabalhar?", perguntou Capesius a Schul, em alemão.

"Não posso mais trabalhar", respondeu Schul. "Estou velho demais."

Capesius o enviou para a esquerda.

Ehrenfeld era o próximo.

Dessa vez em húngaro, Capesius perguntou: "Olha só, você também está aqui? Gostaria de trabalhar?".

"Sim", respondeu Ehrenfeld.

E Capesius o mandou para a direita.

A seguir vinha Glück.

Novamente em húngaro, Capesius indagou: "Gostaria de trabalhar?".

"Sim."

"Capesius não disse mais nada", Glück recordou mais tarde, "e me mandou para a direita."[21]

Glück e Ehrenfeld estavam em um grupo de cerca de 130 homens (dos 2.800 que haviam chegado no carregamento romeno, apenas 350 foram poupados).

Depois da seleção dos homens, foi a vez das mulheres. Apesar de Capesius ter mandado a esposa e a cunhada de Glück para a direita, Glück nunca mais ouviu falar delas. As filhas gêmeas dele foram imediatamente enviadas para a câmara de gás.

"Eu não tinha a menor ideia para onde estávamos indo", relatou Glück.

A frieza de Capesius na rampa surpreendeu Jan Sikorski, o prisioneiro-farmacêutico que dizia que o chefe o "tratava como um ser humano". Para Sikorski, os relatos sobre Capesius na chegada dos trens eram uma evidência de que ele era "algum tipo de médico e monstro".[22] Sikorski era como um *Kapo*, um capataz escolhido a dedo e, na verdade, era o único prisioneiro que tinha algo de bom a dizer sobre o farmacêutico. No entanto, aqueles que eram poupados por Capesius no desembarque só viam nele o médico.

Depois de ele ter mandado toda a família de Adrienne Krausz para as câmaras de gás, poupando apenas ela, Adrienne se juntou a centenas de outras mulheres nos chuveiros. "Nosso cabelo foi raspado (...) e, enquanto ainda estávamos nuas e de pé na fila, o dr. Capesius passou por nós. Eu estava próxima à sra. Stark, uma mulher mais velha que também havia conhecido Capesius no passado. Ela se dirigiu a ele e perguntou: 'Doutor, o que acontecerá conosco?', ou algo nesse sentido, não consigo me lembrar mais das palavras exatas. Capesius então a empurrou e ela caiu, por causa do chão escorregadio. Essa foi a última vez que o vi."[23]

Ella Böhm viu o "tio farmacêutico" quando ele foi visitar sua ala na prisão.[24] Ela tentou esconder a barriga de uma moça grávida com um pouco de palha. "Ele me empurrou para fora do caminho e varreu a palha da mulher grávida com seu rebenque. Nunca mais vi a grávida outra vez."[25]

O fabricante de tecidos Josef Glück viu Capesius "em algumas ocasiões", em geral com Mengele, "fazendo seleções no campo". Certa vez, Capesius, Mengele e dois outros oficiais da SS apareceram no famigerado Bloco 11 dos prisioneiros. Aquele lugar era o que muitos adolescentes judeus entre dezesseis e dezoito anos chamavam de lar.

"Os garotos provavelmente perceberam a intenção no ar, porque se dispersaram", lembrou-se Glück. "O chefe do campo então os arrebanhou com cães. Isso aconteceu em um feriado judaico. Passados dois dias, vieram algumas vans, e os garotos foram levados para o gás. Isso foi feito às gargalhadas. Eles provavelmente se divertiram muito, porque os garotos gritavam por suas mães."

O sobrinho de Glück, que tinha dezesseis anos, foi pego. Antes que a SS o levasse, ele conseguiu fazer um corte no braço e, com o próprio sangue, escrever na parede dos fundos de um dos alojamentos: "Andreas Rappaport — viveu dezesseis anos".[26]

Glück também esteve presente em 6 de agosto, quando a SS aniquilou o "Acampamento das famílias ciganas", mandando 3 mil mulheres, crianças e idosos para a câmara de gás. Dois dos principais seletores, de acordo com Glück, eram novamente Mengele e Capesius.[27] Naquele outono, Glück estava consertando um cano de água no campo das mulheres quando Mengele e Capesius chegaram para uma nova seleção. "Oitenta e cinco mulheres foram mandadas para a câmara de gás, inclusive minha esposa."[28]

Martha Szabó, uma judia romena que chegou a Auschwitz com a família em maio de 1944, talvez tenha expressado melhor o que os prisioneiros de Capesius sabiam. Enquanto marchava na direção de um grupo de homens da SS, ela escutou um deles falando em húngaro. Mais tarde no campo, ela descobriu sua identidade. "O rosto do dr. Capesius não seria esquecido tão cedo", ela recordou depois da guerra. "Não era um rosto tipicamente alemão."[29]

Szabó acabou no Bloco 27 do complexo C, de onde prisioneiros doentes ou fracos eram frequentemente selecionados para o extermínio. Os dois oficiais da SS que faziam essas seleções eram Mengele e Capesius. "Sempre os mesmos", ela lembrou. Quando Szabó foi transferida como auxiliar de cozinha, trabalhou com vários prisioneiros preparando uma "sopa de sabor ruim... a sopa de centeio e sêmola", uma mistura aguada com algumas batatas, nabos, sêmola, farinha de centeio e "um pouco de margarina". Certa vez, uma pequena porção dessa margarina foi encontrada com um prisioneiro, de forma que Capesius foi investigar. Ele mandou todos os prisioneiros pegarem pedras do lado de fora dos alojamentos e, carregando-as, dar voltas aos pulos — no que ele chamou de "exercício" — até que caíssem, exaustos.[30]

"Sou Capesius, da Transilvânia", ele berrou para os prisioneiros. "Em mim vocês conhecerão o diabo."[31]

# "O veneno da Bayer"

Como os médicos da SS se consideravam um grupo profissional de elite, poderia se esperar que um simples farmacêutico como Capesius fosse menos respeitado. E, assim sendo, também não seria de se esperar que ele contribuísse de forma significativa com a frenética experimentação em humanos. Capesius, porém, tinha uma qualificação especial que não podia ser subestimada: um longo tempo a serviço da Farben/Bayer. Em Auschwitz, as empresas haviam chegado ao seu diabólico zênite. Todos os médicos estavam em dívida com sua generosidade de custear muitos dos experimentos, além de o campo representar um laboratório humano de ponta para a Farben e a Bayer.

Um funcionário de longa data da Bayer que se tornara major da SS, o dr. Helmuth Vetter, era quem supervisionava os projetos da companhia que usavam prisioneiros para testar drogas. Alguns executivos da Farben já haviam previsto que o futuro da empresa não estava na química, mas no emergente ramo dos modernos produtos farmacológicos. "Os experimentos nos campos de concentração com os compostos da I.G.", deporia Waldemar Hoven, médico da SS, no pós-guerra, "só aconteceram para atender aos interesses da I.G., que trabalhava de todas as formas para determinar a eficácia dessas substâncias (...). Não foi a SS, mas a própria I.G. quem tomou a iniciativa de realizar experiências nos campos de concentração."[1]

A SS, é claro, não encaminhava simplesmente os prisioneiros recém-chegados para os experimentos financiados pela Farben. A empresa pagava por suas cobaias humanas, da mesma maneira que pagava taxas à ss pelo trabalho escravo em Monowitz. A Bayer regateou, certa vez, com o comandante de Auschwitz, o preço por 150 mulheres, nas quais queria testar "uma nova fórmula indutora de sono". A ss queria duzentos Reichsmarks por cada prisioneira (cerca de oitenta dólares). A Bayer reclamou que estava "caro demais" e, em contraproposta, ofereceu 170 Reichsmarks, aceitos pela ss.

"Por favor, prepare para nós 150 mulheres com a melhor saúde possível", um executivo da Bayer chegou a escrever em um memorando, confirmando a compra.

Depois que a Bayer assumiu a custódia das prisioneiras, comunicou à ss: "Apesar de sua condição macerada, elas foram consideradas satisfatórias. Manteremos vocês informados sobre os desdobramentos dos experimentos".

Algumas semanas mais tarde, um executivo da Bayer mandou à ss um memorando extremamente parecido com os demais, mas que marcava o término de um dos períodos de experiência farmacêutica no campo.

"Os experimentos foram feitos. Todas as pessoas que passaram pelos testes morreram. Nós entraremos em contato em breve a respeito de uma nova remessa."

Em outra rodada de experiências, documentos da Farben revelaram com detalhes arrepiantes a falha da fórmula 3582, uma droga não testada contra o tifo. Os médicos da ss selecionaram cinquenta cobaias humanas de uma única vez e as infectaram com a bactéria, antes de administrar o tratamento experimental. Os efeitos colaterais variaram de aftas na boca a diarreia incontrolável, vômito e exaustão. Depois de três fases brutais que duraram dois meses, em 1943, cerca de 50% dos "medicados" morreram — o que era aproximadamente o mesmo resultado de sobreviventes que não receberam tratamento algum. A Farben então voltou para a prancheta para reformular o remédio. Enquanto isso, os prisioneiros que sobreviveram ao tifo foram mandados para a câmara de gás, para evitar qualquer possibilidade de contágio.

Outro grupo de prisioneiras morreu de algo descrito apenas como "experimentos com hormônios desconhecidos". E uma ala inteira de detentos infectados com tuberculose no Bloco 20 foi tratada, sem sucesso, com uma droga injetável não mencionada, também da Bayer.[2]

Em um experimento, o dr. Vetter testou antibactericidas da empresa depois de injetar o bacilo *Streptococcus* nos pulmões de duzentas mulheres. Todas morreram de forma lenta e dolorosa, com edema pulmonar. Vetter apresentou suas descobertas sobre as causas do insucesso do remédio na Academia Médica Wehrmacht.[3]

Mengele, sem dúvida o pesquisador mais cheio de energia do campo, também usou fórmulas da Farben que ainda não tinham sido testadas, como a B-1012, B-1034, 3382 e a 1034, conhecida como azul de metileno, uma droga experimental para a cura do tifo.[4] Wilhelm Mann, químico da Farben e também o então presidente da Degesch, a fabricante do Zyklon B, escreveu em 1943: "Enviei anexo o primeiro cheque. Os experimentos de Mengele devem, como ambos concordamos, continuar".[5]

Diferentemente dos demais médicos, que em sua maioria pesquisavam a cura experimental de alguma doença conhecida ou de alguma condição médica grave, Mengele administrava suas fórmulas — via clisteres, pílulas e seringas intradérmicas ou hipodérmicas — em pacientes saudáveis. Suas notas laboratoriais se perderam no pós-guerra, de modo que ninguém sabe ao certo o que ele realmente pretendia fazer com as fórmulas da Farben. Novas teorias sobre o tema não param de surgir até os dias de hoje.

Alguns acreditam que Mengele teve acesso ao que havia de mais moderno à época, como os gases Sarin e Tabun, inodoros e incolores, que agiam com intensidade sobre o sistema nervoso e haviam sido descobertos pela empresa na década de 1930. O Tabun impunha grande respeito porque apenas uma única gota era letal. A Divisão Química do Terceiro Reich estava pressionando a Farben para desenvolver uma maneira de manipular e distribuir esses gases com facilidade, para que pudessem ser utilizados como armas de destruição em massa. Por duas vezes Hitler considerou usar tais gases, uma em Stalingrado e outra depois que os Aliados desembarcaram na Normandia. Em ambas as ocasiões, o Führer desistiu da ideia após ouvir o maior especialista em armas químicas da Farben, Otto Ambros, equivocadamente informar que os Aliados e os russos tinham seu próprio estoque de um gás similar e poderiam retaliar a "Pátria Mãe" na mesma medida.[6] Qualquer que tenha sido a razão para a charlatanice de Mengele em Auschwitz, entretanto, o que não se pode negar é que a maioria dos prisioneiros que ele usou nos experimentos para a Farben morreu.

Depois da guerra, Capesius tentou justificar os experimentos de Mengele com uma mentira deslavada, dizendo que "os americanos eventualmente tiveram acesso a todas aquelas anotações, todas aquelas pesquisas (...) a respeito de gêmeos e genética" e que os americanos teriam pago aos poloneses "muito dinheiro por essas informações, pois eram importantes, já que não havia nenhum outro lugar em que se pudesse fazer pesquisa assim, sem ter problemas".[7]

Às vezes, no campo, Capesius era mais do que um animador de torcida ou um farmacêutico que supria, com fórmulas da companhia, material para experimentos em pessoas. Arquivos internos da SS indicam que ele esteve presente e auxiliou em testes de drogas anestésicas em humanos.[8] Quando a Gestapo promoveu o antigo psiquiatra da I.G. Farben, Bruno Weber, ao cargo de diretor do Instituto de Higiene de Auschwitz, para estudar como agentes farmacológicos poderiam ser melhorados para realizar uma lavagem cerebral, Weber, por sua vez, solicitou Capesius como assistente. Os dois desenvolveram compostos experimentais com base em morfina e barbitúricos.[9] Eles também usaram mescalina, um psicotrópico natural que foi usado em experimentos em Dachau.[10]

Zoe Polanska tinha apenas treze anos quando foi transferida, em 1941, de Odessa para Auschwitz. Durante seus três anos no campo, ela conheceu Capesius muito bem. Na presença de outros médicos, e por vezes sozinho, ele mandava que Polanska se despisse e a amarrava em barras de ferro. Algumas vezes, líquidos IV eram administrados. Outras vezes, Capesius lhe dava pílulas de frascos cuja única identificação era uma etiqueta da Bayer.

"Eles nunca pediam para você tomar os comprimidos, eles simplesmente os enfiavam pela sua garganta", recordou Polanska. "Nunca perguntei o que estavam me dando."[11] Depois da guerra, ela descobriu que estava estéril e que seus ovários não se desenvolveram. Ela supôs que o experimento a que Capesius a submetera fosse um processo atabalhoado de esterilização ou pílulas para controle de natalidade, o que ela chamou de "veneno da Bayer".

## "Um cheiro inconfundível"

Pode surpreender a muitos que, em um lugar tão terrível quanto Auschwitz, o pessoal da SS para ali enviado se esforçasse ao máximo para criar uma impressão de normalidade para suas próprias vidas. Para alguns, isso significava trazer a família para perto. O comandante Rudolf Höss morava ali com a esposa e os cinco filhos, em uma casa de estuque contornada por uma cerca branca. O jardim era repleto de sebes avermelhadas e begônias plantadas em floreiras de cor azul-bebê. Depois da guerra, ele se lembrou do cenário tranquilo que compunha o lar de sua família: "Tudo que minha esposa ou meus filhos pediam lhes era dado. As crianças levavam uma vida sem dificuldades. O jardim da minha esposa era um paraíso de flores (...). As crianças gostavam principalmente dos [prisioneiros] que trabalhavam no jardim. Todos na minha família demonstravam paixão por agricultura e, em especial, por animais de todos os tipos. Aos domingos, eu atravessava com eles os campos para visitar os estábulos e não podíamos deixar de dar uma passada nos canis. Nossos dois cavalos e nosso potro eram particularmente amados. As crianças costumavam deixar que os animais vagassem pelos jardins, criaturas que os prisioneiros sempre levavam para eles. Tartarugas, martas, gatos e lagartos: havia sempre algo novo e interessante para se ver. No verão, eles se refrescavam na piscina infantil do jardim ou no [rio] Sola. Mas sua maior alegria era quando o papai se juntava a eles. Eu, no entanto, tinha muito pouco tempo para esses prazeres infantis".[1] ("Eu não sabia que, ali do lado, essas atrocidades estavam sendo cometidas", contou Ingebirgitt Hannah Höss, uma das filhas do comandante, à revista alemã *Stern*, em 2015. Ela tinha seis anos quando se mudou para Auschwitz. "Eu nunca perguntei por que havia cercas e torres de vigilância. Quando você tem nove ou dez anos, sua cabeça está tomada por outras coisas.")[2]

Auschwitz tinha um jardim de infância alemão, uma escola primária, um campo de futebol, uma mercearia, um laboratório fotográfico, um teatro, uma biblioteca, uma piscina para uso exclusivo da SS e uma orquestra sinfônica composta por prisioneiros. Muitos membros da SS faziam parte de clubes esportivos. Eles se gabavam de suas festas de Natal. Havia um bordel de escravas sexuais chamado The Puff, frequentado por homens da SS e alguns *Kapos*. Em um esforço para manter uma aparente fachada de normalidade, havia regras de trânsito e sinais luminosos. Quem dirigisse acima do limite de velocidade ou avançasse um sinal vermelho era investigado pela corte de trânsito da SS.[3] (Mengele recebeu uma multa, ganhando uma anotação desabonadora em seu arquivo da SS.)[4]

Höss não era o único oficial da SS cuja família morava ou visitava Auschwitz. Dentre muitos nomes, estava o dr. Werner Rohde, que ali criou sua filha, antes de ser transferido para um campo na Alsácia. O dr. Horst Fischer, o dentista Willi Frank e o tenente da SS Ernst Scholz eram alguns dos outros que também haviam trazido consigo esposa e filhos. Gertrude, a esposa do tenente Roland Albert, vivia em Auschwitz e dava aulas na escola primária para as crianças de outros oficiais. O filho deles nasceu ali. "Plantamos uma horta", Albert lembrou mais tarde, "cuidávamos de uma colmeia, plantávamos flores, caçávamos e pescávamos, nos reuníamos para tomar café durante as tardes, havia comemorações de aniversários e festas natalinas com o comandante Höss (...) em que as crianças recitavam seus poemas de Natal."[5] (O próprio Albert dava aulas de religião na escola quando estava de folga, assim como fazia antes da guerra.)

Mengele não chegou a trazer a esposa, Irene, para Auschwitz, achando que ela estaria mais segura na cidade de Freiburg, no sudeste alemão. Mas Irene o visitava. A primeira vez foi em agosto de 1943, e uma quarentena devido a um surto de tifo a obrigou a ficar mais tempo que o planejado.

"Que fedor é esse?", perguntou ela, certo dia.

"Não me pergunte sobre isso", retrucou Mengele.[6] (Gisele Böhm, uma médica prisioneira, descreveu o odor como "um cheiro adocicado onipresente, resultante da queima de corpos humanos, que penetrava em tudo, invisível, como um cadáver pulverizado dentro de cada um de nós".)[7]

Em uma segunda visita, no calor escaldante de agosto, em 1944, Irene novamente ficou nos alojamentos da SS, no perímetro do campo. De acordo com seu diário, ela passou as três primeiras semanas tomando banhos e colhendo frutinhas silvestres. Ela até visitou Solahütte, um campo de recreação da SS quase trinta quilômetros ao sul de Auschwitz, beirando o rio Sola. (Um álbum de fotografia guardado pelo adjunto do campo, Karl Höcker, foi recuperado em 2007 e causou espanto pelas fotos do pessoal da SS de folga em Solahütte, acendendo velas de Natal, cantando juntos, tomando banho de sol... enfim, se divertindo, como era de esperar que qualquer soldado fizesse em sua licença durante a guerra.)

Nessa visita, Irene outra vez sentiu o estranho fedor adocicado que percebera no ano anterior. E ela não tinha muitas dúvidas de que Auschwitz, com seu arame farpado e torres de vigilância, fosse um campo de concentração. No alojamento da SS, ela escreveu em seu diário que "a chegada dos trens deixava tudo claro e evidente".

Quando ela estava pronta para partir, em 11 de setembro, foi acometida por difteria. Passou as seis semanas seguintes nos consultórios médicos do campo, levada de um para o outro no ritmo dos alertas de ataque aéreo. Foi então que Capesius a conheceu melhor, assegurando a Mengele que sua esposa tinha prioridade em qualquer medicação necessária para controlar a febre alta e amenizar os sintomas da doença. Quando ela finalmente recebeu alta do hospital, em 18 de outubro, mudou-se para um moderno apartamento no alojamento dos médicos da SS. Como descreveu em seu diário, ela se sentiu "novamente como uma recém-casada".[8]

Quanto a Capesius, ele decidira não trazer a esposa Fritzi e as três filhas para Auschwitz. Em vez disso, sua forma de manter algum vínculo com uma aparente normalidade era dar escapadas em muitos finais de semana para uma fazenda próxima, de propriedade do casal Hans e Hildegard Stoffel, alemães étnicos da Romênia. Capesius e Stoffel se conheceram em 1935, quando ambos haviam investido em um conjunto habitacional em Bucareste.[9] Mais tarde, Stoffel se juntara ao esforço de guerra alemão. Antes da guerra, seu pequeno sítio em Przecischau, a catorze quilômetros de Auschwitz, nas montanhas Beskidy, tinha pertencido a uma família polonesa, mas agora fazia parte de um programa nazista que instituíra a distribuição de propriedades de judeus e poloneses entre alemães étnicos que apoiaram desde cedo o movimento fascista em seus países de origem. Acreditava-se em Berlim que as terras doadas pudessem encorajar mais alemães étnicos a apoiar o Reich com entusiasmo. Os Stoffel eram amigos do capitão Fritz Fabritius, o fundador linha-dura da tropa nazista original, a Nationalsozialistische Selbsthilfebewegung (Movimento Nacional-Socialista de Autoajuda). Ambos, Fabritius e os Stoffel, receberam muitos terrenos e grandes cabanas ideais para caçadas.[10] Os Stoffel se mudaram para sua nova propriedade em outubro de 1943, e não demorou muito para que a residência deles se tornasse a opção preferida para grupos de caça nos finais de semana e reuniões festivas de alguns dos homens da SS que serviam em Auschwitz.

Fritz Klein, um médico da Transilvânia, também conhecera os Stoffel antes da guerra. Klein era um antissemita ferrenho, chegando a dizer ao casal que "os judeus são inimigos da humanidade, não apenas nossos". Ele era um dos poucos médicos que se voluntariavam para fazer horas extras na seleção na rampa de acesso da linha férrea, bem como para trabalhar na "Parede Negra" do Bloco 11, onde os prisioneiros eram executados pelo pelotão de fuzilamento. Ele também escolhia pessoalmente as prisioneiras para o bordel. As garotas eram obrigadas a fazer sexo pelo menos seis vezes por noite, e a SS burlava qualquer "limitação racial ou proibição". Depois da guerra, Klein desavergonhadamente alegou que as escravas sexuais "faziam tudo voluntariamente".[11]

Tendo suas raízes na Transilvânia como laço comum, Capesius e Klein logo ficaram amigos. Não foi muito depois de Capesius ser transferido para Auschwitz que ele começou a frequentar o refúgio montanhês dos Stoffel. Ele às vezes ia de bicicleta, outras de trem e, vez ou outra, ia com sua motocicleta favorita, uma DKW 100.[12] Um dos dentistas de Auschwitz, o dr. Willi Schatz, frequentemente se juntava a Capesius, assim como seu amigo Gerhard Gerber, farmacêutico e primeiro-tenente. Roland Albert, amigo de infância de Capesius, também era assíduo. "Bem, nós tínhamos que ter uma folga", relatou Albert depois da guerra. "Para descansar. Para esquecer. Talvez caçar num domingo [na propriedade de Stoffel]." Albert contou que ir até lá era uma maneira de se afastar do cheiro deprimente de "carne queimada, pele queimada, cabelo queimado".[13]

Capesius chegava na maioria dos finais de semana com algumas das melhores roupas que havia roubado dos pertences pessoais dos novos prisioneiros. "Eu regularmente levava aquelas roupas comigo no outono, quando ia caçar nas montanhas Beskidy", relatou Capesius. "Eu as doava para os batedores poloneses e seus filhos, entre quem eu era bem popular."[14]

Os "batedores" eram poloneses locais que esvaziavam as clareiras para que os homens da SS pudessem caçar pequenos animais. O dr. Schatz costumava levar seu cachorro, Treff. Capesius, um caçador ávido, considerava Treff "um excelente cão de caça". Assim, não foi surpresa que os homens da SS ficassem traumatizados com um fim de semana de caça à lebre, quando o dentista, por engano, atirou no próprio cachorro ao tentar mirar em uma lebre. Eles tentaram incansavelmente extrair a bala do cão ferido, mas ele morreu.[15]

Aos sábados, Capesius normalmente pernoitava em um dos quartos de hóspedes dos Stoffel. Domingo era quando aproximadamente uma dúzia de homens e mulheres da SS iam para a fazenda, para compartilhar uma animada refeição antes de voltar a Auschwitz, na mesma noite.[16] Em um sábado, 7 de junho de 1944, um grupo bem grande foi até a fazenda para celebrar o aniversário de Hans Stoffel.

Quando Hildegard Stoffel teve um problema com seus dentes, ela descobriu que os dentistas poloneses da vizinha Oświęcim não tinham aparelhos de raios X nem estavam aptos para tratá-la. Ela então foi até o dr. Schatz, que dividia o dispensário com Capesius. Anos mais tarde, ela só tinha boas recordações das quatro ou seis visitas que fez ao lugar. "A entrada que eu costumava usar (...) era muito linda. Tinha flores, os alojamentos eram limpinhos e arrumados (...) não vi prisioneiros [a não ser os que estavam do lado de dentro] no dispensário em que o dr. Capesius trabalhava (...). Aquelas pessoas não pareciam prisioneiras. Estavam bem alimentadas, bem vestidas, sempre contentes e animadas. Então não vi nada de errado com o ambiente (...). Todos pareciam muito bem."[17] Seu marido, Hans, notou que os prisioneiros-farmacêuticos "falavam muito bem de Capesius".[18] Ele disse não saber o que acontecia no campo, alegando incrivelmente nunca ter olhado para fora da janela nem ter feito nenhum tipo de pergunta a Capesius.

Do que não se tem dúvida é de que os Stoffel proporcionavam a Capesius um lugar em que podia ser ele mesmo, longe o suficiente da hierarquia da SS em Auschwitz para ocasionalmente fazê-lo se sentir livre o suficiente para falar sobre o estresse da guerra. Em fins de maio de 1944, por exemplo,

Capesius viajou para o Hospital Militar Central, em Berlim, para dar entrada em alguns grandes pedidos de medicamentos. Nessa viagem, ele pôde ver por si mesmo a imensa destruição resultante do maciço ataque aéreo com duração de 48 horas que os Aliados haviam começado em 28 de maio. Passados uns dias, ao voltar a Auschwitz, ele tirou uma folga para relaxar com os Stoffel. Uma grande caçada estava em curso e Capesius encontrou "todos ainda em clima festivo, até mesmo dançando, apesar da chuva que descia em pancadas". Mas ele não conseguiu parar de falar sobre como se sentia perturbado com a intensidade dos bombardeiros dos Aliados. Os outros acharam sua conversa sem fim um tanto deprimente. "Não demorou muito e eles me pediram para mudar de assunto" — o que ele fez. Hildegard Stoffel se lembra de como ela e o marido sempre "relutavam em participar de conversas perturbadoras como essa".[19]

Os Stoffel não eram o único refúgio social de Capesius fora do campo. Ele também visitava frequentemente Armin Rump, em Oświęcim, uma cidade polonesa vizinha. Rump, nascido na Transilvânia e um alemão étnico, era o farmacêutico local. Ele e sua família, também amigos dos Stoffel, se mudaram para a Polônia vindos da cidade de Vatra Dornei, na província de Bucovina, no norte da Romênia[20], lugar que herdara uma posição de destaque na vil lista de extinção dos judeus europeus. Bucovina tinha uma das mais antigas comunidades judaicas da Europa e, em seu último censo, antes da guerra, cerca de 92 mil judeus respondiam por 10% da população, ocupando cargos importantes nos setores de transporte, madeireiro e de finanças.[21] A partir de 1941, as milícias romenas e os esquadrões da polícia começaram a assassinar os judeus.[22] A cidade natal de Armin Rump era pequena, com apenas 7.700 habitantes, dos quais mais de um quarto era judeu. Em 1942, a guerra ainda chegava à metade e, antes de Rump se mudar para Oświęcim, restavam apenas 21 judeus vivos.[23]

Capesius disse que "gostava de ficar na companhia da família de Rump ou na fazenda dos Stoffel (...) para fugir da atmosfera de Auschwitz". Ainda assim, a casa de Rump era tão próxima ao local de trabalho de Capesius que visitá-lo nem sempre era o suficiente para relaxar, como ele mesmo escreveu: "Da varanda da casa de Rump, à noite, dá para ver a luz de uma enorme chama queimando a uns quatro quilômetros, e todo mundo sabia que seres humanos estavam sendo cremados ali. Era possível sentir o cheiro também, quando o vento mudava de direção".[24]

# Os judeus da Hungria

É inegável que alguns dos oficiais da SS nomeados para Auschwitz e outros campos de concentração eram sádicos patológicos que sentiam prazer com a barbárie. Alguns poucos médicos, como Mengele, sentiam-se muito satisfeitos por estar ali, já que eram obcecados por seus experimentos pseudocientíficos sobre raça. Mas muitos outros oficiais da SS enviados a Auschwitz — dos 7 mil, 177 eram mulheres e 350 eram romenos de origem alemã, como Capesius — consideravam o posto difícil e muito repulsivo. Não havia pagamento adicional por trabalhar em uma desolada área rural da Polônia, que é brutalmente quente no verão e congelante no inverno. E as doenças que se disseminavam entre os prisioneiros — tifo, difteria e pneumonia — não poupavam os guardas, oficiais e médicos. Dr. Johann Paul Kremer manteve um diário durante os três meses que ficou em Auschwitz, em 1942. Ele reclamou incessantemente das condições precárias: "Faz uma semana que vim para cá e ainda não consegui me livrar das moscas em meu quarto, apesar de já ter usado todos os tipos de inseticida".

Kremer, como todos os demais, recebeu uma série de vacinas na esperança de prevenir o tifo. Essas vacinas tinham efeitos colaterais, inclusive febre alta e diarreia. E, embora os oficiais fossem vacinados, o diário de Kremer estava repleto de referências a colegas que haviam ficado muito doentes. Em um caso, ele contou que "*Sturmbannführer* Caesar também havia contraído tifo, depois que sua esposa morrera devido à doença há alguns dias". Além do tifo, havia ainda o "mal de Auschwitz", uma infecção bacteriana semelhante a uma gripe forte, que estava se alastrando pelo campo e cujos sintomas eram febrão intermitente, arrepios, cãibras e dores de cabeça debilitantes.[1] Mengele ficou muito doente de malária dois meses depois de chegar ao campo.

Isso não significava que aqueles que não estavam felizes de ser enviados para servir em Auschwitz fizessem menos que seu dever completo em contribuir para assassinar milhões de civis inocentes. Eles, contudo, buscavam maneiras de fazer deste um posto melhor. Para muitos, a operação de assassinato em massa no campo era apresentada como uma oportunidade única de lucro individual. Em cartas para a família e em conversas com os colegas, um surpreendente número de oficiais da SS que serviram em Auschwitz dizia acreditar ter direito a algo mais que seu salário (Capesius ganhava uma faixa salarial de 9 mil Reichsmarks anuais, cerca de 3.600 dólares). Isso frequentemente implicava o roubo de comida e bebida dos pertences pessoais dos prisioneiros recém-chegados. Havia ainda quem não se contentasse com as rações extras e tivesse esperança de conseguir economizar o bastante para eventuais festins de gula.

Os oficiais avaros se concentravam em acumular joias e dinheiro. E havia muito disso em Auschwitz. O enorme fluxo de judeus que chegava todos os dias em vagões de carga abarrotados vinha com o sonho de ser realocado para campos de trabalhos forçados no Leste. Eles não tinham dúvidas de que lá a existência seria dura, mas, apesar dos boatos sobre os campos de extermínio que corriam nos guetos dos países ocupados, os recém-chegados se recusavam a acreditar que sua viagem terminaria em uma câmara de gás. Então, na esperança de começar uma nova vida, eles levavam consigo tudo o que tinham de valor e que conseguissem esconder dos nazistas. Dinheiro, diamantes e joias eram frequentemente costurados nos forros dos casacos, vestidos e malas, ou escondidos dentro de potes de loção, e até mesmo em compartimentos secretos confeccionados nas malas. Os nazistas logo se tornaram eficientes em descobrir onde suas vítimas escondiam as coisas de maior valor. Toda a pilhagem era guardada nos gigantescos armazéns de Birkenau, o "Canadá", que funcionavam como um depósito de itens roubados até que fossem remetidos para a Alemanha. Não havia como inventariar tudo, visto que um número gigantesco de pessoas chegava todos os dias e uma grande quantidade de objetos de valor era retirada dos trens de carga. A impossibilidade de catalogar o que era recolhido criou então uma oportunidade para o furto.

"Eles [os oficiais da SS] levavam para casa muito ouro e outras coisas de valor", relatou Libuša Breder, uma judia da Eslováquia que trabalhava no "Canadá". "Cada peça dos judeus tinha que ser revistada, inclusive as roupas íntimas e todo o resto. E encontrávamos muitos diamantes, ouro, moedas, dinheiro, dólares, moeda estrangeira de todos os países da Europa (...). Era uma festa para eles (...). Ninguém controlava nada."[2]

Prisioneiros como Breder não eram os únicos cientes da roubalheira da SS. Em 1943, um cabo da SS de 22 anos chamado Oskar Gröning ficou responsável por administrar todo o dinheiro proveniente do transporte de judeus. A cada dois meses ele armazenava a quantia em caixotes e os escoltava de trem até Berlim.

Não foi muito depois de ser designado para essa função que Gröning, como muitos de seus colegas, sucumbiu à tentação e começou a roubar. "Se muita coisa é amontoada junta, você pode facilmente surrupiar algo para seu ganho pessoal", Gröning lembrou depois da guerra. "Roubar coisas para si era uma prática absolutamente comum em Auschwitz."[3]

Por volta de outubro de 1943, a hierarquia da SS em Berlim tomou conhecimento de que havia uma epidemia de corrupção no campo. Himmler despachou o tenente-coronel Konrad Morgen, advogado e juiz, para investigar e solucionar o problema. Dias depois de sua chegada, Morgen liderou uma vistoria surpresa nos armários do pessoal da SS.

"O exame dos armários resultou em uma fortuna em ouro, anéis, pérolas e dinheiro em todos os tipos de moeda", relataria ele mais tarde. "A conduta do pessoal da SS estava muito distante de qualquer padrão esperado dos soldados. Eles deram a impressão de ser parasitas degenerados e brutais."[4]

Morgen sabia que, se quisesse tentar acabar com a corrupção, precisava dar exemplo. Ele então mandou prender dois dos líderes da guarda da SS por roubo e contrabando. Enquanto aguardavam o julgamento, um se enforcou na própria cela. Morgen relatou a Himmler que os abusos estavam enraizados. Rudolf Höss, o comandante durão a quem se creditava a contínua expansão de Auschwitz e sua capacidade de extermínio, havia permitido que a cultura da corrupção se instalasse. De fato, Höss tinha dado um mau exemplo de disciplina ao ter um badalado caso com uma prisioneira tcheca judia (quando a moça engravidou, ele ordenou que ela passasse fome para que abortasse). Himmler concluiu que não tinha outra escolha a não ser substituir Höss.[5]

O comandante resistiu à transferência. Apelou pessoalmente a Himmler, alegando que não havia ninguém melhor do que ele para limpar aquela bagunça. Himmler foi irredutível, mas a SS diminuiu a rigidez da punição ao indicar Höss para um trabalho burocrático no Escritório Central da Administração dos Campos de Concentração. Surpreendentemente, quando Höss se mudou para Oranienburg, ao norte de Berlim, para assumir o novo cargo, em 10 de novembro de 1943, sua esposa e seus cinco filhos ficaram na casa em Auschwitz. Dois meses após sua partida, o armazém em que Morgen depositava seu crescente arquivo de provas incriminadoras pegou fogo de forma misteriosa, queimando completamente. Tal incêndio pôs fim a qualquer possível julgamento futuro do pessoal da SS por corrupção.

Se havia alguma dúvida de que o inquérito de Morgen vinha a reboque da matança de judeus, sete meses após o início de sua investigação, Höss estava de volta como comandante de Auschwitz. Himmler sabia que ninguém mais era capaz de administrar o campo com a eficiência brutal necessária para seguir o cronograma das deportações em massa de húngaros, marcadas para a primavera de 1944. A volta de Höss, juntamente com o atraso no inquérito de Morgen, fez com que os oficiais que serviam em Auschwitz se tornassem ainda mais ousados, dispostos a roubar mais do que nunca.

Antes de 1944, três campos de extermínio da Polônia, Treblinka, Sobibor e Chełmno, disputavam entre si o duvidoso título de maior campo de extermínio nazista. Mas, a partir de maio, Auschwitz estava prestes a receber a ignóbil honraria de mais eficiente máquina de morte. Os políticos por trás disso tinham, em parte, vínculos com a Transilvânia. Como resultado de um acordo assinado em 1940 (o Tratado de Viena), a Hungria anexara a Transilvânia, que então se tornou aliada do Terceiro Reich. Os fascistas linha-dura que estavam no poder, no entanto, não eram adeptos das exortações nazistas para arrebanhar e deportar os 800 mil judeus que viviam em seu território. Quando o Serviço Secreto Alemão relatou a Hitler, em março de 1944, que os líderes húngaros estavam negociando secretamente sua rendição aos Aliados, o Führer enviou o Exército alemão até lá para ficar a par da situação. Um dos primeiros oficiais nazistas a chegar na já conquistada cidade de Budapeste foi o SS-*Obersturmbannführer* (tenente-coronel) Adolf Eichmann, chefe da Secretaria de Serviços de Segurança IV-B4. Eichmann era responsável pela retirada de todos os judeus dos territórios conquistados e por enviá-los aos campos de concentração. Ele era o chefe burocrático do genocídio, algumas vezes também chamado de "policial de trânsito da morte". No clímax frenético do massacre dos judeus pelo Terceiro Reich, em meados de maio, Eichmann organizou uma conferência em Viena, em que foram definidos os agressivos cronogramas para mandar os judeus da Hungria e da Transilvânia para Auschwitz. Os transportes começaram no meio daquele mês, com inicialmente quatro carregamentos diários, cada um com 3 mil judeus. Era um cálculo muito ambicioso até mesmo para os macabros padrões da máquina de extermínio alemã.

O comandante Höss havia ordenado uma acelerada expansão do campo, o que incluía alterações na linha férrea, a conversão de outro abrigo em uma nova câmara de gás e a construção de vários fornos crematórios e de cinco enormes valas para a queima do já esperado excedente de cadáveres. Além disso, o *Sonderkommando*, a unidade de prisioneiros que retirava os corpos das câmaras de gás, cresceu de duzentos para oitocentos homens.

Apesar de os nazistas se vangloriarem de, naquela primavera, em um pequeno intervalo de dez semanas, terem matado metade dos judeus enviados para Auschwitz, o fluxo de prisioneiros provou ser demasiado até mesmo para um lugar que é sinônimo de assassinato em massa. Logo, dezenas de milhares de corpos estavam entrando em decomposição em enormes pilhas, aguardando sua vez no crematório superlotado. Os oito dentistas-prisioneiros usavam alicates para retirar o ouro da boca dos mortos e trabalhavam dia e noite. O cloridrato usado para remover restos de carne e osso dos dentes extraídos estava em falta havia semanas, já que uma quantidade recorde de nove quilos de ouro era coletada por dia.

Dr. Miklós Nyiszli, prisioneiro assistente de Mengele, relatou mais tarde que "os carregamentos de judeus da Hungria chegavam um atrás do outro, frequentemente dois ao mesmo tempo. Quando isso acontecia, as pessoas literalmente jorravam dos vagões como se fossem um rio. O que o dr. Mengele fazia na rampa de acesso da linha férrea não podia mais ser chamado de seleção. Sua mão apontava para uma única direção na maior parte do tempo: a esquerda. Algumas vezes um carregamento inteiro era imediatamente mandado para a câmara de gás ou para as valas em chamas".[6]

Dr. Otto Wolken, um judeu médico-prisioneiro, afirmou que "os carregamentos da Hungria causaram grandes mudanças em Auschwitz. De repente a 'agência de viagens' de [Adolf] Eichmann estava funcionando a todo vapor, trazendo, dia após dia, quatro, cinco, seis, às vezes até dez trens para o campo de concentração".[7]

O tenente Roland Albert, colega de trabalho e amigo de Capesius, era o encarregado da 4ª Companhia da SS, a responsável pela principal torre de vigilância em Birkenau, que supervisionava a chegada dos trens. Dessa torre, Albert e seus homens tinham uma visão completa dos trens de carga no momento em que suas portas eram abertas. Quando um prisioneiro tentava escapar, eles praticavam tiro ao alvo com metralhadoras sobre as hordas de judeus. Os prisioneiros que chegavam, além de exauridos da viagem de muitos dias sob condições brutais em vagões superlotados, também eram confrontados por guardas intimidadores e mais de 150 cães, de modo que invariavelmente careciam da força e das condições físicas para correr até a cerca eletrificada que os rodeava.

"Sim, foi horrível", relatou Albert mais tarde. "Eu podia ver tudo o que acontecia no desembarque lá de cima: quando um dos prisioneiros, depois de uma viagem infernal de três dias, ainda tinha forças para falar e se mexer, ele rezava. Vi isso no dia em que fui escalado para a rampa. Tarefa dura. Muitos estavam mortos nos vagões, um cheiro de medo subia assim que as portas eram abertas... outros ainda respiravam. Crianças choravam, mulheres se lamentavam e homens chamavam por suas famílias."[8]

Anos mais tarde, Capesius descreveria o período mais sangrento do campo em termos tipicamente clínicos e desapaixonados: "Entre 14 de maio e 7 de julho de 1944, 34 trens chegaram do nordeste da Hungria e da Transilvânia, trazendo 288.357 judeus. Todos passaram pelo processo de seleção na rampa de acesso da linha do trem, e apenas um terço foi salvo, isto é, declarado apto a trabalhar. Crianças com menos de catorze anos não se encaixavam nessa categoria".[9]

A fase mais agressiva de Auschwitz, ocorrida naquela primavera, era chocante por si só, mas era ainda mais impressionante à luz do que estava acontecendo nos demais territórios de guerra. O ano anterior, 1943, marcara o fim do que parecia ser o auge do nazismo. Os cinco meses de cerco a Stalingrado resultaram em uma surpreendente vitória russa, quando mais de um quarto de milhão de soldados alemães se entregou. O marechal de campo Erwin Rommel, o respeitado "Raposa do Deserto", havia se retirado da África e rapidamente se dirigido à Alemanha, apenas meio passo à frente das blindadas tropas americanas e inglesas. A Itália mudara de lado, abandonando o Terceiro Reich e fazendo um acordo com os Aliados. O Exército soviético, por sua vez, repelira a ofensiva alemã na maior batalha de tanques da história, na cidade russa de Kursk. Se 1943 foi o ano em que a *blitzkrieg* nazista virou uma lembrança, 1944 foi quando os Aliados viraram a maré da guerra a seu favor.

Janeiro e fevereiro começaram com a derrota da impenetrável defesa aérea alemã e com os maciços bombardeios britânicos em Berlim, Frankfurt, Hamburgo e Leipzig. Em uma árdua batalha, o Exército americano conseguiu conquistar uma cabeça de praia em Anzio, a apenas cinquenta quilômetros ao sul de Roma. Naquele mês de fevereiro, o Exército de Stálin capturou dez unidades alemãs na Ucrânia Central, e os Aliados furiosamente se preparavam para desembarcar na Normandia no verão.

Dentro da Alemanha, mortes que se acumulavam e relatórios de fracassos acabaram por gerar a pessimista ideia de que a guerra poderia estar perdida. Estava claro, pelo menos, que os planos de Hitler de conquistar toda a Europa não passavam de um sonho equivocado que havia atolado a Pátria Mãe na devastadora Segunda Guerra Mundial. Em Auschwitz, no entanto, os envolvidos no maior crime de guerra da história não pareciam ter dúvidas sobre a necessidade de aumentar ainda mais a capacidade da máquina de extermínio. Em vez de recuar e ponderar a possibilidade de algum dia terem que responder por seus pecados, os responsáveis pelo campo pareciam surpreendentemente cegos em relação à mudança de sorte da Alemanha nos últimos tempos.

Quanto a Capesius, alguns dos que trabalhavam com ele no dispensário haviam notado que, quando o ritmo dos comboios da Hungria ameaçou exceder os limites da capacidade do campo, ele vira ali uma oportunidade de lucrar. Wilhelm Prokop, um prisioneiro-farmacêutico, afirmou: "O Capesius que conheci era alguém que tentou tirar toda vantagem pessoal possível sobre o enorme carregamento vindo da Hungria".[10] A princípio, Capesius usou o pretexto de estar procurando por remédios e equipamentos médicos entre os pertences recolhidos dos judeus, porém, ele buscava apenas coisas de valor.[11] Nyiszli, o assistente de Mengele, contou que Capesius rapidamente adquiriu a "reputação de grande organizador" do espólio que chegava.[12]

Ferdinand Grosz, um prisioneiro-farmacêutico judeu que conhecia Capesius na época em que ambos trabalhavam na Bayer, chegou a Auschwitz em junho e foi enviado para trabalhar no dispensário. Ele viu seu chefe ir até a cabeceira da linha férrea várias vezes por semana e, "no que se refere aos medicamentos, seu único interesse era que vasculhássemos os potes de creme e os tubos de pasta de dente atrás de joias. Ele vinha diariamente até nós para saber se tínhamos encontrado alguma coisa. Apenas naqueles meses em que trabalhei na enfermaria, ele juntou uma enorme quantidade de joias, as quais achava natural serem tomadas como uma renda extra para si".[13]

O prisioneiro-enfermeiro Ludwig Wörl sabia o quão meticuloso era Capesius ao procurar diamantes escondidos em medicamentos. "Valores financeiros eram bem mais importantes para Capesius do que a vida dos detentos", comentou Wörl.[14]

Para Capesius, roubar era fácil porque, de acordo com as regras de Auschwitz, ele deveria levar todos os itens recolhidos na cabeceira da linha do trem para o dispensário, não sendo necessário assinar nenhum documento ou recibo. Essa era uma grande falha na asfixiante burocracia alemã que dominava todos os aspectos do extermínio em massa, uma brecha da qual ele frequentemente tirava proveito.

Depois de voltar de uma das viagens até a rampa da linha do trem, o farmacêutico polonês Tadeusz Szewczyk recordou que Capesius havia lhe mandado "trazer algumas das malas que estavam na ambulância. Eram valises de couro de vários tamanhos, e eu deveria levá-las para o depósito da farmácia. Havia umas quinze delas (...) e fiquei ali com Capesius separando o conteúdo. Coisas de melhor qualidade eram guardadas em valises de melhor qualidade. O dr. Capesius levou tudo". De acordo com Szewczyk, esse "tudo" incluía moedas estrangeiras, que Capesius imediatamente colocou em seu cofre, joias e Reichsmarks, que ele guardou em diferentes invólucros.[15]

Certa vez, quando Capesius queria presentear a esposa com um broche de diamantes, ele "encomendou" o presente para Sikorski, seu assistente. Quando Sikorski eventualmente lhe entregou um, Capesius o compensou com uma dúzia de garrafas de Schnapps.[16]

O prisioneiro-farmacêutico Prokop também testemunhou o que Capesius fazia: "Certo dia, eu estava arrumando os remédios no sótão do depósito quando Capesius apareceu. Ele era responsável pelas malas de prisioneiros que eram guardadas ali. Ele mesmo havia trazido essas malas do campo em Birkenau. Durante meu turno, prestei atenção nas atividades dele. Reparei como Capesius separava os itens preciosos e caros e os guardava nas melhores valises".

As bagagens estavam marcadas como "primeira classe". Prokop olhou "boquiaberto" quando Capesius começou a vasculhá-las. Quando reparou que Prokop o observava, ele parou.

"Prokop, você sabe por que está aqui. Cedo ou tarde você terá que morrer. A decisão de quando isso acontecerá é sua. Se escolher enxergar certas coisas e falar sobre elas com os outros, essa hora chegará mais cedo do que você imagina. Espero que tenha me entendido."

Prokop mais tarde afirmaria: "Eu sabia que, se contasse alguma coisa a alguém, estaria perdido".[17]

Capesius ordenou que Prokop escondesse duas malas com as melhores roupas encontradas. No dia seguinte, quando Prokop foi conferir se ainda estavam lá, haviam sumido.[18]

O farmacêutico de Auschwitz havia chegado a uma encruzilhada. Ele agora se dedicava a esconder o que pudesse para que, quando a guerra terminasse, tivesse dinheiro suficiente para começar uma nova vida.

# O ouro dos dentes

Em 20 de agosto de 1944, a SS em Auschwitz viu por si só como a até então vantagem no campo de batalha se virava radicalmente contra o Terceiro Reich. Naquele dia, os bombardeios dos Aliados testaram o limite de sua capacidade e atacaram Monowitz. Para a sorte dos pilotos, a instalação da I.G. Farben era tão grande que era impossível não a atingir, mesmo com uma única tentativa. Os empregados alemães e os executivos da Farben, junto com os trabalhadores livres da Polônia e da Europa Ocidental, correram para os abrigos antibombas da fábrica. Trabalhadores escravizados e prisioneiros tiveram que se virar sozinhos.[1] Esse ataque matou quarenta dos 1.200 prisioneiros britânicos (a Farben havia conseguido a transferência de prisioneiros qualificados). As sirenes ainda tocaram mais duas vezes no mês seguinte e, em 13 de outubro, um novo bombardeio atingiu Monowitz. (A polêmica questão que fica é por que os Aliados não bombardearam os trilhos de trem que os nazistas usavam para transportar centenas de milhares de judeus para as câmaras de gás naquele período.)[2]

Capesius não estava presente durante os bombardeios de setembro, visto que havia tirado uma licença de quinze dias.[3] Ele quisera ir para casa visitar as três filhas e Fritzi, que ainda administrava a farmácia da família em Sighişoara. Qualquer viagem para casa, contudo, era extremamente arriscada, já que o Exército Vermelho tomara a Transilvânia e a Romênia havia trocado abruptamente de lado, deixando de apoiar os alemães e se unindo aos soviéticos para lutar contra o nazismo. Fritzi mandara uma carta ao marido informando-lhe que seu condomínio em Bucareste havia sido destruído em uma retaliação da Luftwaffe.[4]

Ele começou a viagem pelo norte, na esperança de encontrar um caminho seguro para casa. Ele foi em companhia de Lotte Lill, uma enfermeira que trabalhava em Auschwitz e que se casara com um amigo de Capesius que era alemão étnico e também oficial da ss.[5] Ao se aproximarem da fronteira da Romênia, Capesius relataria mais tarde: "Tudo parecia terrível, como o fim do mundo. A emoção que se destacava era o medo".[6] Muitos romenos haviam recebido os russos como seus libertadores. E a opinião pública rapidamente se voltara contra os alemães étnicos, como Capesius, que ainda lutavam pelo Terceiro Reich.

Depois de várias tentativas, Capesius e Lill desistiram de chegar a salvo até Sighişoara. Capesius então voltou a Auschwitz. De acordo com Roland Albert, Capesius teve que retornar para gerenciar a execução do *Sonderkommando* depois de um levante sem precedentes. "Como ele era o responsável pelo Zyklon B, teve que se apresentar", contou Albert.[7] Em suas anotações no pós-guerra, Capesius apenas escreveu: "Naquela mesma tarde, servi o meu bom Schnapps húngaro de abricó nos alojamentos" com "o dr. Fischer, Klein e Mengele". Ele também omitiu em seu relato que tivera que voltar para resolver um problema de ordem intensamente pessoal.

Havia boatos de que Capesius, de 37 anos, tinha um caso com Éva Citron-Bard, uma prisioneira judia de 26 anos que era farmacêutica na Transilvânia e que ele havia informalmente conhecido antes da guerra. Em sua chegada a Auschwitz, no verão de 1944, ela foi selecionada pelo dr. Klein e pelo dr. Mengele. Apenas cinco semanas depois, começou a trabalhar no dispensário da farmácia. Depois da guerra, Capesius escrevera a amigos sobre sua "assistente loura, Éva", dizendo que ela "era uma simpática criatura de cabelo louro com três centímetros de comprimento, que mais tarde cresceu até poder ser preso em um rabo de cavalo, algo normalmente proibido nos campos de concentração".[8] Hermann Langbein, um prisioneiro político austríaco que trabalhava como médico-chefe, soube dessa controversa aliança quando o boato chegou ao escritório do dr. Wirths.[9] Para a sorte de Capesius, a Gestapo do campo nunca abriu nenhum inquérito sobre o caso.

Ao voltar para Auschwitz, em 22 de setembro, Capesius ficou surpreso quando Éva lhe contou em segredo que, enquanto ele estava fora, alguém do comando da SS havia decidido que ela "sabia demais" e deveria ser exterminada.

"Graças a Deus, *Hauptsturmführer*, que você voltou! Agora sei que viverei", disse ela, animada.

Capesius primeiro suspeitou que seu desafeto, dr. Wirths, estivesse por trás daquela ordem. Mas logo descobriu que outros trabalhadores prisioneiros é que estavam com inveja do status de Éva.

"Eu então conversei com os médicos no alojamento a respeito de minha assistente", ele relatou.[10] "E expliquei todo o incidente."

Sua rara e incisiva intervenção em favor da prisioneira judia foi bem-sucedida.

"Nada aconteceu com a detenta Éva", disse ele a seus amigos mais tarde.

Em outubro, a Farben mandou para casa todas as mulheres e crianças alemãs de Monowitz. Os executivos da Farben achavam que não podiam mais garantir a segurança de civis, o que era um claro sinal da velocidade com que as coisas estavam se deteriorando nos campos de batalha. Além disso, a pressão sobre a Farben aumentava, e não apenas em lugares como Monowitz. O indispensável papel do conglomerado no esforço de guerra dos nazistas era agora o alvo e o foco dos Aliados. Apenas um mês antes da evacuação das mulheres e crianças alemãs de Monowitz, o presidente Franklin Roosevelt havia enviado uma carta aberta ao secretário de Estado, Cordell Hull, dizendo: "A história do uso da I.G. Farben pelos nazistas se assemelha a uma narrativa policial. A meta de vencer as tropas de Hitler deve ser seguida pela erradicação de tais armamentos da economia de guerra".[11] Os diretores da Farben temiam que a empresa fosse invadida assim que o conflito terminasse.

O gradativo aumento das evidências de que a guerra ia mal apressou tanto os executivos da Farben quanto os da SS no campo, já que isso significava que as janelas das oportunidades de rápido enriquecimento estavam se fechando.

Capesius aproveitou uma última oportunidade de aumentar ainda mais seus ganhos, usando como justificativa uma ordem dada por Wirths à época.

De acordo com Capesius, Wirths teria mandado que todos os prisioneiros--assistentes que trabalhavam no dispensário e estivessem cientes do genocídio fossem enviados à câmara de gás. Capesius alegou ter intercedido por seus prisioneiros-farmacêuticos, mantendo-os vivos ao colocá-los "trabalhando em todo tipo de projeto desnecessário". Tais projetos eram limitados, segundo ele, a "reinspecionar várias vezes" uma enchente de pertences pessoais empilhados no dispensário. Na verdade, Capesius tinha pouco interesse em salvar vidas: seu objetivo era ter quem o ajudasse a procurar por itens de valor.

Capesius embarcara assim em seu mais tenebroso saque de guerra, em busca de ouro dos dentes extraídos da boca dos mortos nas câmaras de gás. Todo o ouro dos dentes dos cadáveres, juntamente com o de moedas, relógios, cigarreiras e joias tiradas dos prisioneiros em sua chegada, era derretido em lingotes. Em média, os nazistas conseguiam entre trinta e 35 quilos de ouro por dia em Auschwitz.[12] Tais saques provaram-se uma grande fonte de lucro para a SS. Já em 1943, carregamentos de ouro da SS marcados com "Auschwitz" começaram a chegar no Reichsbank, o banco central dos nazistas, em Berlim. A maior parte era derretida em barras, cada uma marcada com a suástica e as palavras *Preußen Staatsmünze-Berlin* (Casa da Moeda Prússia em Berlim). Não se sabe exatamente quanto ouro foi garimpado nos cadáveres de Auschwitz, pois, apesar de o Exército americano ter coletado os registros que listavam as quantidades exatas de ouro que foram enviadas do campo para Berlim depois da guerra, as autoridades dos Estados Unidos entregaram os arquivos à Alemanha Ocidental, onde foram destruídos em uma "operação de rotina".[13] Não há registros de que existam cópias desses documentos.

Yakoov Gabai, um prisioneiro do *Sonderkommando*, relembrou o asqueroso projeto de extração de ouro de cadáveres: "Havia dois tchecos, os então chamados dentistas, e eles arrancavam o ouro da boca das vítimas. Eles de fato tinham estudado Odontologia (...) e havia uma grande caixa onde jogavam o ouro extraído. A caixa tinha um metro cúbico e a palavra *Alemanha* escrita nela. Eles jogavam os dentes com ouro ali".[14]

Os dentistas trabalhavam em um abrigo que servia como uma infernal estação intermediária para os corpos, entre as câmaras de gás e os crematórios.[15] Eles, porém, enfrentavam problemas para acompanhar o ritmo da avalanche de cadáveres resultante da operação contínua dos comboios da Hungria. À medida que os cadáveres se empilhavam, o comandante Höss se inquietava, porque esse descompasso no processo poderia levar o campo a deixar evidências terríveis do que acontecia em Auschwitz. Então, no outono de 1944, quando o Exército Vermelho marchava inexoravelmente para oeste, Höss decidiu acelerar o manuseio dos cadáveres. Uma nova leva de prisioneiros munidos de alicates foi encarregada de arrancar os dentes de ouro das pilhas de mortos o mais rápido possível.

E o acaso acabou levando o ouro dos dentes para o dispensário de Capesius. Em 1943, um dos oficiais da SS que havia recebido a incumbência de transportar uma mala com o ouro extraído dos dentes até Berlim desaparecera com a sinistra carga e fora preso em Düsseldorf. Depois desse roubo, tal responsabilidade passou para a jurisdição do chefe do corpo de dentistas de Auschwitz, dr. Willi Frank, e seu melhor dentista, tenente Willi Schatz.[16] Muito do ouro extraído dos dentes era atochado em grandes malas e enviado até Schatz por meio do campo de Birkenau. E, coincidência ou não, o escritório de Schatz ficava no mesmo lugar que o dispensário de Capesius. Foi assim que Capesius ordenou que seus prisioneiros-farmacêuticos garimpassem o conteúdo daquelas malas com milhares de dentes arrancados de cadáveres. Era uma coleção assustadora.

De acordo com Capesius, "as malas eram enviadas para nós ou para a unidade dentária do dr. Schatz, para que o ouro dos dentes fosse derretido e separado de suas coroas, de modo a ser posteriormente usado em novas próteses para os prisioneiros. Dado o nosso equipamento, no entanto, isso era impossível".[17]

Mesmo que tal equipamento estivesse disponível, Capesius não tinha intenção alguma de usar o ouro extraído para beneficiar prisioneiros. Ele até providenciara a transferência de um oficial da SS não graduado, Boleslaw Frymark, da unidade de "extração de dentes" para o dispensário.[18] Ele e seus colegas da SS foram então convencidos de que todos os demais prisioneiros estavam destinados a morrer nas câmaras de gás. A avareza consumia todos.

O farmacêutico Prokop posteriormente lembrou-se de ter visto entre cinquenta e cem dessas malas, todas "abarrotadas de dentes de ouro extraídos da boca das vítimas mortas e ainda com pedaços de carne presos a eles. O fedor era terrível".[19] Em outra sala do dispensário, ele chegou a tropeçar "em quarenta diferentes malas com milhares de dentes extraídos individualmente e até dentaduras completas". Assim como a coleção de troncos humanos com que já havia deparado, "esses dentes vieram de mandíbulas de prisioneiros exterminados, muitas vezes com pedaços de carne e osso colados a eles".[20]

O assistente de Capesius, Sikorski, relatou depois da guerra que "no andar térreo do prédio, onde ficava o dispensário, eram armazenadas as malas com os dentes (...). A primeira vez que ali chegaram, dr. Capesius as mostrou para mim (...). Contei quinze malas oriundas do crematório".[21]

De acordo com Sikorski, Capesius designara um detento polonês, Maciej Sulikowski, para supervisionar o grande número de prisioneiros que "derretiam o ouro (...). Era um segundo emprego para o chefe". Sikorski notou o resultado desse trabalho quando "alguns prisioneiros mostraram as barras de ouro de seiscentos ou setecentos gramas cada, feitas das coroas e dos dentes derretidos".[22]

Certo dia, Prokop estava com Capesius no sótão do dispensário. "Capesius foi até onde as malas ficavam. Elas estavam cheias de dentes com pedaços de mandíbulas, gengivas e ossos. Tudo estava em decomposição. Fedia barbaramente. Era uma visão tenebrosa."

Prokop sugeriu ao chefe que essa sinistra coleção fosse guardada no escritório dentário. Capesius o ignorou, se debruçou sobre as malas e "com suas próprias mãos começou a remexer a bagunça fétida. Ele pegou uma dentadura e tentou avaliar seu valor. Eu saí correndo".[23]

De vez em quando, quando Prokop conferia as malas guardadas cheias de dentes, percebia que "seu conteúdo diminuía a cada dia".

Os parceiros de Capesius nessa tétrica roubalheira de dentes de ouro eram seus amigos dentistas do campo, dr. Schatz e dr. Frank. Capesius enviou a parte dos furtos que lhe cabia para a irmã, em Viena, em dúzias de pequenos pacotes de ouro derretido.[24] As instruções eram claras: guarde tudo em um local seguro, porque o ouro pode ser a única moeda aceita durante o caos do fim da guerra.

## O FIM IMINENTE

EM NOVEMBRO DE 1944, Heinrich Himmler finalmente começou a assimilar que a guerra estava perdida. O chefe da SS mandou suspender as execuções em massa, e o dia 2 daquele mês foi o último em que o Zyklon B foi utilizado em Auschwitz. A partir do fim de novembro, 10 mil prisioneiros de Auschwitz e outros campos de extermínio na Polônia passaram a marchar para o Ocidente, fugindo do Exército russo, que avançava na direção dos campos de concentração da Alemanha. Milhares de prisioneiros já muito fracos e doentes morreram nessa marcha. Dos 4.500 judeus de Monowitz que marchavam em direção a Bergen-Belsen, a maioria foi morta por guardas após tentativas de fuga para uma floresta próxima, em meio ao caos que se sucedeu depois de um bombardeio dos Aliados.

Em Auschwitz, os nazistas aceleraram a destruição das evidências de extermínio em massa. Em 1º de dezembro, uma unidade de demolição composta de duzentos prisioneiros — metade deles mulheres — começou a derrubar o crematório. Os nazistas estavam em uma furiosa corrida para eliminar o máximo de provas do extermínio em massa que perpetraram, já que o dia em que teriam que abandonar o campo se aproximava rapidamente.

Em janeiro, eles perceberam que seria impossível evacuar todos os prisioneiros. Os números eram altos demais. Cerca de 600 mil judeus ainda estavam em campos de concentração e aproximadamente 250 mil eram trabalhadores escravizados de companhias como a Farben.[1]

Na segunda semana de janeiro, a Farben mandou para casa o restante de seus empregados alemães. No sábado, 13 de janeiro, 96 bombardeios atacaram Monowitz por quinze minutos ininterruptos — um lembrete de que as evacuações haviam começado na hora certa. Uma equipe muito reduzida recebeu ordens de supervisionar as últimas fases da destruição da documentação e da sabotagem da fábrica, de forma a entregá-la inutilizável para os russos.

Capesius e seus colegas organizavam febrilmente sua própria retirada, cada um com prioridades diferentes sobre o que era importante fazer antes de fugir. Mengele, por exemplo, foi ao alojamento dos médicos judeus e informou que tudo o que pudesse ser carregado deveria ser empacotado, incluindo sua mesa de mármore usada para dissecação. Ele então foi até o escritório de uma prisioneira-antropóloga, dra. Martina Puzyna, onde centenas de gêmeos haviam passado por avaliações antes de serem submetidos à tortura médica. "Ele foi até meu escritório sem dizer uma palavra, pegou todos os meus papéis, colocou-os em duas caixas e fez com que as levassem para fora, para um carro que estava à espera", contou Martina.[2] A maioria dos outros médicos da SS estava terminando a vigorosa destruição da documentação sobre seus experimentos.

Já Capesius lutava para conseguir levar consigo a maior quantidade de ouro possível. Seu assistente-chefe, Sikorski, pôde perceber isso no dispensário: "No andar térreo do prédio (...) havia malas recheadas de dentes". Durante esses derradeiros dias de caos, Capesius surpreendeu seu assistente: "Você é um prisioneiro, e eu, um oficial da SS. Daqui a dois meses pode ser o contrário".[3] Sikorski não respondeu e, quando verificou as malas novamente, elas ainda estavam lá, mas "não havia mais ouro nelas".[4]

Capesius instigou seus amigos, os Stoffel, a fugir para o oeste. Ele lhes contou que o Exército alemão estava em retirada na região. Em 15 de janeiro, no prenúncio de uma violenta tempestade de neve, os Stoffel então fugiram para Bad Tölz, na Bavária.[5] Capesius fugiu de Auschwitz três dias depois, em 18 de janeiro, viajando com quatro prisioneiras-assistentes, entre elas Éva Citron-Bard. Eles foram para Wodzisław Śląski, uma cidade medieval no sudeste da Polônia, na fronteira com a Tchecoslováquia. Lá, segundo ele, Éva e um par de outras prisioneiras ficaram em uma tecelagem onde poderiam continuar a trabalhar como prisioneiras.[6] Capesius foi designado para um novo posto em Mauthausen, um imenso campo de concentração a vinte quilômetros de Linz, na Áustria. Gerhard Gerber, farmacêutico-assistente da SS em Auschwitz, havia sido mandado para lá havia pouco mais de um mês. "Ele trabalhou na farmácia até o fim", Capesius relatou, "eu não fiz nada em Mauthausen."[7] Os registros não determinam ao certo quanto tempo ele ficou ali, mas é irrefutável que, no mais tardar em abril, ele foi para Berlim, onde se estabeleceu como adjunto na Estação Médica Central.[8]

Apesar dos últimos esforços nazistas para esconder o extermínio, a Solução Final em Auschwitz havia sido tão grandiosa que se provou impossível destruir todas as provas incriminadoras antes de fugir. O avanço do Exército Vermelho chegara ao auge em meados de janeiro. Os que ainda estavam no campo podiam ouvir a artilharia russa acabando com a enfraquecida frente alemã durante as 24 horas do dia. Os nazistas não tinham dúvidas de que os russos, que haviam perdido milhões de homens durante a guerra e cujos prisioneiros haviam sido tratados com a mesma falta de misericórdia que os judeus, estavam ali para se vingar. Isso gerou uma enorme apreensão entre o pessoal da SS que ainda estava por ali, o que os obrigou a escolher entre sua própria liberdade ou ficar e seguir as ordens de Himmler para destruir todas as evidências dos crimes. Em 19 de janeiro, o pessoal da SS reuniu um contingente de prisioneiros para passar a manhã empilhando todos os cadáveres que estavam jogados a esmo havia mais de uma semana. À tarde, os mesmos prisioneiros trouxeram dos armazéns do "Canadá" tudo que puderam carregar das centenas de malas que ainda não haviam sido inspecionadas. Naquela noite, a SS pôs fogo tanto nos cadáveres quanto nas malas.[9]

Quando o Exército Vermelho adentrou o perímetro do campo, em 27 de janeiro, eles se depararam com seiscentos corpos apodrecendo a céu aberto e quase 15 mil prisioneiros vivos. Eram os que estavam doentes demais para fazer a marcha para o oeste e, como as câmaras de gás tinham sido destruídas, não havia mais como matá-los. Até mesmo as endurecidas tropas do Exército Vermelho ficaram sem ação diante da visão de todos aqueles prisioneiros semimortos, quase zumbis de tão esqueléticos. Alguns dias após a libertação, centenas morreram de complicações decorrentes de doenças e desnutrição. Em Monowitz, quase metade dos oitocentos prisioneiros deixados para trás acabou morrendo em poucos dias.[10]

Nos armazéns do "Canadá", os russos encontraram uma das evidências mais nauseantes do que acontecera em Auschwitz: 837 mil vestidos, 370 mil ternos, 44 mil pares de sapatos e quase oito toneladas de cabelo humano.[11]

Quando as notícias de que os russos haviam tomado Monowitz chegaram à imensa sede da Farben, em Frankfurt, Fritz ter Meer, o ministro dos Armamentos do Reich e também diretor da Farben, ordenou a destruição de toda a papelada da empresa.[12] Mas, assim como em Auschwitz, havia simplesmente coisas demais para eliminar. Os funcionários, em pânico, atiraram das janelas de seus escritórios cem toneladas de documentos, que foram parar no pátio. Uma parte dos papéis foi queimada em grandes fogueiras, enquanto vários caminhões abarrotados de arquivos eram levados para os cofres da filial mais próxima do Reichsbank.[13]

Apesar do último esforço de destruição de rastros nazistas, os Aliados tomaram um armazém cheio de documentos na matriz da Farben. E esse não foi o único local onde a companhia deixou evidências para trás. Na fábrica de Ludwigshafen, um time anglo-americano de recuperação de documentos descobriu papéis de vital importância em uma floresta próxima. A falta de tempo também não permitiu que a Farben destruísse seu laboratório de química avançada em Oppau, então os Aliados o desmontaram e enviaram tudo para a Inglaterra, para ser remontado.[14]

Muitos soldados que encontraram os acervos ficaram desapontados por terem achado apenas documentos e não algum tesouro artístico europeu desaparecido — itens que os nazistas se especializaram em surrupiar. No entanto, enquanto a linha de frente estava procurando pinturas, esculturas e ouro, um time anglo-americano de promotores que vinha compilando os casos de crimes de guerra desde 1943 estava extasiado. Eles sabiam que qualquer prova em papel que tivesse sobrevivido à ordem de Himmler de "não deixar vestígios" seria fundamental para responsabilizá-los pelos crimes do Terceiro Reich — desde os guardas que empurravam os judeus para as câmaras de gás até a diretoria das empresas que assinaram contratos para o uso de mão de obra escrava.

Em abril, as tropas americanas haviam chegado a Nuremberg e o Exército Vermelho estava nos arredores de Berlim. Buchenwald foi libertada pelo Exército americano em 11 de abril, e as tropas inglesas entraram em Bergen-

-Belsen no dia 15. Dois dias mais tarde, Capesius fugiu do Exército Vermelho e seguiu para o norte de Berlim, para as cidades de Flensburg e Husum, na província alemã de Schleswig-Holstein.[15] Ele viajou com outros oficiais da ss do Escritório Médico Central, e esse contingente incluía Himmler. "No final, estive bem próximo dele", relataria Capesius anos depois.[16]

O Terceiro Exército, sob comando do general George Patton, chegou no campo de concentração de Flossenbürg em 23 de abril e, em menos de uma semana, libertou Dachau. No dia seguinte, Hitler cometeria suicídio em seu abrigo em Berlim.

## “Sob ordem de prisão”

Em 5 de maio, a 11ª Divisão Armada Americana libertou Mauthausen. Foi no mesmo dia em que as tropas inglesas capturaram Capesius, perto de Flensburg.[1] Dois dias mais tarde, a guerra terminava com a Alemanha incondicionalmente rendida.

Enquanto as tropas americanas e inglesas travavam os últimos meses de combate árduo, as unidades de suporte militar por trás das linhas de frente se preparavam para receber a multidão de mais de 5 milhões de prisioneiros alemães e mais de 10 milhões de refugiados. Eles estavam transformando centenas de alojamentos, escolas e até mesmo prisões e antigos campos de concentração em centros híbridos de detenção.[2]

Capesius foi transferido para o centro de detenção número 2375, um dos cinco que os britânicos haviam apressadamente preparado. O centro ficava próximo a Zedelgem, no oeste da Bélgica, e foi ali que Capesius soube, em 23 de maio, que o chefe da SS, Heinrich Himmler, havia tirado a própria vida após ser preso, mordendo uma cápsula de cianureto.

Os números assombrosamente altos de registros sobrecarregaram os Aliados, que logo ficaram para trás no cadastramento de prisioneiros e refugiados. O objetivo inicial era repatriar os refugiados, enviando-os para seu país de origem o mais rápido possível — o que era mais fácil na teoria do que na prática. Muitos não queriam voltar para a Europa Oriental, ocupada pelos soviéticos, e os sobreviventes dos campos de concentração frequentemente não tinham mais lugar algum que pudessem chamar de lar. Suas famílias estavam mortas, seus lares foram confiscados e suas comunidades obliteradas.

Outra prioridade era localizar, de alguma maneira, entre milhões de prisioneiros de guerra, os perpetradores do genocídio do Terceiro Reich. Separar os oficiais da SS dos soldados alemães comuns era o primeiro passo. Para isso, os Aliados então tiveram que fazer com que todos os prisioneiros se despissem até a cintura, para procurar a pequena tatuagem da SS que indicava seu tipo sanguíneo. Como acabou acontecendo com Capesius e com quase 1 milhão de outros da Waffen-SS, a tatuagem que havia sido símbolo da tropa de elite nazista agora tornara-se a marca de Caim. Todo prisioneiro de guerra com a tatuagem era colocado em uma área do campo com maior segurança e submetido a um interrogatório mais intenso. Devido ao constante fluxo, muitos dos que eram ali detidos acabaram passando a maior parte do ano sob custódia.[3]

Logo após sua prisão, Capesius preencheu um *Fragebogen* (questionário) de seis páginas, com 131 perguntas que os britânicos desenvolveram com a ajuda dos americanos. Todo alemão com mais de dezoito anos era obrigado a preencher um. Apesar da esperança de que isso ajudasse a distinguir os arquitetos da Solução Final do pessoal que apenas levava e trazia a papelada, também se esperava que muitos nazistas mentissem. Sendo assim, as respostas de cada formulário tinham que ser verificadas com base em arquivos nazistas, registros alemães de guerra, arquivos do Serviço Secreto Alemão e da polícia, certificados civis, publicações em geral e, vez ou outra, até informantes.[4] Como tudo era respondido em alemão, a agilidade dos americanos e britânicos em processar todos os dados dependia do número de Aliados fluentes no idioma que se dedicassem exclusivamente a essa tarefa. Sem nenhuma surpresa, logo havia uma grande quantidade de processos atrasados. Até o final de 1945, havia cerca de 17 milhões de *Fragebogens* preenchidos nas áreas ocupadas pelos britânicos e americanos. Quase 10 milhões deles eram de prisioneiros de guerra alemães, como Capesius, que ainda não haviam sequer passado pela revisão inicial.[5]

Fritzi Capesius nem sabia ao certo se o marido estava vivo até fins de 1945, quando recebeu um postal dele por meio da Cruz Vermelha. Ela ficou emocionada ao descobrir que ele estava a salvo, apesar de as suspeitas sobre os serviços que o marido prestara em Auschwitz a deixarem apreensiva, pois ela "escutara coisas terríveis a respeito disso".[6] Para Fritzi, em seus 38 anos, a prisão do marido não foi a pior notícia que ela recebia desde que a guerra terminara. Na Romênia, controlada pelos comunistas, ela não era mais a esposa de um bem-sucedido e socialmente benquisto comerciante. Em vez disso, o governo decidira desapropriar os bens de todos os simpatizantes do nazismo. Assim, a Apotheke zur Krone (Farmácia da Coroa), da família de Capesius, foi confiscada. Fritzi então deixou de ser proprietária e passou a ser apenas uma empregada. Ela e as três filhas foram forçadas a se mudar para um apartamento menor, e logo Fritzi estava passando camisas em uma cooperativa local para ganhar o suficiente para sustentar sua família.[7]

Ainda na prisão, em fevereiro de 1946, Capesius encontrou alguns alemães étnicos. Ele os descreveu como "saxões da Transilvânia, camponeses que haviam servido como guardas em Auschwitz e em Bergen-Belsen". Eles se perguntavam se alguém conhecia ou tinha visto o farmacêutico de Auschwitz.

"Quando esse grupo veio até mim", Capesius relataria posteriormente, "eles me contaram que o *Obersturmführer* dr. Fritz Klein estivera com eles em Bergen-Belsen. Eles haviam sido acusados juntos no julgamento relativo a esse campo de concentração."[8]

Em setembro do ano anterior, os britânicos haviam realizado o primeiro julgamento por crimes de guerra, acusando 45 homens e mulheres da SS e alguns *Kapos* que serviram a maior parte do tempo em Bergen-Belsen. Depois de um julgamento que durou três meses, 31 foram condenados. O amigo de Capesius, dr. Klein — cuja fama tornou-se abominável depois de uma foto do pós-guerra em que ele aparecia ao lado de uma montanha de cadáveres em Belsen ter sido apresentada como evidência —, foi enforcado no dia 13 de dezembro de 1945.

Dois meses após Klein e dez de seus colegas da SS terem sido executados, alguns poucos alemães étnicos transferidos para o Campo 2375 haviam perguntado por Capesius e o localizado. Eu, a autora, descobri a identidade de um deles, um homem de 28 anos, alemão étnico e oriundo da Romênia, chamado George Kraft, que havia entrado para a SS no mesmo mês que

Capesius, em 1943. Kraft servira como guarda em Buchenwald e Belsen, e provavelmente em Auschwitz, apesar de ele desmentir os testemunhos que mencionaram sua presença ali.[9]

Capesius logo descobriu por que Kraft e seus amigos estavam à sua procura.

"O dr. Klein tinha dado a eles uma missão: deveriam procurar pelo dr. Capesius, o farmacêutico de Auschwitz, seu compatriota de Miercurea Sibiului, onde quer que fosse", relatou na terceira pessoa. "Eles deveriam contar que Klein encarara a morte com tranquilidade e que estava contente porque, com sua intercessão em Auschwitz, conseguira isentar o dr. Capesius de culpa."

Além disso, Kraft informara a Capesius que Klein também queria que ele soubesse que sua amante, a prisioneira-farmacêutica romena Éva Citron-Bard, tinha sobrevivido à guerra. Klein a viu depois que ambos foram transferidos para Belsen e, quando ela contraiu tifo, ele se desviou de seu próprio caminho para conseguir comida e remédios para ela.

"Ele havia feito isso como um último gesto de bondade para com o dr. Capesius, porque sabia que Capesius certamente gostaria que fizesse isso."[10]

Pouco depois do encontro com os antigos guardas de Belsen, os britânicos transferiram Capesius para Neuengamme, no norte da Alemanha, um campo de concentração que eles mesmos haviam convertido em prisão. Em 17 de abril de 1946, os britânicos emitiram um decreto que definia que todos os alemães étnicos membros da Waffen-SS, como Capesius, eram soldados alemães comuns. Tal decreto significava que ser membro da Waffen-SS por si só não era mais motivo para maior investigação ou prisão por longos períodos. Cinco semanas depois, em 25 de maio de 1946, pouco mais de um ano após a captura de Capesius, os britânicos — que não sabiam quanto sangue ele tinha nas mãos — o soltaram.[11]

Após sua libertação, o aliviado Capesius se mudou para Stuttgart. A cidade ainda estava no início de sua recuperação depois de perder quase 70% de seus prédios nos bombardeios dos Aliados. Ali, ele alugou, em seu próprio nome, um pequeno apartamento na Bismarckstrasse, 48.[12]

Capesius cogitou voltar à Romênia para ficar perto da esposa e das filhas, mas mudou de ideia quando descobriu que uma Corte em Cluj-Napoca, a capital de sua Transilvânia, o julgara e condenara por seus crimes de guerra junto com outros 184 alemães étnicos que haviam se integrado aos nazistas.[13] Tal Corte o condenara à morte *in absentia* enquanto ele estava sob custódia dos britânicos.[14]

Capesius eventualmente soube, por meio de uma família com quem tinha amizade, como isso acontecera. Uma sobrevivente romena de Auschwitz, Marianne Willner, voltara para casa depois da guerra e conseguira um trabalho como técnica de radiologia no Centro Médico de Sighişoara, que havia sido usado pelos exércitos romeno e alemão durante a guerra. Na acelerada fuga dos soviéticos, muitos documentos nazistas haviam sido deixados intactos. "Certo dia", Willner contou, "encontrei em uma gaveta dois documentos interessantes: um livro da SS e um livreto do Exército romeno com uma foto e a assinatura de Victor Capesius. Olhei para a fotografia e disse ao meu marido: 'Este homem me selecionou em Auschwitz'."

Ela se lembrava em detalhes do "oficial de ombros largos e rosto de traços fortes que falava húngaro sem sotaque". Quando ela chegou a Auschwitz, em junho de 1944, dirigiu-se até um homem da SS que estava de pé na rampa de acesso da linha do trem. Ele foi "amistoso e charmoso. Era feliz, sorridente e agia de maneira jovial, parecia de natureza boa... Ele anunciou que quem estivesse cansado deveria ir para o outro lado, onde supostamente haveria um lugar para descanso. Soava como se tudo ali fosse confortável e bonito, como se fôssemos encontrar nossos parentes outra vez. Muitos amigos foram. Instintivamente, fui para o outro lado, apesar de querer estar com meus amigos. Quase cem mulheres saíram dali direto para a morte".

Mais tarde, uma estudante de Medicina que se tornara prisioneira em Auschwitz contou a Willner "que o oficial era da Transilvânia, por isso falava húngaro bem. Que ele era farmacêutico e se chamava Capesius e que ela o conhecia porque seu pai também era farmacêutico".[15]

Willner sabia que em sua pequena cidade natal romena "todos já comentavam que Capesius trabalhara em Auschwitz". Ela pensou que ele provavelmente estivesse morto. Mas, mesmo assim, achou melhor "entregar os documentos às autoridades competentes, que, neste caso, eram as autoridades de segurança do governo em Sighişoara".

Esses documentos foram o suficiente para dar início à investigação que levaria Capesius a julgamento e à condenação de morte *in absentia*. Fritzi ficou devastada. Ela não somente não acreditava que o marido pudesse ter cometido tais crimes, como sabia que isso poria fim a qualquer possibilidade de a família voltar para seu país natal. Além disso, os comunistas não permitiam que seus cidadãos migrassem para o Ocidente.[16]

Somado ao fato de ser um homem procurado em seu país, Capesius também ficara sabendo que o Exército Vermelho, que agora ocupava a Romênia, havia deportado alguns alemães étnicos de volta para a União Soviética, em meados de janeiro de 1946. Tal dia foi chamado de "Domingo Negro" pela família dele e por outros alemães étnicos. A esposa de Capesius não conseguia deixar de pensar em como tudo aquilo se assemelhava à maneira como os alemães haviam mandado os judeus se reunirem, alguns anos antes, para serem deportados para Auschwitz.[17]

Em Stuttgart, sozinho, Capesius tinha esperança de retomar o mais rápido possível alguma normalidade em sua vida. Isso, no entanto, não era tão fácil, pois, como ele sabia muito bem, seu histórico na SS tornava tudo mais complexo na Alemanha pós-guerra.[18] Capesius então percebeu que nada mudaria até que ele se submetesse aos procedimentos desnazificantes que os Aliados aplicavam de forma indiscriminada. Tratava-se de um programa para evitar que ex-integrantes e ex-oficiais do partido nazista pudessem recuperar com facilidade suas carreiras civis do período anterior à guerra.

Capesius sabia que, apenas alguns meses antes de os britânicos o soltarem, a Divisão Desnazificante do Governo Militar Aliado devolvera o controle para os alemães. A Lei da Libertação do Nacional-Socialismo e Militarismo, aprovada naquela primavera, criara uma imensa burocracia jurídica para lidar com os casos em atraso. Todos os alemães deveriam agora preencher uma *Meldebogen* (inscrição), isto é, um questionário de duas páginas bem menos detalhado que o *Fragebogen*. Foram criados mais de quinhentos novos tribunais, chamados de Spruchkammer, que empregaram mais de 22 mil alemães. Novas divisões do governo, denominadas Ministérios para a Liberação Política, foram instauradas em todos os estados da nação. Promotores públicos recém-nomeados ficaram encarregados de peneirar centenas de milhares de arquivos e determinar, caso a caso, sob qual das cinco categorias eles estariam classificados: "infratores graves", que poderiam ser condenados à morte; "infratores e especuladores", que eram sujeitos a dez anos de prisão; "infratores leves", que recebiam liberdade condicional com restrições de deslocamento; "partidários", que eram multados e tinham alguns direitos políticos reduzidos; ou "exonerados", que não recebiam nenhuma sanção, mas obtinham um Certificado de Desnazificação que permitia que voltassem para a Alemanha Ocidental sem impedimentos.

Era lamentável, contudo não havia como evitar que alguns dos alemães que conduziam esses novos tribunais tivessem feito parte do judiciário do Terceiro Reich. Restavam poucas opções aos Aliados, visto que, no início de 1946, quase 1 milhão de casos estavam em atraso. De forma a acelerar o gerenciamento desse engarrafamento colossal, alguns ex-nazistas ficaram responsáveis por julgar os pedidos de desnazificação de seus compatriotas.

Leis foram sancionadas durante aquele ano na tentativa de reduzir o número de casos pendentes. Primeiro, todos os nascidos depois de 1º de janeiro de 1919 — menores de 26 no término da guerra — foram automaticamente absolvidos. Os que tinham algum tipo de deficiência foram anistiados. Por último, foram liberados todos os que ganhavam menos de 3.600 Reichsmarks por ano durante a era nazista. Como Capesius não se encaixava em nenhuma dessas categorias, ele não teve outra opção senão começar o processo de desnazificação.

Em 4 de junho de 1946, apenas dez dias após os britânicos o liberarem, Capesius preencheu a *Meldebogen*. Era o primeiro passo para conseguir uma audiência. Ele mentiu sobre três partes críticas em seu resumo sobre o período de guerra. Capesius respondeu "não" quando foi perguntado se ele fizera parte da Waffen-ss ou se tinha participado de alguma organização nazista. Quanto ao tempo em que trabalhou em Auschwitz, ele alegou ter servido como "oficial militar" na principal sede médica de Berlim.[19] De acordo com um registro de 16 de agosto de 1943 no livro-caixa militar nazista, Capesius constava como "tropa reserva da equipe médica do Reich-ss e da polícia de Berlim-Lichtenberg, na guarnição de Zentralsanitätslager (Central Médica do Campo)". Apesar de não ser preciso apresentar documentação comprobatória das respostas do questionário, isso era o que ele pretendia usar se fosse interrogado a respeito de seu tempo de serviço na guerra.[20]

Não é surpresa que Capesius tenha mentido. Todos sabiam que os tribunais de desnazificação estavam sobrecarregados, o que significava, ele pensou, ser pouco provável que tivessem recursos para verificar e cruzar as informações de cada resposta. Ele também sabia que eventualmente teria que apresentar seu caso diante do tribunal. Para sua sorte, porém, enquanto esteve preso com os britânicos, Capesius obteve um bocado de informação útil com os advogados das prisões. Prisioneiros chegavam e partiam a todo momento, trazendo consigo as últimas notícias sobre as defesas que estavam sendo mais bem-sucedidas quanto à absolvição total pelos tribunais da desnazificação.

Munido desse conhecimento, Capesius entrou em contato com ex-colegas e lhes pediu que escrevessem cartas para que ele usasse em sua defesa. Essas cartas escritas para elogiar o caráter das pessoas foram uma estratégia tão difundida na Alemanha pós-guerra que uma nova palavra foi criada e dicionarizada para nomeá-las: *Persilschein*. Tal denominação faz referência à Persil, uma conhecida marca de sabão em pó alemã e sua tradução literal é "vale Persil", sendo empregada para indicar como essas cartas eram usadas para tentar limpar as ligações nazistas do passado de alguém. Para seus *Persilscheins*, Capesius escreveu a quem ele conhecia desde antes da guerra, como seu pastor romeno e seus superiores na Farben/Bayer.[21]

Ele também sabia que, no mercado negro de *Persilscheins*, os intermediários vendiam declarações juramentadas perfeitas, cujo preço era determinado de acordo com a gravidade das acusações. Havia até mesmo falsificações de certificados de desnazificação, para quem quisesse pular totalmente o *Spruchkammer* e estivesse disposto a correr o risco de ser pego. Capesius não queria comprar falsificações no mercado negro. Isso talvez fosse útil para um técnico de pouca instrução, para um soldado ou para alguém que quisesse voltar a assumir um cargo administrativo em alguma área rural da Alemanha. Ele, entretanto, era um profissional qualificado que desejava reativar seu negócio farmacêutico. Sempre esteve em seus planos usar o ouro roubado em Auschwitz para comprar uma farmácia. Isso nunca viria a acontecer, ele sabia, a não ser que conseguisse absolvição total. Caso contrário, nunca poderia deixar de se preocupar com a possibilidade de ser exposto a qualquer momento. Não era dessa maneira que ele gostaria de viver na Alemanha, especialmente porque seu objetivo final era retornar para a esposa e as três filhas.

No mês seguinte, em julho, Capesius visitou, pela primeira vez desde o fim da guerra, os Stoffel, seus amigos que viviam na cidade bávara de Bad Tölz.[22]

Reclamou com amargura das restrições impostas a ele devido aos serviços que prestara à Waffen-SS, alegando que o *Spruchkammer* era desnecessário e um desperdício de tempo. Capesius também comentou com os Stoffel que ele acreditava que o processo de desnazificação demoraria muito, tanto que até se inscrevera na Universidade Técnica de Stuttgart para estudar engenharia elétrica.[23]

Mas suas queixas sobre a desnazificação inesperadamente deixaram de ser o foco principal naquele verão. Em uma viagem a Munique, em 21 de agosto, um sobrevivente judeu polonês, Leon Czekalski, reconheceu Capesius na estação de trem Hauptbahnhof.[24] Czekalski fora prisioneiro político desde o início de Auschwitz. Com o número 2955 como identificação, ele chegou em agosto de 1940 e trabalhou a maior parte do tempo como barbeiro. Em decorrência de ter permanecido tantos anos no campo, ele foi capaz de identificar muitos dos oficiais da SS, mesmo sem saber especificamente quais crimes haviam sido perpetrados por eles. Quando Czekalski avistou Capesius, atravessou correndo a estrada para chegar mais perto e ter certeza de que não estava enganado. Ao constatar que estava certo, imediatamente avisou a polícia militar norte-americana (todo o sudeste da Alemanha era área de ocupação dos Estados Unidos).[25] Os policiais detiveram Capesius naquele mesmo dia e reportaram o fato ao escritório do Serviço Secreto Americano, CIC (*Counter Intelligence Corps* — Corpo de contrainteligência), em Munique.[26] Apesar de os britânicos terem determinado em seu setor na Alemanha que ser ex-membro da Waffen-SS não era mais um crime por si só, os americanos não tinham adotado a mesma política benevolente.

Capesius foi mandado para Dachau no dia seguinte. O Exército americano transformara o antigo campo de concentração nazista nos arredores de Munique em prisão improvisada para nazistas e em reassentamento de refugiados. O lugar foi rebatizado como Centro de Internação Civil de Dachau. Ali Capesius foi fichado e teve suas impressões digitais coletadas. Dois agentes do CIC, Willard Zierold e Erich Zieger, que já haviam feito uma pré-entrevista com Czekalski, acharam-no digno de credibilidade e agora aguardavam para interrogá-lo.

O mais importante é que eles haviam conseguido uma cópia do questionário que Capesius preenchera dois meses antes, ao dar início ao seu processo de desnazificação. Czekalski identificara Capesius pelo seu posto na Waffen-SS — *Sturmbannführer* (major) —, bem como por seu cargo de farmacêutico-chefe no campo. Os agentes do CIC notaram de imediato que ele omitira qualquer referência à Waffen-SS ou a Auschwitz em seu questionário de junho.

Eles então mandaram Capesius tirar a camisa. Isso revelou sua tatuagem de tipo sanguíneo — uma exigência da SS —, o que foi citado em seu relatório de prisão, publicado em primeira mão neste livro. Essa era a prova cabal que faltava para confirmar a acusação de Czekalski de que aquele homem detido fora membro da SS.[27] Ao prender Capesius formalmente, os agentes deram como justificativa: "Falsificação do *Fragebogen*".

Ao final de várias horas de interrogatório, Capesius finalmente admitiu suas mentiras. Insistindo que ele fizesse sua confissão também por escrito, os agentes datilografaram um documento de uma página que o próprio farmacêutico ditou em alemão. Nessa declaração, também tornada pública aqui pela primeira vez, Capesius fez um resumo bem esquemático, mas verdadeiro, de suas atividades durante a guerra. Ele confessou: "Em 1º de agosto de 1943, fui mandado para o hospital central da Waffen-SS, em Berlim... Fui promovido a *Hauptsturmführer* (capitão) pela Waffen-SS. Em novembro de 1943, trabalhei no Hospital de Campo de Dachau por três semanas e depois fui enviado de volta a Berlim. Em fevereiro de 1944, fui nomeado chefe da farmácia do campo de concentração de Auschwitz. Desempenhei essa função até 20 de janeiro de 1945. Em novembro de 1944, fui promovido pela Waffen-SS a *Sturmbannführer* (major)".

O fato de Capesius ter sido promovido a *Sturmbannführer* era uma informação decisiva. Era o cargo mínimo para que alguém recebesse ordem de prisão pelos americanos e britânicos.

Mesmo assim, Capesius tentou minimizar o papel que desempenhou no Exército nazista: "Saliento que nunca fui membro das lideranças das unidades de morte da SS".

Depois de resumir como ficara sob custódia dos britânicos em maio do ano anterior, ele acabou confessando sua culpa sob insistência dos interrogadores:

"Confesso que ao preencher o *Fragebogen* omiti minha filiação à Waffen-SS e minha patente."[28]

Ter sido pego em uma mentira tão grosseira sobre os serviços que prestara durante a guerra, além de preocupante, era uma humilhação. O que os americanos fariam dali em diante com aquela informação incriminadora era impossível saber.

## "Que crimes cometi?"

Apesar de ficar deprimido por estar sob custódia norte-americana depois de passar mais de um ano com os britânicos, Capesius, na época, estava bem consciente de que, ainda assim, seu destino era bem melhor do que o de outros membros da elite do Terceiro Reich, como era o caso de muitos de seus antigos superiores e colegas. O dr. Eduard Wirths, quem primeiro deu boas-vindas a Capesius quando o farmacêutico chegou ao campo, havia se enforcado enquanto estava sob custódia inglesa (antes de morrer, Wirths escrevera à esposa: "Que crimes cometi? Eu realmente não sei!").[1] Enno Lolling, chefe dos Serviços Médicos e de Higiene do Campo, e também quem enviara Capesius a Auschwitz, dera um tiro em si mesmo quando descobriu que seria preso. O comandante Rudolf Höss havia sido capturado pelos britânicos no ano anterior e, antes de ser enforcado, deu um testemunho horripilante diante do Tribunal Internacional Militar para Crimes de Guerra sobre as atrocidades cometidas no campo. Os britânicos também enforcaram Josef Kramer, o responsável pelo principal centro de extermínio de Auschwitz. Ernst Kaltenbrunner, chefe do Escritório Central de Segurança do Reich, e Hans Frank, governador-geral da região da Polônia onde ficava o campo de concentração, tinham seu enforcamento marcado para o mês de outubro.

Já os médicos com quem Capesius servira tiveram destinos variados. Josef Mengele e Wilhelm König eram fugitivos. Além de Fritz Klein, que fora enforcado, o dr. Helmuth Vetter, que supervisionava os testes de drogas da Farben/Bayer em prisioneiros, também havia sido executado. O dr. Werner Rohde, que realizara o experimento do Evipan com a ajuda de Capesius, estava com a execução marcada para o mês seguinte. Carl Clauberg, que após algumas experiências se gabara para Capesius de que seu "método de esterilização era perfeito", aguardava julgamento em uma prisão soviética.[2] Hans Münch estava em uma prisão polonesa, também aguardando ser julgado. O dentista Willi Frank e o sargento da SS Josef Klehr estavam em uma prisão americana esperando a decisão final sobre se existiam ou não provas suficientes para incriminá-los. Irma Grese, a oficial da guarda da SS que Capesius comentara que "podia ter sido uma vaca perversa", havia sido enforcada pelos britânicos.

Porém nem todas as notícias sobre os colegas de Capesius eram ruins. O dentista Willi Schatz, seu bom amigo, fora solto pelos britânicos havia nove meses e abrira um consultório dentário em Hanover. Otmar Freiherr von Verschuer, o professor alemão que administrava o Instituto Kaiser Wilheim de Antropologia, Ensino sobre Hereditariedade Humana e Genética, em Berlim, e também quem recebera muitos dos espécimes humanos de Auschwitz, foi multado em seiscentos Reichsmarks (240 dólares) e logo retornou para sua proeminente carreira como decano da Escola de Medicina de Münster e membro da diretoria da Sociedade Alemã de Antropologia. O amigo de Capesius em Auschwitz, Roland Albert, havia falsificado documentos de baixa militar e subornado um advogado austríaco muito bem relacionado para garantir que o registro de seus serviços para a SS "desaparecesse".[3] Ele se esgueirou com a família para a pitoresca cidade de Kufstein, no Tirol, onde tornou-se tutor particular de estudos religiosos.

Capesius, é claro, não estava ciente de que, por trás dos panos, os vitoriosos estavam mergulhados em um caloroso debate sobre a severidade das punições dos julgamentos de crimes de guerra de amplo espectro. As intenções sinceras dos promotores e investigadores envolvidos na determinação das sentenças haviam encontrado obstáculos de diretrizes políticas e de logística. No começo, Stálin não queria que houvesse julgamentos, de modo que, em vez disso, mandou fuzilar 50 mil nazistas da elite do Terceiro Reich como medida simbólica de justiça. Os norte-americanos e os britânicos eram irredutíveis quanto à concepção de que as execuções deveriam ser decorrentes do resultado de julgamentos, para que os acusados tivessem a oportunidade de se defender.

A opinião dos britânicos e americanos prevaleceu, e uma série de julgamentos — os principais ocorridos em Nuremberg, ao sul da Alemanha — começou em 1946. Entretanto, mesmo depois da decisão de reter os acusados, houve uma violenta discussão sobre quem deveria ser condenado. A cúpula da SS e os líderes militares eram indiscutivelmente réus, porém não havia comum acordo em relação à classificação dos homens de negócios alemães como criminalmente responsáveis. O consenso veio apenas no principal caso de Nuremberg, que incluiu Hjalmar Schacht, o mago civil das finanças do Terceiro Reich.

Complicando ainda mais o debate sobre quem deveria ser condenado por crimes de guerra, os americanos e os britânicos logo se viram envolvidos na Guerra Fria. A União Soviética colocara grande parte da Europa e da Alemanha Oriental atrás da Cortina de Ferro, e havia quem achasse que uma Alemanha Ocidental forte e rapidamente revitalizada pudesse perigosamente testar o poder de Stálin. Na Inglaterra e nos Estados Unidos, aqueles que eram contrários a extensos julgamentos de crimes de guerra argumentavam que seria impossível prender todos os proeminentes homens de negócios e líderes políticos alemães sem acabar com a possibilidade de o país se reconstruir e se tornar um baluarte contra a ofensiva soviética e a expansão do comunismo. Apesar de desagradável, havia sem dúvida um sentimento de que muitos daqueles homens de negócios e juízes — e até mesmo alguns burocratas do governo que haviam prosperado sob o Terceiro Reich — deveriam eventualmente retomar seus lugares em uma Alemanha reconstituída de acordo com os ideais republicanos. Havia ainda um ressentimento crescente entre os alemães comuns — e também entre alguns simpatizantes americanos e britânicos — de que a desnazificação havia ido longe demais, tornando-se uma forma coletiva de punição.

O Serviço Secreto Aliado não estava preocupado em levar os nazistas a julgamento por seus crimes, pois era mais interessante para eles verificar quais dos acusados estariam dispostos a lutar contra a nova ameaça vermelha. A Operação Clipe de Papel, por exemplo, foi um programa americano que recrutou e acobertou setecentos engenheiros e cientistas espaciais nazistas no pós-guerra. Os Estados Unidos e o Serviço Secreto britânico estavam em uma corrida contra os soviéticos, que tinham um programa semelhante (Operação

Osavakim), que recrutava nazistas especialistas em guerra química, balística, medicina, criptografia e ciências em geral.[4] Alguns eram encaminhados aos Estados Unidos ou à Inglaterra para serem interrogados. Uns poucos, como os inventores do foguete V-2, Werner von Braun e o dr. Hermann Becker-Freyseng, que posteriormente seriam condenados por crimes de guerra, foram trabalhar para a Nasa. Outros arrumaram trabalhos de fachada em Washington e em Londres. E havia ainda os que foram libertados e enviados, por meio de rotas de fuga (*ratlines*), para a América do Sul e para o Oriente Médio.[5]

Capesius, porém, não era considerado tão importante assim. Nenhum Serviço Secreto tinha seu nome na lista de pessoas com informações relevantes que poderiam ter alguma utilidade na Guerra Fria. O farmacêutico de Auschwitz teria que se virar sozinho. Não havia nenhum passe de liberdade da prisão emitido em seu nome pelo Serviço Secreto Aliado.

Em Dachau, Capesius estava menos interessado nas implicações mundiais das notícias políticas da época do que naquilo que pudesse pesar no seu próprio destino. Mais tarde, ele contou aos amigos Stoffel que os americanos haviam "colado sua foto em toda a parte, com os seguintes dizeres: Quem conhece o farmacêutico da ss de Auschwitz, dr. Victor Capesius, nascido na Romênia, e pode testemunhar sobre ele?".[6] Capesius não sabia, mas, como a autora acabou descobrindo em antigos documentos secretos do Exército dos Estados Unidos, ele havia sido investigado pelos norte-americanos por estar em sua "Lista Central de Suspeitos de Crimes de Guerra", de modo que seu caso ainda estava em aberto.[7]

Em setembro, o CIC distribuiu uma "planilha" solicitando informações adicionais sobre Capesius.[8] Nesse meio-tempo, a sede do Terceiro Exército o transferiu para Flak-Kaserne Ludwigsburgo, um antigo alojamento militar alemão que ficava a 260 quilômetros de Dachau e que os Estados Unidos haviam rebatizado de Anexo de Internação Civil nº 74. O alojamento ficava próximo a Stuttgart, onde Capesius alugara um apartamento algum tempo antes. Também era sob a jurisdição dali que ele teria que se defender em sua desnazificação diante do tribunal alemão. Por razões que não estão claras nos arquivos públicos do Exército norte-americano, Capesius foi mandado de volta a Dachau apenas um mês mais tarde, em 14 de outubro. Apesar de estar sob custódia americana desde agosto, quando ficou detido em Munique, sua volta para Dachau foi classificada como uma nova "ordem de prisão".[9] Em decorrência disso, em 17 de outubro, ele teve que preencher outro formulário de seis páginas com 131 perguntas, o *Fragebogen*. Esta revelação está sendo feita em primeira mão neste livro.

Em suas respostas manuscritas, Capesius novamente admitiu ter mentido sobre os serviços que prestara para a Waffen-ss e sobre sua patente, confirmando ter sido major da ss e farmacêutico-chefe em Auschwitz.[10] Como se tivesse feito algum voto de lealdade ou jurado fidelidade à alguma organização, ele admitiu: "Sim. Fui um Waffen-ss". Em uma sessão intitulada "Bens e renda", ele alegou que os 9 mil Reichsmarks que ganhara no campo de extermínio eram mais do que seu salário na Farben/Bayer no período anterior à guerra.

Quando assinou e datou a última página do questionário, acrescentou uma anotação próxima à sua assinatura: "Os detalhes registrados acima foram escritos conforme lembrados e sem nenhuma documentação escrita (...). Apesar dessa limitação, foram fornecidos da melhor forma que pude conscientemente me lembrar".[11]

Suas respostas lhe foram úteis. Em 8 de novembro, o primeiro-tenente Erich Mahlgut, do quartel-general da 5ª Divisão da Infantaria, responsável pela administração de Dachau, enviou um resumo e uma recomendação de duas páginas ao assistente-chefe do quartel-general das Forças dos Estados Unidos na Europa. Sob o título "Descobertas", Mahlgut apresentou uma importante conclusão: "O prisioneiro não é considerado uma ameaça à segurança".[12] Capesius posteriormente comentou com os Stoffel que, apesar de os americanos se esforçarem para abrir um caso contra ele, não conseguiram porque "não havia nenhum testemunho incriminador".[13]

O Exército transferiu Capesius de volta para o campo de Ludwigsburgo na época do Natal de 1946. Ali ele foi autorizado a dar início oficialmente à sua desnazificação, ainda sob custódia. Ele já havia começado a juntar cartas de referência, as *Persilschein*.

Na noite de Natal de 1946, Capesius preencheu uma segunda Meldebogen, de duas páginas (revelada aqui também em primeira mão). Dessa vez, a inscrição não foi enviada para seus captores americanos, mas direto ao tribunal alemão. O intuito era substituir a de junho, em que ele omitira seu papel na SS. No novo formulário, no entanto, ele ainda alterou uma parte importante do que confessara havia apenas alguns meses para os agentes do Serviço Secreto norte-americano. Embora agora tivesse mencionado as atividades que desempenhara na Waffen-SS e sua patente, ele relatou que seu papel no período de guerra fora somente como farmacêutico, omitindo qualquer menção a "Auschwitz".[14]

Três dias depois, Capesius completou um detalhado *Fragebogen*, seu quarto questionário naquele curto período, que também enviou diretamente aos alemães. Ele novamente mencionou seu serviço na Waffen-SS e sua patente. Contudo, quando chegou na pergunta 29, Capesius mais uma vez mudou a resposta verdadeira, que revelara recentemente aos americanos. Em outubro, ele escreveu que fora "farmacêutico-chefe, Auschwitz, sob comando do dr. Wirths" no ano de 1944. Nesse novo formulário, mudou a resposta para "farmacêutico, Estação Central, Berlim, sob comando do *Sturmbannführer* Wehle".[15]

Era uma aposta arriscada. Por um lado, Capesius sabia que a simples palavra *Auschwitz* dispararia um alerta em qualquer tribunal de desnazificação. O fato de ele ter trabalhado lá, especialmente como oficial graduado da SS, poderia por si só arruinar qualquer chance de voltar a ter uma vida civil sem restrições. Por outro lado, ele sabia que havia prisioneiros de guerra demais para que as autoridades norte-americanas, que administravam o campo de detenção, conseguissem ler todos os formulários dos prisioneiros. Eles faziam uma verificação por amostragem, e Capesius sabia disso. Se lessem seu novo questionário e o comparassem com o entregue ao CIC em outubro, ele seria outra vez condenado por "falsificação do *Fragebogen*". E, uma segunda condenação, principalmente uma feita de forma descarada, sob o nariz de seus captores, sem dúvida o manteria cativo por mais tempo. Capesius, entretanto, obviamente concluiu que seria mais arriscado mencionar *Auschwitz* diante do Tribunal Alemão de Desnazificação.

Em 3 de janeiro de 1947, Capesius enviou uma carta manuscrita de quatro páginas ao promotor público de Ludwigsburgo. Aquela carta, assim como foi revelado aqui, apresentou sua defesa, baseada no argumento de que as leis de desnazificação não se aplicavam a ele. Capesius disse ter sido obrigado a se tornar "membro estrangeiro da Waffen-SS", enfatizando que seu treinamento era médico e não militar. Ele alegou que, como era romeno, de acordo com as leis de raça do nazismo, era impossível que fosse membro integral da SS. Capesius chamou a atenção para o fato de não ter matrícula na SS e de nunca ter se filiado ao Partido Nazista, destacando também que escolhera ser farmacêutico para "ajudar as pessoas que sofrem, não para desobedecer ao Juramento de Hipócrates". Ele também salientou seu papel como diretor de um grupo da Igreja luterana em Bucareste e que, quando a SS quis que ele deixasse a Igreja, ele se recusara. Capesius também buscou angariar simpatia ao declarar ter "perdido tudo" para os comunistas na Romênia e que toda a sua família — pais, esposa e filhas — estava vivendo em "estado de emergência" no país.

"Eu tenho azar de ser um prisioneiro de guerra", ele concluiu, afirmando que os americanos o mantinham sob custódia devido à tecnicalidade de sua função na Waffen-SS, uma categorização que os britânicos já tinha deixado de considerar havia muito tempo. Ele, é claro, não mencionou que os Estados Unidos ainda o mantinham preso porque um sobrevivente de Auschwitz o havia identificado e que, depois de sua prisão, foi descoberto que ele mentira em seus questionários anteriores, negando ter servido em um campo de extermínio.[16]

Com a carta, Capesius também enviou algumas *Persilscheins* atestando seu bom caráter e sua natureza honesta. Ele tinha direito de anexar mais documentos até que uma data para sua audiência fosse definida.[17] Para se vangloriar de que era antes de tudo um bom romeno, uma das *Persilscheins* de Capesius era justamente de Karl Heinz Schuleri, seu amigo de infância que era pastor e servira no Exército romeno com ele. O reverendo Schuleri disse que Capesius "não abandonara a Igreja ao se juntar à Waffen-SS" e que o farmacêutico "mantivera contato frequente" com ele, demonstrando ter, durante a guerra, uma "visão de mundo cristã". Dois ex-colegas da Farben/Bayer atestaram estar "completamente satisfeitos" com o trabalho de Capesius e salientaram que "cada tarefa para a qual ele era nomeado era executada com grande sucesso, alcançado graças a seu trabalho árduo".[18]

Inacreditavelmente ele preencheu de novo outro longo questionário, seu segundo *Fragebogen* em menos de uma semana, e o enviou com suas três cartas anexas no dia 3 de janeiro. Nesse formulário, ele forneceu as mesmas respostas dadas no anterior. Capesius não sabia ao certo o que deveria enviar junto com a carta e as três declarações. Então, não querendo correr riscos de atrasar sua audiência de desnazificação, ele outra vez arriscou enviar do campo de detenção um questionário que não apenas omitia seu tempo de trabalho em Auschwitz, como também mentia ao atribuir a ele uma função bem mais inócua no quartel-general médico em Berlim.

Capesius estava satisfeito em saber que seu processo de desnazificação finalmente começava a andar. Em 12 de fevereiro de 1947, um arquivo de audiência foi aberto para ele no Ministério da Liberação Política em Württemberg-Baden. O promotor de Ludwigsburgo compartilhou com o Exército americano um resumo de oito páginas sobre o caso aberto contra Capesius, basicamente reiterando as condenações relacionadas a seu serviço na Waffen-ss e à sua patente. Nada foi mencionado sobre Auschwitz.

Em 2 de maio, um promotor público surpreendeu Capesius ao indiciá-lo formalmente na categoria de "infratores graves", o que significava a possibilidade até de pena de morte. Apesar de a acusação ter pego Capesius de surpresa, quando ele leu o sumário ficou aliviado ao descobrir que sua classificação como "infrator grave" baseava-se em sua filiação à ss e em seu posto.[19] A acusação argumentava que "pode-se supor que suas atividades se encaixam em pelo menos uma das cinco categorias [de acusações mais sérias], mas nada foi provado".[20]

Capesius imediatamente soube do que precisava. E ele já tinha insinuado o ponto principal em sua carta à promotoria, remetida havia quatro meses.

Em 12 de maio, apenas dez dias depois de seu indiciamento, ele enviou uma carta datilografada de quatro páginas com sua defesa absolutamente articulada. Era uma versão mais robusta e detalhada da carta anterior. E revelava o quanto ele aprendera sobre leis durante seus quase dois anos de detenção com os americanos e britânicos. Por vezes, Capesius soou mais como um advogado do que como um farmacêutico, ao citar coisas como: "O artigo 39, parágrafo 3 da Lei de Desnazificação era exculpatório", visto que "isentava qualquer um que tivesse sido obrigado a prestar serviços médicos".

Capesius focou nos parágrafos da lei que definiam criminosos de guerra e alegou que ela simplesmente não se aplicava a ele, já que era um alemão étnico da Romênia. Capesius enfatizou que não havia se voluntariado, mas, sim, sido obrigado a se alistar na Waffen-ss. Pela primeira vez, sustentou o inacreditável argumento de que, devido às muitas restrições de comunicação existentes na Romênia, ele desconhecia a natureza criminosa da SS na época em que se filiou. Ainda acrescentou — sem nenhuma prova — que era "racialmente desqualificado" para servir na SS-*Totenkopfverbände*, a elite assassina da SS, responsável pela administração dos campos de extermínio.[21]

Além disso, ainda argumentou que sua promoção, em novembro de 1944, à patente de *Sturmbannführer* não foi decorrente de seu "zelo no serviço", e sim uma promoção automática que os nazistas teriam dado a todos os alemães étnicos da Romênia filiados à SS, como forma de compensação pela perda de suas propriedades e recursos financeiros quando o país se virara contra o Terceiro Reich naquele mesmo ano. Aquela promoção foi, segundo ele, uma "pílula tranquilizante" por ter perdido a família para o território atrás das linhas comunistas.

Os americanos o haviam investigado em Dachau, Capesius disse, e ele tinha sido "inocentado" de qualquer crime.

Capesius se desviou de seu caminho para fazer com que a Corte ficasse sabendo que ele fora criado em um ambiente multicultural e que, devido a isso, simpatizava com pessoas de todas as nacionalidades e compreendia diversas maneiras de pensar. Em um desajeitado esforço de exemplificar o que queria provar, contou que estudara com judeus e que também trabalhara para eles. Ao descrever sua passagem pela Universidade de Viena, exibiu a avaliação positiva que recebera de seu primeiro professor, dr. Richard Wasitzky. "Dr. Wasitzky era professor nos Estados Unidos desde 1938. Naquela época, ele acabou deixando Viena porque sua esposa poderia ser prejudicada pela Lei de Nuremberg." Capesius também alegou que "a natureza apolítica de seu trabalho" na Farben poderia ser confirmada pelo dr. Alexandro Bardeanu (anteriormente Rotbart) e Moritz Scheerer, ambos levados a deixar a firma [em 1939] por causa da mesma lei".[22] Capesius naturalmente não mencionou que não fazia ideia de onde estariam Scheerer e Bardeanu àquela altura. Como eram judeus romenos, era provável que tivessem feito parte da deportação em massa para Auschwitz, em 1944.

Ainda valorizando seu bom caráter, Capesius contou que não apenas havia sido criado na Igreja luterana, como também perseverara na fé durante toda a guerra. Embora não frequentasse os cultos semanais, afirmou que ainda era membro da congregação. Ele também informou que suas três filhas haviam sido batizadas.

Apesar de todos os detalhes, ainda faltava esclarecer o que ele fazia para a SS. Estava claro que Capesius era farmacêutico, mas ele evitava dizer onde. Sua estratégia era não mencionar Auschwitz, a não ser que fosse confrontado com essa informação.[23]

Capesius novamente submeteu mais *Persilscheins*. Dessa vez, havia uma carta do dr. H. Koch atestando seu bom caráter e o descrevendo como afável com alguns colegas judeus na Farben.[24]

Dez dias depois de submeter sua detalhada defesa, ele compareceu diante de um tribunal composto por cinco juízes alemães. Capesius se apresentou sem advogado. E se ateve à sua história. Surpreendentemente ninguém perguntou o que ele fazia em 1944, o que permitiu que ele dissesse que havia sido nomeado para a "Divisão Médica Central".[25]

Naquela mesma tarde, os juízes deram seu veredito: inocente. Capesius estava eufórico por terem aceitado completamente seus argumentos.[26] Eles concluíram que o farmacêutico era um bom luterano que havia sido forçado pela lei a se filiar à SS, onde prestou apenas serviços médicos. Aquela decisão, pensou Capesius, significava que logo ele seria solto e receberia o certificado de desnazificação, com o qual finalmente poderia recomeçar a vida. Passaram-se cinco semanas até que, em 30 de junho, o capitão John Austin encaminhou o processo da decisão do Tribunal Alemão para o Exército americano.[27]

Em 2 de agosto de 1947, quando foi solto do campo de detenção de Ludwigsburgo, Capesius pensou que o capítulo final de sua odisseia de dois anos com os Aliados tivesse terminado.[28] Quanto a isso ele estava certo, pois não teria mais que se preocupar com americanos e britânicos. Mas, naquele mesmo dia, Capesius foi atingido por uma decisão do Ministério da Liberação Política — um departamento alemão de âmbito quase jurídico, criado pelos Aliados para supervisionar e rever os casos de desnazificação. Esse Ministério tinha a autoridade de uma Corte de Apelação, isto é, podia reverter as decisões do Tribunal.[29] E foi exatamente isso o que foi feito quanto à absolvição de Capesius. A alegação era sua não elegibilidade à isenção por "serviços médicos prestados sob situações coercitivas". Essa defesa se aplicava, segundo a Corte de Apelação, "apenas aos casos em que o médico, sem ser membro de nenhuma organização criminosa, era ordenado e forçado a fazer exames médicos". O Ministério da Liberação Política não acreditava que Capesius tivesse sido forçado a entrar na Waffen-ss com algum propósito médico, mas sim para cumprir serviço militar.

O caso foi enviado para audiência diante de um novo tribunal, e o Ministério tinha como exigência "provas de sua orientação política. Na falta delas, e em virtude de sua promoção a *Sturmbannführer*, suspeita-se que ele atenda aos requisitos de 'infrator grave'".[30]

Apesar de ser um homem livre, tudo isso era uma reviravolta de enfurecer. Ele esteve muito perto de se livrar de toda a questão sobre seu serviço em tempos de guerra, mas agora teria mais uma rodada a enfrentar.

# Ninguém sabia de nada

Embora as demandas dos Aliados e do processo de desnazificação consumissem muito do tempo de Capesius, apenas três dias depois de ser solto, ele se deparou com um duro lembrete de que seus problemas legais eram leves em comparação com os dos executivos mais graduados de seu empregador anterior à guerra, a I.G. Farben. Ele havia sido solto a tempo de assistir aos seis maiores julgamentos por crimes de guerra de Nuremberg, que haviam começado naquele mês.[1]

O que fazer em relação à Farben tinha sido o elefante na sala em muitos dos debates internos entre os Estados Unidos, a Inglaterra e a Rússia. Tratava-se da quarta maior empresa do mundo, que, quase com exclusividade total, havia suprido e lucrado como pôde com o esforço de guerra nazista. Os numerosos advogados de defesa da Farben alegavam que a companhia simplesmente era o baluarte dos cientistas e inventores mais importantes da época, de modo que era um absurdo tentar culpá-la por crimes nazistas. Alguns americanos e britânicos concordavam com isso. Uma minoria, porém, se pronunciou de forma incisiva, complicando as coisas ao argumentar que, na busca por justiça, nos primeiros julgamentos de 1947 havia sido aberto um caminho para o revanchismo judeu.[2] John Rankin, um congressista republicano do Mississípi, taxou o julgamento pendente da Farben de "vergonhoso", defendendo que, enquanto "os demais países lavaram suas mãos e se retiraram daquela saturnália de perseguições, uma minoria racial, dois anos e meio depois do fim da guerra, estava em Nuremberg não apenas enforcando soldados alemães, mas julgando homens de negócios da Alemanha em nome dos Estados Unidos".[3]

Aqueles que haviam investigado a história da Farben e seu papel crucial na Segunda Guerra Mundial sabiam que descrever a companhia como qualquer coisa diferente de uma parceira entusiástica e competente de Hitler era, no mínimo, dissimulado e, no melhor dos casos, desonesto. O brigadeiro-general Telford Taylor, que substituíra Robert Jackson como o maior promotor americano de crimes de guerra na Suprema Corte de Justiça, foi direto: a hierarquia da Farben era composta "pelos mágicos que fizeram o pesadelo do *Mein Kampf* [Minha vida] virar realidade".[4]

Na verdade, no ano anterior, um relatório apresentado pelo general Dwight Eisenhower determinou que a Farben havia sido tão indispensável para os nazistas que qualquer uma de suas fábricas usadas na guerra deveria ser demolida, e as que sobrassem, tomadas e divididas entre os vitoriosos. Como colocar isso em prática ainda estava em discussão quando o julgamento teve início.

Vinte e quatro graduados executivos da Farben enfrentavam uma acusação de sessenta páginas, que incluía "Custeio de agressões de guerra", "Pilhagem e espoliação" e "Escravidão e massacre".[5] Os réus incluíam o presidente da Farben — Carl Krauch —, Fritz ter Meer, Otto Ambros, Heinrich Bütefisch, Christian Schneider, Walter Dürrfeld e todos os diretores que de alguma forma supervisionaram Monowitz. No banco dos réus também estava Heinrich Hörlein, Wilhelm Mann e o dr. Carl Wurster, três químicos que haviam sido diretores da Degesch, a fabricante do Zyklon B (Mann fora o presidente durante a guerra).

O primeiro dia do julgamento foi 27 de agosto de 1946. O tribunal, localizado no segundo andar, havia sido também cenário dos mais dramáticos julgamentos de tropas nazistas em Nuremberg no ano anterior. Carl Krauch, que havia recebido das mãos do próprio Hilter a medalha Cruz do Cavaleiro por serviços prestados ao Terceiro Reich, estava agora na cadeira que Hermann Göring ocupara. Três juízes americanos conduziam o julgamento.[6] Todos os trezentos lugares reservados para o público estavam ocupados, e a galeria destinada à imprensa estava superlotada. As apostas não poderiam ser mais altas: os réus estavam sujeitos a ser sentenciados à morte.

Joshua DuBois Jr., o assistente de 33 anos de Telford Taylor, apresentou uma dicotomia entre as mentes brilhantes da Farben e as acusações feitas pela promotoria: "Esta é a história de 24 gênios que mudaram a face da Terra. Os homens mais brilhantes da Europa encabeçavam uma indústria conhecida como I.G. Farben (...). E são esses criminosos da I.G. Farben, não os lunáticos ou fanáticos nazistas, os principais criminosos da guerra. Se a culpa desses criminosos não for trazida à tona, se eles não forem punidos, representarão uma ameaça ao futuro pacífico do mundo maior do que Hitler se ainda estivesse vivo".[7]

DuBois passara a guerra administrando os recursos do tesouro norte-americano para rastrear, embargar e arrestar bens nazistas. Ao desempenhar esse papel, ele se tornara um especialista em Farben, inclusive na miríade de suas subsidiárias, firmas fantasmas, fundos de truste estrangeiros e sociedades. Isso influenciou sua decisão de começar seu caso com a acusação de que a empresa havia conspirado com Hitler o "custeio de agressões de guerra". Para provar seu argumento, DuBois se baseou em uma enorme quantidade de documentos — um tanto obtusos —, organogramas, patentes e relatórios coorporativos muito detalhados.

Muitos dos presentes naquela sala acharam que se tratava de uma estratégia equivocada. Houve discordância entre os colegas de DuBois. Emanuel Minskoff, um promotor iniciante, argumentou: "Devíamos ter começado por Auschwitz".[8] Mas DuBois não estava convencido disso. Já era tarde demais para mudar o rumo quando, poucas semanas mais tarde, o juiz James Morris falou: "Senhor promotor, essa empresa, até onde mostram os registros aqui apresentados, era simplesmente uma grande indústria química, com fins comerciais, que possuía diversos problemas administrativos, como outras tantas pelo mundo afora (...). Estou completamente perdido quanto ao porquê de documentos desse tipo terem qualquer materialidade nas acusações. Este julgamento está sendo atrasado pela quantidade de contratos, minutas e cartas que me parecem ter pouca relevância para serem utilizados como prova neste caso".[9]

Os réus da Farben não estavam preocupados com a ordem em que as acusações seriam apresentadas pela promotoria, porque tinham secretamente adotado a estratégia de evitar admitir qualquer coisa que os incriminasse. Até os que eram responsáveis pela I.G. Auschwitz sustentariam que não tinham visto nada fora do comum. O cerne dessas defesas criaria um padrão para toda uma geração de alemães que mais tarde alegaria não saber de nada sobre o extermínio de judeus.

À medida que o julgamento se desenrolava, por vezes parecia que cada réu tentava se sair melhor que os demais em amenizar seu conhecimento sobre o assunto.

Otto Ambros, que indicara o local na Polônia para a construção do complexo Monowitz da Farben, jurou que nunca havia passado por sua cabeça que os nazistas pudessem fazer uso de mão de obra escrava dos campos de concentração adjacentes.[10] Em um memorando que enviara à diretoria da Farben descrevendo uma de suas visitas a Auschwitz, Ambros escrevera: "A instituição de um campo de concentração é horrível. É uma tortura para os prisioneiros". DuBois apresentou esse memorando para provar que Ambros sabia que coisas terríveis aconteciam no campo, mas Ambros retrucou que não era nada disso, que ele apenas tinha uma aversão ao "cabelo muito curtinho [dos prisioneiros](...). Essa era a tortura a que fiz referência".

Ambros também distorceu a verdade sobre uma correspondência na qual se vangloriava de "uma nova e promissora amizade com a SS", tentando explicar que, até os tribunais de Nuremberg, ele nunca soubera nada sobre as seleções que setenciavam os prisioneiros à vida ou à morte. Quanto à desnutrição que assolava os trabalhadores de Monowitz, ele atribuiu como resultado de alguma "distribuição injusta de comida depois que eu saía da cozinha". E o crematório que ele vira na entrada do campo em uma de suas viagens? "Fui informado de que, se alguma daquelas pessoas viesse a morrer, seria cremada. Nada mais".

Promotores mostraram a Ambros muitos relatórios de incidentes nos quais a SS havia brutalizado os trabalhadores que estavam construindo Monowitz. Ambros alegou que tudo aquilo era novidade para ele e, apesar de ter visitado o local dezoito vezes, respondeu: "Sou apenas um químico (...). Acho que não é possível que esperem que um químico tenha lido todos os relatórios de construção". Sobre os muitos documentos em que Ambros constava como gerente de projeto, ele argumentou: "Eu era gerente de negócios, mas esse era um cargo temporário".

Fritz ter Meer, o diretor em Frankfurt responsável pela produção química de Monowitz, disse "não lembrar" se Ambros algum dia mencionara a vizinhança de Auschwitz e sua capacidade de oferta de mão de obra escrava.[11] Quanto a uma visita de inspeção que havia feito a Auschwitz III, em 1943, com Ambros (a terceira viagem dele ao local), Ter Meer alegou não recordar ter visto torres de vigilância. Ele disse não poder nem descrever a condição dos trabalhadores, visto que "entrou no campo em uma tarde em que essas pessoas [os prisioneiros] não estavam lá, porque trabalhavam naquele horário, e também não havia muita gente nos arredores".

Se ele havia visto o crematório principal de Auschwitz? "Sim", disse Ter Meer, "fui informado de que servia para cremar corpos caso houvesse mortes."[12]

E quanto à imensa chaminé de Auschwitz? "Não tenho lembrança alguma dela."

Christian Schneider, chefe de pessoal da Farben e também responsável pela fábrica de combustível sintético, testemunhou demoradamente sobre uma reunião a que compareceu em Monowitz, em janeiro de 1943, acerca de uma construção. De acordo com ele, todos os prisioneiros que viu "tinham uma aparência muito digna". A certa altura, Schneider foi levado para uma sala grande onde "os empregados e os estrangeiros almoçavam juntos. Experimentei a comida. Era boa". Schneider alegou não ter visto nada fora do comum em outros complexos alemães que a Farben possuía. "Se algo não estivesse direito, eu certamente me lembraria", ele testemunhou.[13]

Heinrich Bütefisch, um dos maiores especialistas em combustível sintético da Farben, foi o encarregado do primeiro pedido formal de prisioneiros a Himmler, para que fossem usados como trabalhadores forçados em Auschwitz.[14] Além de sua alta posição na I.G. Auschwitz, Bütefisch era também *Obersturmbannführer* (tenente-coronel) da SS. Ele endossou o coro dos testemunhos de seus colegas dizendo que, nas muitas visitas que fizera a Monowitz e a seus subcampos, os trabalhadores sempre lhe pareceram bem, fortes e adequadamente alimentados. Alegou não se recordar de nenhum memorando enviado a ele sobre falta de banho para os milhares de trabalhadores e acrescentou que a construção de um crematório havia sido uma "medida puramente sanitária". Quanto ao número de vezes em que esteve em I.G. Auschwitz, Bütefisch não tinha como dar uma resposta precisa, visto que seus registros de viagem durante a guerra supostamente estariam desaparecidos.[15]

Três dos réus, Heinrich Hörlein, Wilhelm Mann e o dr. Carl Wurster, eram cientistas da Farben que durante a guerra também haviam sido diretores da Degesch, a fabricante de Zyklon B. O testemunho deles foi surpreendentemente parecido. Eles se lembravam "de uma praga de insetos do Oriente" e disseram não saber que o composto irritante aos olhos e as etiquetas de alerta tinham sido retirados das embalagens do veneno vendido à SS. Como homens de negócios da diretoria da Degesch, eles alegaram não prestar atenção em detalhes científicos. Entretanto, Mann era farmacêutico-diretor, Hörlein, chefe do Departamento de Pesquisas Químicas da Farben e antigo chefe dos Laboratórios Farmacológicos da Bayer, e Wurster, diretor da fábrica de químicos da I.G. Auschwitz. Eles afirmaram não se lembrar que em 1943 o Zyklon B havia sido responsável por 70% dos negócios da Degesch nem que 90% de todo o Zyklon B vendido naquele ano havia sido enviado para Auschwitz.

Para acabar com as dúvidas sobre a veracidade do caso exposto pela promotoria, os advogados de defesa apresentaram 386 depoimentos, entre eles o de alguns nazistas condenados que haviam servido em Auschwitz, comprovando que os réus não tinham conhecimento nem haviam sido coniventes com o pior crime de todos.[16] Dois homens já condenados pelo crime de guerra de trabalho escravo, o marechal de campo Erhard Milch e o titã corporativo Friedrich Flick, testemunharam que os réus da Farben agiram conforme "necessidade legal", uma vez que se recusar a seguir ordens nazistas os teria levado à prisão.[17]

O promotor DuBois resumiu o cerne da defesa da Farben: "Os diretores da Farben nada sabiam sobre o assunto [a Solução Final]. Os dois que escolheram o local [Monowitz] e o que acompanhou a construção também não sabiam de nada. O que comprava prisioneiros de Himmler tinha total desconhecimento sobre o que acontecia, mesmo depois de se mudar para Auschwitz. O diretor responsável pelos cuidados e o bem-estar dos trabalhadores no campo de concentração também não tinha a menor ideia. O quinto, o sexto, o sétimo e o oitavo diretores — que presidiam a Degesch, a empresa que remetia o Zyklon B para Auschwitz e a instituição que enviava vacinas de tifo e outras drogas — também não tinham conhecimento de nada".[18]

À medida que o drama do julgamento da Farben ia se desenrolando, Capesius finalmente se sentiu compelido a contratar um advogado, o dr. Rudolf

Pander, em Stuttgart.[19] Durante a guerra, Pander havia sido tenente-coronel da Abwehr, o Serviço Secreto alemão, sendo nomeado para Bucareste de 1942 a 1943.[20] Em 1945, ele também fora detido, entrevistado e interrogado pelos americanos, sendo solto no ano seguinte. Pander reabrira um escritório de advocacia e rapidamente conquistara a fama de advogado sagaz, que sabia percorrer como ninguém os labirintos do processo de desnazificação.

Em 7 de outubro de 1947, Pander se apresentou diante de uma nova Corte. Ele alegou que, pela lei, Capesius deveria ser absolvido, já que o julgamento anterior havia chegado ao veredito correto. De acordo com Pander, recorrer era um equívoco, porque o Ministério erroneamente achava que Capesius havia sido um oficial de campo de batalha da SS. No entanto, qualquer um que trabalhasse na área da saúde, argumentou ele, tinha direito à isenção segundo o artigo 39, seção III, do Estatuto de Desnazificação.[21]

Dois dias mais tarde, Capesius depôs perante cinco novos juízes. Ele sabia muito bem sua fala. Narrou todos os pontos a seu favor ao salientar sua fé luterana e ao afirmar que jamais se filiara ao Partido Nazista. E quanto aos serviços que prestara durante a guerra, Pander o aconselhou a seguir sua intuição — que estava correta — e evitar mencionar Auschwitz, a não ser que isso se tornasse impossível diante das perguntas dos juízes. Ao ser interrogado, Capesius apenas respondeu: "Depois do treinamento, em 1º de setembro de 1943, cheguei à Central Médica em Berlim, onde fui nomeado farmacêutico do dispensário de drogas dali". Ele afirmou ter permanecido nesse posto até o fim da guerra, em abril de 1945.

A Corte não possuía uma cópia do formulário que Capesius enviara aos americanos, em outubro de 1946, admitindo seus serviços em Auschwitz. E nenhum dos juízes perguntou se ele havia servido em algum campo de concentração.[22]

O capítulo final da desnazificação de Capesius saiu naquele mesmo dia, 9 de outubro de 1947, quando lhe foi entregue sua segunda absolvição. O veredito não poderia ter sido melhor nem se o próprio Pander o tivesse redigido.

"O homem em questão demonstrou de forma conclusiva que foi forçado a se afiliar à Waffen-SS e, por isso, não pode ser considerado um membro da organização criminosa." Até mesmo o argumento de que Capesius não era completamente apto a ser um filiado por ser "racialmente do Tipo

III (europeu oriental)" foi aceito. Ao acreditar nas mentiras de Capesius, a Corte concluiu que ele "não era um oficial ativo da SS nem da polícia de fronteira ou de campo". Pelo contrário, ele "apenas" trabalhava no "serviço de saúde", "na Clínica Médica Central de Berlim", onde desempenhava a função de "preparar medicamentos para as unidades de tropas".[23]

Capesius se manteve quieto em Stuttgart desde que os americanos o soltaram, em agosto. Munido de seu cartão de desnazificação oficial, garantindo sua liberdade para trabalhar sem restrições, ele arranjou um emprego como farmacêutico assistente na Reitelsberg Apotheke, em Stuttgart.[24] Era uma drogaria pequena, um negócio familiar, cuja proprietária era uma senhora chamada Monika Raff. Ela ficou satisfeita ao ver que ele tinha aprovação oficial da Corte alemã, mas, como era típico dos alemães, não estava interessada em saber o que seus funcionários haviam feito durante a guerra.[25]

Enquanto Capesius dava os primeiros passos para a reconstrução de sua vida, o julgamento da Farben terminou em 29 de maio de 1948. Durante seus 152 dias de duração, foram ouvidas duzentas testemunhas, colhidos 3 mil depoimentos e 6 mil provas. As transcrições do julgamento chegaram a 16 mil páginas. O pano de fundo contra o qual os juízes avaliavam as evidências eram as manchetes diárias sobre o avanço da Guerra Fria com os soviéticos. Na semana em que o julgamento terminou, os comunistas haviam tomado o poder na Tchecoslováquia, e os soviéticos, construído um bloqueio na Berlim Oriental. Isso só acentuava a sensação de que julgar crimes nazistas três anos após o término do conflito era um luxo que não se podia manter, especialmente quando a Alemanha Ocidental estava prestes a se metamorfosear de inimigo a ser punido em um valioso aliado.

Levou dois meses para que os juízes chegassem ao veredito. Tal decisão definiria se a era de responsabilizar os mais proeminentes industriais alemães pelos crimes nazistas estava chegando ao fim.

O presidente do tribunal, o juiz Curtis Shake, leu a maior parte do veredito sentado em sua cadeira.[26] As acusações de número um e quatro envolviam o financiamento de agressões de guerra e conspiração. Todos os réus foram absolvidos de ambas. Da acusação de número dois — crimes de pilhagem e apoio nas deportações realizadas nos países ocupados — catorze dos 23 réus foram absolvidos. Quanto a mais forte das acusações, a de número três — trabalho escravo e genocídio —, a Corte não acatou a alegação de "necessidade legal" e condenou cinco dos réus por seu envolvimento direto com a I.G. Auschwitz — Krauch, Ambros, Dürrfeld, Bütefisch e Ter Meer.[27]

Os promotores ficaram surpresos com o fato de dez dos réus serem liberados com apenas uma reprimenda. Incluído nesse grupo estava o dr. Wilhelm Mann, presidente da Degesch, a fabricante do Zyklon B, que pessoalmente aprovara os custos dos experimentos médicos de Josef Mengele em Auschwitz.

A promotoria ainda veria as sentenças serem amenizadas. Como DuBois achava improvável que alguém fosse sentenciado à morte, ele sugerira penas de vinte anos à prisão perpétua. A sentença mais longa, contudo, seria de oito anos, para Ambros e Dürrfeld. Cinco dos réus condenados por crimes de guerra receberam penas de menos de dois anos. E a Corte ainda os favoreceu ao considerar como parte da pena o tempo que haviam aguardado pelo julgamento. DuBois e sua equipe deixaram o tribunal furiosos. "As penas foram tão leves que teriam agradado até a um ladrão de galinhas", ele resmungara.[28]

# Um recomeço

Capesius acompanhou com atenção a punição dos diretores da Farben quando começou a planejar o próximo capítulo de sua vida. Em 1949, ele mudou de seu diminuto apartamento para um de três quartos, comprado por 50 mil marcos (equivalente a 205 mil dólares em 2015) em Fruhlingstrasse, uma vizinhança abastada de Göppingen, pequena cidade a cinquenta quilômetros de Stuttgart. Se alguém tivesse prestado atenção, poderia ter achado surpreendente que Capesius — separado de sua família, sem qualquer patrimônio na Romênia e recebendo apenas um salário mínimo como farmacêutico-assistente — tivesse tanto dinheiro. Ele dissera a seus captores americanos e britânicos e aos tribunais de desnazificação que perdera o equivalente a 20 mil Reichsmarks "na ocupação da Romênia após a guerra".[1] Por sorte, ninguém lhe perguntou como conseguira esse dinheiro. Mais tarde, promotores alemães vieram a acreditar que, em uma reunião pós-guerra, em Göppingen, Capesius, o dr. Frank e o dr. Schatz, os dois dentistas de Auschwitz, conseguiram recuperar o ouro que haviam roubado do campo e finalmente dividiram a quantia.[2] Capesius sempre tivera a intenção de usar esse ouro para recomeçar a vida depois da guerra. E era o que estava fazendo. Em Göppingen, em 1950, conseguiu uma licença de farmacêutico no estado de Baden-Württemberg e comprou um açougue por 150 mil marcos. Ele logo começou a reformar a loja para convertê-la em uma moderna farmácia.[3] A Markt-Apotheke (Farmácia do Mercado) foi inaugurada em 5 de outubro daquele mesmo ano.[4]

Capesius estava satisfeito com a velocidade de sua reabilitação pessoal, mas ficou maravilhado com a rápida mudança de sorte dos executivos mais graduados da Farben. Poucos meses depois de Capesius abrir a Markt-Apotheke, as manchetes dos jornais alemães anunciaram que o presidente da empresa durante a guerra, Carl Krauch, havia sido solto depois de cumprir menos de dois anos dos oito estabelecidos em sua pena. Todos os seus colegas de julgamento acompanharam de perto quando John McCloy, o alto-comissário norte-americano, atendeu aos pedidos de clemência dos alemães e comutou a pena de quase 70% dos nazistas condenados.[5] Uma horda de repórteres parabenizou os diretores da Farben assim que saíram da prisão de Landsberg. Fritz ter Meer, referindo-se sarcasticamente ao confronto na Ásia entre os Estados Unidos e a China comunista sobre a península coreana, sorriu e disse: "Agora que têm a Coreia nas mãos, os americanos estão bem mais simpáticos".[6]

Capesius ficou admirado com o fato de, mesmo após terem sido julgados e condenados, a carreira desses profissionais não ter sofrido abalos na nova Alemanha. Isso apesar de os Aliados inicialmente não permitirem que criminosos de guerra retornassem para a mesma indústria em que atuavam antes do conflito. Carl Krauch tornou-se um diretor muito bem pago na Chemische Werke Hüls A.G., uma antiga subsidiária da Farben que havia sido fundamental na produção de borracha sintética para a empresa. Hermann Schmitz, antigo CEO da Farben, era o novo presidente da Rheini Steel e também diretor de um banco sediado em Berlim. Heinrich Bütefisch recebeu o cargo de diretor da Ruhr-Chemie. Fritz Gajewski, que comandara a Agfa para a Farben durante a guerra, assumiu a presidência de três indústrias químicas alemãs consecutivamente. Wilhelm Mann e Heinrich Hörlein, os antigos diretores da Degesch, entraram para a diretoria da Bayer. Christian Schneider, responsável pela produção de gasolina na fábrica da I.G. Auschwitz, tornou-se um bem-remunerado consultor de vários consórcios químicos europeus. Otto Ambros, que escolhera o local da I.G. Auschwitz, passou a ser presidente da Chemie Grünenthal e diretor de meia dúzia das melhores empresas químicas alemãs. Max Ilgner, que coordenava as operações do Serviço Secreto Estrangeiro da Farben, tornou-se um lobista político bem-sucedido em Bonn.[7]

Quanto ao conglomerado em si, a Farben permaneceu sob supervisão dos Aliados durante 1949 e foi dissolvida em 1951.[8] Por coincidência, nesse mesmo ano um sobrevivente judeu entrou com a primeira ação civil em prol das devidas reparações por trabalho escravo, o que eventualmente resultou no pagamento de valores que variaram entre US$1.250 e US$8.500 (8.800 a 60 mil dólares em 2015) a 5.855 vítimas.

Quatro grandes empresas surgiram com a dissolução da Farben.[9] A Bayer, por seu tamanho, imediatamente destacou-se como uma das dez maiores indústrias farmacêuticas do mundo; a Agfa tornou-se líder na fabricação de produtos de imagem; a Basf, a maior indústria química do planeta, e a Hoechst, um conglomerado de química e ciência que rapidamente converteu-se em uma das companhias mais rentáveis da Alemanha. E quem melhor para administrar essas empresas do que alguns dos mais graduados executivos da Farben, agora livres de suas penas de crimes de guerra? Fritz ter Meer, o único réu condenado por crimes diferentes, tornou-se o poderoso presidente da Bayer.[10] Carl Wurster assumiu a presidência da Basf e da Associação Alemã das Indústrias Químicas. E Friedrich Jähne, engenheiro-chefe da Farben, foi indicado para a presidência da Hoechst.

Para aqueles que tentaram levar os executivos da Farben à justiça, esse glorioso retorno foi amargo. DuBois mais tarde lamentaria a maneira como o medo que os americanos e os britânicos tinham da União Soviética durante a Guerra Fria os levara a aceitar de volta "os industriais alemães que haviam sido generais de farda cinza durante a Segunda Guerra".[11]

A volta ao poder dos diretores da Farben despertou em Capesius e em muitos de seus colegas da SS a audácia de achar que podiam se sentir seguros, de que o pior já havia passado no que se referia à perseguição de criminosos nazistas pela justiça. Ele então parou de se inquietar diariamente com a possibilidade de ser acusado por causa de seu serviço em Auschwitz e passou a se concentrar somente em seu negócio e em trazer sua família para a Alemanha. Essa determinação gerou um grande sucesso. Em 1952, Capesius havia ganhado dinheiro suficiente com a Markt-Apotheke para abrir o Institut für Cosmetologie (Instituto de Cosmetologia), um moderno spa em Reutlingen, uma pequena cidade também próxima a Stuttgart. O slogan do Instituto era: "Seja bela com o tratamento de Capesius".[12]

Quando ele escreveu a Fritzi para contar sobre suas novas conquistas, ela percebeu que estava certa ao acreditar que o homem ambicioso por quem se apaixonara tinha o talento e a disciplina necessários para prosperar na nova Alemanha. Era apenas uma questão de tempo, ela previu para seus amigos, até que ele conseguisse reunir a família na Alemanha Ocidental.[13] Ela tinha esperanças de que isso acontecesse rápido, visto que suas filhas começavam a pagar o preço por ter um pai vil e nazista. Melitta, na época com dezessete anos, havia acabado de ser expulsa do curso de Engenharia Mecânica da Universidade Politécnica de Timișoara por "motivos políticos".[14]

Para todo mundo em Göppingen, Capesius parecia apenas mais um caso bem-sucedido do boom econômico que atingiu a Alemanha na década de 1950. O *Wirtschaftswunder* (milagre econômico) daquela década fez os salários e o poder aquisitivo dos alemães quase dobrarem. À medida que a nação se reerguia das ruínas das cidades bombardeadas e da infraestrutura esfacelada, Capesius se beneficiava da única regra que todos os alemães respeitavam instintivamente: nunca perguntar o que qualquer um fizera durante a guerra.

Em meados da década de 1950, a farmácia de Capesius estava dando lucros na faixa de 425 mil marcos anuais (o equivalente a mais de 100 mil dólares da época) e tinha quinze empregados.[15] Ele foi indulgente com sua paixão por caça e permitiu-se alugar uma cabana na Áustria e fazer safáris dispendiosos na África. Em Göppingen, suas novas amizades o achavam simpático, e ele já circulava livremente pelos melhores círculos sociais. Capesius tornou-se membro de clubes de tênis, montaria, caça e até de animação. Foi nessa época que ele pediu à Cruz Vermelha, baseando-se nos princípios humanitários, ajuda para tirar a esposa e as filhas da Romênia. A Cruz Vermelha tinha casos de sucesso na reunião de famílias separadas pela Cortina de Ferro, mas Capesius não quis correr nenhum risco. Por isso, em paralelo, investiu uma soma desconhecida no que se chamava dubiamente de "programa de recompra de famílias", que era essencialmente um esquema de suborno a oficiais comunistas de baixa renda para permitir que pessoas emigrassem para o Ocidente. Ele sabia que tal recurso podia ser demorado, mas estava confiante de que de um jeito ou de outro conseguiria reunir sua família.

Capesius também foi incentivado pela mudança de atitude na Alemanha Ocidental em relação à Segunda Grande Guerra. A maneira como o público reagia aos crimes cometidos durante o período mudara de forma considerável desde que os Aliados haviam conduzido os julgamentos que resultaram na execução de alguns de seus colegas de Auschwitz. No auge desse processo, havia uma antipatia geral pelos americanos e britânicos da parte dos alemães, que achavam que as acusações de crimes de guerra eram uma simples vingança política dos vitoriosos.[16] Os britânicos e os americanos devolveram o controle total do judiciário aos alemães em maio de 1955. Uma das primeiras decisões sob a nova jurisdição foi a de que os nazistas condenados com sentenças de menos de três anos seriam imediatamente soltos.[17] Dali em diante, a responsabilidade de julgar crimes nazistas recaiu sobre os tribunais e promotores da Alemanha Ocidental. Agora, contudo, muitos dos juízes que serviram ao Terceiro Reich estavam de volta aos tribunais. Nem um único juiz da famosa "corte popular" foi sequer acusado de algum crime.

Um ano mais tarde, o parlamento alemão (*Bundestag*) anulou as duas categorias criminais mais severas — crimes contra a humanidade e crimes de guerra cometidos em antecipação a genocídio — que os Aliados haviam usado em seus julgamentos. O *Bundestag* determinou que tais leis foram criadas pelos americanos e britânicos após os acontecimentos e que ninguém deveria ser julgado por estatutos que não existiam quando os crimes ocorreram. O *Bundestag* aboliu também a pena de morte.[18] O primeiro chanceler alemão do pós-guerra, Konrad Adenauer, achou importante que os nazistas fossem integrados em vez de excluídos na nova Alemanha. Ele incluiu alguns ex-oficiais da Nsdaf em seu gabinete. O mais marcante deles foi Theodor Oberländer, exonerado em 1960 depois de a Corte da Alemanha Ocidental o condenar à prisão perpétua por crimes de guerra.[19]

Não foi nenhuma surpresa quando tudo isso resultou em uma queda abrupta das investigações formais de crimes nazistas. Nos quatro anos que se seguiram à guerra, os aliados condenaram 4.419 nazistas. Em 1955, o primeiro ano após os alemães reassumirem o controle total, houve apenas 21 condenações. Os casos abertos caíram de 2 mil, em 1950, para pouco mais de duzentos, no meio da década.[20] O problema era mais do que uma falha em abrir novas investigações: de todos os casos que a promotoria trouxe nesse período, 80% foram absolvidos.[21]

A atitude complacente do poder judiciário fez com que Capesius se sentisse confortável. No entanto, ele e alguns colegas que nunca haviam sido acusados de nenhum crime não perceberam que algumas nuvens escuras se aproximavam no horizonte.

Em 1956, Fritz Bauer, um jurista de 52 anos que ficara por pouco tempo em um campo de concentração alemão durante a Segunda Guerra Mundial, antes de chegar a salvo do exílio na Suécia e posteriormente na Dinamarca, foi transferido da promotoria da cidade de Brunsvique para Frankfurt.[22] Bauer foi apontado como o primeiro chefe da promotoria judeu na Alemanha do pós-guerra. O arcebispo sueco Lars Lilje, que conhecia Bauer muito bem, não tinha dúvidas de que ele logo estaria estabelecido como o "primeiro e mais famoso jurista (...) que levou a sério a sistemática perseguição e condenação dos assassinos nazistas".[23]

Apesar de Bauer diminuir a relevância de seu judaísmo, era inegável sua paixão por investigar crimes de guerra. Isso era até mesmo uma questão acaloradamente discutida dentro do judiciário alemão. Bauer então logo se viu enredado em um cruel embate com colegas que diziam que seu foco nos nazistas era impetuoso e desnecessário, chegando a espalhar o boato de que ele era homossexual, algo ainda ilegal na Alemanha.[24] Ladislas Farago, autor especializado em Segunda Guerra Mundial, escreveu sobre Bauer: "O trabalho trouxe para ele, além do ódio fanático de ex-nazistas e neonazistas, que preferiam deixar o passado para trás, o antagonismo dissimulado de alguns membros de sua própria equipe. Eles o encaravam como um bom samaritano, um judeu vingativo, um velho resmungão e cuspidor de fogo que deixava as emoções tomarem o controle quando sua cabeça era que devia fazê-lo".[25]

Bauer sabia que as provas fragmentadas, não intencionais e redundantes às vezes não resultariam em acusações fortes contra os nazistas. Alguns escritórios da promotoria sofriam de falta de pessoal, o que os impedia de fazer investigações detalhadas dos casos mais complexos. Outros não desejavam dar seguimento a eles, considerando-os meros vestígios do passado. Para Bauer, uma parte importante para solucionar a questão seria reunir as provas desses crimes em um único escritório central e enviar apenas casos sólidos e bem desenvolvidos para os promotores locais. A ideia acabou vingando em 1º de outubro de 1958, quando os ministros da Justiça da Alemanha Ocidental finalmente concordaram em criar o Escritório Central da

Justiça Federal para a Investigação de Crimes Nacional-Socialistas de Violência em Ludwigsburgo.[26]

Parecia uma mudança burocrática obscura e de pouca significância. E, de fato, o efeito não foi imediato. Ao longo dos anos seguintes, entretanto, o número de investigações se multiplicou de quatrocentas para mais de 6 mil. E uma delas era a de um caso que se tornava cada vez mais intrincado, associado com o nome de Victor Capesius.

# "Inocente diante de Deus"

Bauer não seria o único a preocupar Capesius e seus ex-colegas da ss ao querer que a justiça fosse feita em relação aos tempos de guerra. Hermann Langbein, que havia sido prisioneiro-assistente no escritório do principal médico de Auschwitz, tinha como missão de vida levar os perpetradores de crimes de guerra à justiça. Em Auschwitz, Langbein tivera uma visão geral — e rara — do assassinato em massa. Como o escritório em que trabalhava tinha vista para a entrada do Crematório i, ele podia ver os prisioneiros sendo apinhados nas câmaras de gás e seus corpos posteriormente sendo carregados pelo *Sonderkommando*. Em 1952, Langbein ajudara a fundar o iac — International Auschwitz Committee —, que era, na época, o maior agrupamento existente de judeus sobreviventes. Langbein era incansável em localizar testemunhas em mais de uma dúzia de países, tomar seus depoimentos e até em, muitos casos, bancar o detetive amador e caçar fugitivos nazistas. No fim da década de 1950, ele havia compilado o maior acervo particular existente de provas dos crimes cometidos em Auschwitz. Os homens que Langbein queria que fossem indiciados, disse ele aos promotores alemães, tinham sangue nas mãos. Capesius era um dos que constavam entre as muitas dezenas de nomes na lista de Langbein.

Em 1958, uma confluência de circunstâncias reuniu Langbein e os promotores. Em 1º de março, um *Kapo* de Auschwitz, Adolph Rögner, enviou uma carta para um promotor em Stuttgart. Ele alegava que Wilhelm

Boger, um sádico oficial nazista que inventara um instrumento batizado com seu próprio nome, com o qual surrava brutalmente os prisioneiros no campo, vivia livremente em Stuttgart e trabalhava como supervisor de uma fábrica de aviões. Em 1945, Boger havia fugido de um trem que o levava à Polônia para ser julgado e nunca mais fora visto desde então.

Os promotores estavam céticos quanto à veracidade das informações contidas na carta. Rögner tinha um longo histórico de prisões e um passado de falsas acusações sobre crimes nazistas — inclusive estava na prisão por perjúrio quando enviou a informação.[1] O conteúdo da carta havia sido inicialmente menosprezado, visto que o chefe da promotoria não apenas pensava que Rögner não era digno de credibilidade, mas também que era um "psicopata vingativo". Mesmo assim, a polícia chegou a ouvir o depoimento dele. A conclusão a que chegaram foi de que Rögner tirara aquela informação sobre Auschwitz de uma grande coleção de livros que mantinha em seu apartamento, de modo que ele, portanto, queria somente chamar a atenção. Os promotores e os policiais não estavam confiantes de que valeria a pena investigar outras duas informações fornecidas por Rögner a respeito de ex-oficiais da SS em Auschwitz, que, segundo ele, estariam residindo na Alemanha e usando seus nomes verdadeiros.

Rögner, no entanto, não escrevera apenas para a promotoria de Stuttgart. Ele sabiamente também enviou as informações para Langbein e para o IAC. Quando Langbein perguntou aos promotores sobre a sindicância contra Boger, eles autorizaram, às pressas, uma investigação mais a fundo, com receio de parecerem, aos olhos dos sobreviventes do Holocausto, apáticos em relação à perseguição aos criminosos de guerra. Langbein não estava preocupado apenas com que os promotores demorassem demais, mas com que Boger fosse de alguma maneira avisado e conseguisse fugir novamente.

Durante o verão, Langbein tentou acelerar a sindicância apresentando quase uma dúzia de testemunhos. Apesar disso, demorou até 8 de outubro de 1958 para que a polícia prendesse Boger. Pela lei alemã, quando alguém é suspeito de crimes graves e existe risco de fuga, a promotoria pode solicitar que o suspeito seja mantido sob custódia até ser julgado. Essa detenção do acusado durante a investigação pode se estender até o julgamento do crime.[2]

"Não tenho a consciência pesada, senão teria fugido", Boger disse depois que foi preso. Sua esposa contou a um repórter alemão que ela vivera com o marido em Auschwitz. "Não acredito que ele tenha feito as coisas terríveis que dizem. Como ele pode ter matado crianças? Ele tem filhos."[3]

Enquanto isso, um repórter de Frankfurt enviara a Fritz Bauer alguns documentos que um sobrevivente havia encontrado. Os papéis listavam 37 homens da SS envolvidos em execuções por tentativa de fuga em Auschwitz. Com base em tais documentos, Bauer começou sua própria investigação. Ele então apresentou uma petição à Corte Federal de Justiça, em Karlsruhe, requisitando direito exclusivo de assumir todos os casos de crimes cometidos naquele campo de concentração, independentemente do local na Alemanha em que o réu estivesse ou fosse detido. A Suprema Corte concordou, e os arquivos de Boger, em Stuttgart, foram transferidos para Bauer, em Frankfurt.

Em abril de 1959, Bauer expediu mandato de prisão para três homens da SS que tinham servido na mesma unidade da Gestapo em Auschwitz que Boger: Pery Broad, Klaus Dylewski e Hans Stark, todos viviam na Alemanha Ocidental e usavam seus nomes verdadeiros. A reavaliação dos casos de crimes ligados ao nazismo engrenou quando, em junho, um juiz em Freiburg indiciou Josef Mengele.[4] Langbein havia trabalhado incansavelmente para que essas acusações fossem retomadas.

No mês seguinte, Bauer entrou novamente em ação. Em 21 de julho, ele prendeu Oswald Kaduk, um oficial subalterno que o semanário alemão *Der Spiegel* chamou de "um dos mais cruéis, brutais e vulgares" homens da SS em Auschwitz.[5] Kaduk havia sido condenado pela Corte Militar Soviética, em 1947, a 25 anos de trabalhos forçados, mas havia sido solto em 1956. Quando Bauer o encontrou, Kaduk trabalhava como enfermeiro em um hospital na Alemanha Ocidental. Naquele mesmo dia, a polícia prendeu outros dois nazistas procurados por Bauer: Franz Hofmann, antigo chefe da segurança em Auschwitz, e Heinrich Bischoff, um *Kapo*.

O progresso feito por Langbein e Bauer encorajou muitos outros a retomar o esforço de levar perpetradores de crimes de guerra aos bancos dos réus. Em fins de 1959, o Congresso Mundial de Judeus conclamou todos os sobreviventes de Auschwitz para que se apresentassem. Bauer ainda publicou uma carta em uma dúzia de jornais internacionais à procura de testemunhas.[6] Sobreviventes ávidos por contar suas histórias logo inundaram tanto a promotoria quanto o IAC.

A prisão dos ex-nazistas foi manchete na Alemanha. Boger residia e fora preso em Stuttgart, cidade em que Capesius havia morado depois da guerra. Göppingen, onde ele abrira sua farmácia, ficava a uma curta distância dali. Tudo isso, é claro, não foi nada reconfortante para o farmacêutico. Mais alarmante, porém, foi o fato de Bauer ter sugerido a dois jovens promotores, Joachim Kügler e Georg Friedrich Vogel, que iniciassem a investigação criminal de Capesius em maio. Era uma sindicância que Kügler admitiu ser "extremamente difícil".[7]

O farmacêutico de Auschwitz tomou conhecimento da sindicância durante o verão, quando a polícia o intimou a depor em um interrogatório.[8] As autoridades pensaram que Capesius tivesse ficado perplexo. Ele continuou vivendo à vista de todos e não tentou escapar. Isso porque era inocente, ele insistia a quem quer que perguntasse. Nem os amigos notaram nele quaisquer sinais de preocupação depois dessa reviravolta.[9]

Mas Capesius estava bem mais ansioso do que deixava transparecer. Na esperança de conseguir declarações que o eximissem de culpa, ele pediu ajuda a Hanns Eisler, um amigo de seu cunhado, para localizar alguns membros da SS que haviam servido com ele no campo e alguns dos prisioneiros-farmacêuticos que ele favorecera. Capesius pensou que tal atitude pudesse ser de alguma valia. Eisler jurou manter segredo a esse respeito, e Capesius ainda lhe garantiu que, caso tal "ajuda" viesse a público, ele negaria ter conhecimento da coisa toda (o que de fato veio a fazer mais tarde).[10] Capesius deu a Eisler uma bonificação de 50 mil marcos (quase 12 mil dólares, isto é, quatro vezes o orçamento médio de uma família trabalhadora dos Estados Unidos).

A primeira parada de Eisler não foi nada auspiciosa. Ele foi até a casa de Ferdinand Grosz, um judeu que, além de ter sido prisioneiro-farmacêutico em Auschwitz, também conhecera Capesius quando ele ainda era representante comercial da Bayer. Antes da guerra, Grosz trabalhara em uma farmácia em Târgu Mureș e, de acordo com o que ele contou a Langbein, Capesius "passava horas lá".[11] Talvez Grosz, por ter sido o que ele mesmo descreveu como "protegido de Capesius", pudesse atribuir ao ex-chefe nazista pelo menos o crédito de sua sobrevivência.[12] "Eu o coloquei [Eisler] para fora", contaria Grosz mais tarde. "Por acaso ou por coincidência, ele [Capesius] me salvara a vida, mas não se pode esquecer da morte nas câmaras de gás daqueles milhares de seres humanos que ele enviou para o extermínio, um crime do qual não se pode ser eximido."[13]

Capesius sugeriu que Eisler se concentrasse em pessoas possivelmente mais amigáveis, como os Stoffel e os Rump, seus amigos alemães étnicos, em cuja propriedade ele passara muito de seu tempo livre na época em que serviu em Auschwitz. Eisler fez uma visita à casa dos Stoffel e depois os levou para uma caçada de fim de semana na propriedade de Capesius, na Áustria. Eisler pediu a eles que "tentassem lembrar e que registrassem por escrito tudo o que acontecera".[14]

Em 4 de dezembro de 1959, como de costume, Victor Capesius chegou em sua farmácia poucos minutos antes das 9h30. Ele não prestou atenção nos dois homens parados do lado de fora, que então rapidamente bloquearam seu caminho e se identificaram como investigadores do escritório de Bauer. Antes que Capesius abrisse a boca, anunciaram que ele estava detido para investigação.

Capesius ficou pasmo. Surpreendentemente a prisão de seis outros oficiais da ss que haviam servido com ele em Auschwitz nunca o fizera temer que seu próprio encarceramento fosse iminente. A negação de Capesius sobre sua conduta no campo era tão absoluta que lhe permitira se considerar imune ao que acontecera a Boger e aos outros.

Os dois investigadores escoltaram Capesius até o tribunal de Göppingen. Um juiz experiente, o dr. A. Trukenmüller, e um promotor público, Joachim Kügler, o aguardavam. O juiz leu para ele as acusações do mandato de prisão. Elas relatavam que "ele [Capesius] executara e monitorara, juntamente com o dr. Josef Mengele, seleções na rampa de acesso da linha férrea, além de ter feito o controle e distribuído fenol e o agente letal Zyklon B". A sindicância também pretendia determinar se ele havia participado de experimentos médicos mortais.[15]

Capesius tinha o direito de permanecer calado. Kügler então perguntou se ele responderia perguntas sob juramento. Capesius estava sem advogado, mas se sentiu à vontade para concordar. Tal decisão havia sido baseada em mais do que mera arrogância. Apesar de ser a primeira vez que falava em público sobre seu tempo de serviço em Auschwitz, durante muitos anos Capesius estudara cuidadosamente o que diria quando esse dia chegasse. Ele sabia que o que dissesse constituiria essencialmente a pedra angular de sua defesa dali em diante. Desse modo, tudo foi meticulosamente planejado para reduzir seu papel e sua autoridade no campo de extermínio, para isentá-lo de qualquer responsabilidade pessoal e para que ele alternasse suas respostas com uma série de negativas sem emoção em algumas situações com o objetivo de levantar dúvidas quanto à credibilidade de seus acusadores.

Kügler começou o interrogatório pelo passado de Capesius, questionando sua formação, depois passando por seu emprego anterior à guerra — como civil na Farben/Bayer — e, por fim, chegando à sua detenção pós-guerra pelos americanos e britânicos. Foi feito o possível para o deixá-lo à vontade, e Capesius de fato parecia tranquilo. Ao falar de sua entrada para a Waffen-ss, ele fez questão de repetir o que dissera com tanto êxito em seu processo de desnazificação, doze anos antes: "Não foi por minha vontade". Referiu-se às suas seis semanas de treinamento na ss como um inócuo "trabalho farmacêutico voltado para administração". E também reduziu a importância de sua primeira nomeação para Dachau, alegando que ele "não tinha nenhuma ligação com o campo", sendo apenas o responsável por suprir remédios para as unidades em batalha da Waffen-ss "quando ordenado".[16]

Quanto a Auschwitz, ele relatou que, em fevereiro de 1944, havia sido promovido a farmacêutico-chefe após a morte de seu predecessor, Adolf Krömer, o que aconteceu cerca de dois meses após sua chegada, e que fora embora no Natal do mesmo ano.[17]

Kügler pediu a Capesius que ele explicasse o que fazia no campo. Ao descrever suas atribuições, Capesius enfatizou sua responsabilidade como farmacêutico de "prover todos os medicamentos para o pessoal da ss e para os prisioneiros". Isso significava, portanto, que ele "frequentemente tinha que ir buscar remédios em uma ambulância na cabeceira da linha férrea de Birkenau (...), onde uma pilha de malas e outros objetos já estava arrumada. Ali, um homem de farda era quem entregava as coisas".[18] Ele disse ter delegado algumas vezes essa tarefa a dois oficiais menos graduados.

Sempre que possível, Capesius salientava alguma coisa boa sobre si mesmo: "Fiz o melhor que pude pelos prisioneiros que trabalhavam no dispensário. Conseguia lhes fornecer cotas extras de alimentação, e suas refeições eram secretamente cozinhadas no sótão".[19] Em outra oportunidade, ele contou uma história de autenticidade duvidosa, mas que lhe era bem útil. Capesius se vangloriou de ter sido o oficial da ss responsável por iniciar o combate ao surto de tifo em Auschwitz. Isso porque o dr. Wirths, o médico-chefe, o enviara a Berlim na primavera de 1944 para visitar um amigo, o dr. Josef Becker, no Hospital Central Militar. Wirths, alegou Capesius, tinha ordenado que ele "buscasse setenta ampolas para tratamento de tifo". Ele e Becker acrescentaram três zeros à quantidade ordenada, e Capesius então acabou levando consigo 70 mil ampolas. "Durante quatro anos, o tifo foi uma grande ameaça no campo", declarou o farmacêutico. "Houve uma nova epidemia entre os prisioneiros. As ampolas foram distribuídas conforme a necessidade. Depois de dois meses, o tifo havia sido erradicado."[20]

Capesius sabia que seu relato não poderia ser verificado. Wirths estava morto, assim como Becker, e a maior parte dos registros do Hospital Central Militar, em Berlim, fora destruída em um bombardeio dos Aliados no fim da guerra. Sobre grande parte do que dissera, Capesius não entrou em detalhes. Em suas audiências de desnazificação, ele aprendera que, quanto mais precisa a informação, mais fácil seria para a promotoria encontrar mentiras e contradições posteriormente.

Kügler não era tão plácido a ponto de permitir que Capesius controlasse o tom e a temperatura da audiência. O promotor trouxera consigo uma imensa pilha de papéis e pastas, de onde tirou um livro fino intitulado *I was a doctor in Auschwitz* [Fui uma médica em Auschwitz], escrito por Gisella Perl, uma prisioneira-médica judia que havia trabalhado com o dr. Mengele. Ela escreveu 189 páginas detalhando os horrores dos experimentos médicos de Mengele em Auschwitz, em 1948. Antes da guerra, ela era pediatra em Sighet, na Romênia, e mencionou Capesius várias vezes em seu relato publicado. Perl o conhecera em 1943, quando ele era representante comercial da Farben/Bayer e lhe fez uma visita comercial. Ao ser despachada com sua família em vagões de carga para Auschwitz, na primavera de 1944, Perl reconheceu Capesius na cabeceira da linha férrea. Ela não sabia quem era o oficial da ss ao lado do farmacêutico, porém mais tarde descobriu ser Mengele, com quem foi designada a trabalhar. Tanto Capesius quanto Mengele ficavam na frente da longa fila formada pelos prisioneiros recém-chegados.

Eles mandaram Perl e o irmão para a direita. O pai fora mandado para a esquerda, para as câmaras de gás.[21]

Kügler leu um trecho do livro:

> "Médicos judeus, saiam da fila!", ordenou o médico-chefe, o dr. Mengele. "Vamos montar um hospital."
>
> Junto com alguns outros, eu dei um passo à frente e fiquei cara a cara com o dr. Capesius, que estava ao lado do médico-chefe. Eu tinha acabado de me recuperar de uma tentativa de suicídio malsucedida. Minha cabeça havia sido raspada e os trapos sujos que cobriam meu corpo não disfarçavam minha penalizante condição de fraqueza. Por um segundo, não pude acreditar em meus olhos. Em um lampejo, vi minha casa, meu filho segurando o violino sob o queixo, meu marido e nosso convidado [Capesius] escutando atentamente. Essa cena se desenrolou diante de meus olhos enquanto o rosto dele sorria, impiedoso, e então a escuridão se abateu sobre tudo. Quando voltei a mim, estava deitada no chão do meu bloco e mandavam que eu me apresentasse imediatamente a Capesius.
>
> Ele me olhou da cabeça aos pés e sorriu mais uma vez. Quando falou, sua voz era gélida e carregada de ironia. Minha repugnância era tão grande que no início não consegui entender o que ele dizia. Sua voz, no entanto, conseguiu penetrar na minha consciência.
>
> "Você vai ser a ginecologista do campo", ele latiu. "Não se preocupe com os instrumentos. Não haverá nenhum. Seu kit médico agora me pertence, assim como aquele peculiar relógio de pulso de que gostei. Eu também estou com seus documentos, mas você não precisará deles. Pode ir."
>
> Eu nunca mais o vi.[22]

Claro que o relato de Perl pegou Capesius de surpresa.

"Não me lembro de nenhuma mulher em específico, muito menos da dra. Gisella Perl", ele falou devagar, depois de um breve silêncio. "Mas não posso afirmar que eu não a tenha conhecido." Muito mais tarde, Capesius tentaria difamar Perl ao contar a um jornalista que "Mengele precisava de embriões [para pesquisas] (...) então Perl fez vários abortos até conseguir um vivo e viável".[23] Na verdade, quando Perl "soube que eles (a mãe e o recém-nascido) haviam sido levados para o bloco de pesquisas para serem usados como cobaias, e que duas vidas seriam jogadas no crematório, decidi que nunca mais haveria uma mulher grávida em Auschwitz... À noite, no chão sujo, usando apenas as minhas mãos imundas (...) fiz partos prematuros centenas de vezes, e ninguém nunca saberá o que significou para mim destruir aqueles bebês, mas, se eu não tivesse feito isso, tanto a mãe quanto a criança teriam sido cruelmente assassinados".[24]

Capesius novamente ficou em silêncio, tentando recuperar a compostura. Tendo jurado minutos antes não conhecer Perl, ele de repente negou "ter pegado o que quer que fosse dela. Tenho certeza de que nunca tirei pertence algum de nenhum prisioneiro, especialmente um relógio de pulso para meu uso pessoal".

Ele estava em processo de negação total.

"Nunca fiz seleção alguma de prisioneiros na cabeceira da linha férrea em Birkenau", declarou. "O que aconteceu foi que os prisioneiros estavam na linha do trem no momento em que fui buscar remédios. Também estive presente algumas vezes quando os prisioneiros estavam sendo selecionados. As palavras de ordem 'direita' e 'esquerda' podiam ser ouvidas de longe, mas nunca tomei parte nisso."[25]

Capesius então apresentou um dos pilares de sua defesa: a afirmação de que ele se esforçara para fugir de ser escalado para a seleção de Birkenau, feita pelo chefe dos médicos de Auschwitz.

"O médico do campo, dr. Wirths, me disse que eu também deveria participar das seleções, e disso eu me lembro bem, foi no verão de 1944. Pelo que me recordo, a razão disso era o aumento da demanda de trabalho, de modo que todos estavam convocados [foi quando centenas de milhares de judeus húngaros estavam chegando]. Quando falei ao dr. Wirths que eu não queria fazer aquilo, que a tarefa fugia das minhas atribuições, ele ficou furioso e disse que ele era a maior autoridade ali, que, se eu me recusasse, ele podia me dar um tiro sem qualquer consequência legal. Não persisti na minha negativa, porque tive medo de ser morto. Nosso relacionamento não era bom, e eu não participava dos coquetéis dos demais oficiais da SS. Dirigi então até Birkenau, mas depois consegui escapar daquela função. Eu me ocupava apenas dos remédios."[26]

"Dr. Capesius, sua história parece difícil de acreditar", Kügler lhe disse. "Anteriormente você mencionou que os pacotes selecionados que continham remédios lhe eram entregues por um homem uniformizado. Contou também que, devido ao transporte em massa de judeus que chegavam e eram enviados para as câmaras de gás, os oficiais precisavam de sua ajuda na cabeceira da linha férrea. Fica difícil acreditar que você tenha conseguido evitar a tarefa dos outros médicos. Como explica isso?"

"Não há nenhuma contradição. Entre esses médicos havia alguns poucos que, diante dessa deprimente tarefa, começaram a beber e fariam qualquer coisa por uma Schnapps. Assim, consegui suborná-los com garrafas da bebida que eu havia comprado."

"Quem eram esses médicos?"

"Não consigo me lembrar do nome de nenhum deles. Possivelmente, o dr. Rohde ou o dr. Mengele. Um deles tinha o peito largo e era um homem grande, um verdadeiro gigante." (Em uma de suas flagrantes contradições, Capesius depois descreveria Mengele como um homem de 1,62m, isto é, dez centímetros mais baixo que ele mesmo, portanto muito longe de ser um "verdadeiro gigante".)

"Com que frequência você fazia isso?", Kügler insistiu.

"Dr. Wirths me falou uma única vez que eu teria que participar das seleções. Com frequência eu dava garrafas de Schnapps para os médicos. Naquela única vez, eu lhes dei a bebida para escapar do serviço. Naquela ocasião, eu disse alguma coisa ao médico, insinuando que não conseguiria fazer aquilo e que ele deveria fazer por mim para receber uma garrafa de Schnapps em troca."

Kügler mudou de assunto:

"Você teve alguma relação com o Zyklon B?"

"Não", Capesius nem piscou.

Kügler puxou mais alguns papéis. Agora ele tinha em mãos o relato de Ignacy Golik, um prisioneiro político do início de Auschwitz. Golik trabalhava como *Kapo* na clínica médica da ss quando Capesius foi enviado para o campo. De acordo com Golik, o farmacêutico era o responsável pelo Zyklon B guardado no depósito do dispensário, além de muitas vezes ter ajudado os oficiais da ss a levar de ambulância as embalagens do produto até as câmaras de gás.

No interrogatório, foi como se Capesius tivesse ensaiado sua resposta muitas vezes, apenas aguardando o momento em que a pergunta sobre o inseticida letal fosse formulada.

"Eu não tinha nenhuma relação com o Zyklon B. Nem mesmo lidei com essa substância para outros fins, como desinfestação de alojamentos. Segundo o que ouvi, o veneno era guardado em um abrigo. Por comentários de terceiros, posteriormente soube que, durante minha permanência em Auschwitz, o Zyklon B era usado para asfixiar prisioneiros (...). Só o que me resta é repetir que, enquanto estive em Auschwitz, em 1944, eu nada sabia sobre isso."[27]

Kügler perguntou sobre o testemunho sob juramento que um dos colegas farmacêuticos de Capesius, Fritz Peter Strauch, dera. Strauch também havia dito que, em outubro de 1944, o Zyklon B era armazenado no dispensário.

"Se Strauch disse que isso acontecia em outubro de 1944, ele se enganou."

Capesius argumentou que talvez a testemunha tivesse confundido o Zyklon B com o verde de Schweinfurt, uma mistura de sal, cobre e arsênico também conhecida como "verde-paris", usada como tinta no século XIX, antes de seus componentes altamente tóxicos a transformarem em um pesticida de uso difundido no século XX. O verde-paris foi usado no campo, sob supervisão de oficiais da SS, para "acabar com insetos".[28] Dessa forma, seria possível, sugeriu Capesius, que o verde de Schweinfurt é que fosse guardado no depósito do dispensário, mas ele não tinha certeza.

Kügler então passou para as acusações de que Capesius era quem havia fornecido as drogas para os médicos que as utilizaram em experimentos mortais. Em seu depoimento, Golik acusara Capesius de fornecer fenol, na maioria das vezes para Josef Klehr, o chefe da eufêmica Unidade Técnica de Desinfecção de Auschwitz. O fenol era usado para matar prisioneiros com uma injeção no coração. Capesius alegou que só tomara conhecimento do nome de Klehr em um recente relato e que "durante o serviço no campo de Auschwitz (...) não sabia que os prisioneiros recebiam essas injeções. Hoje, pela primeira vez, ouvi do investigador que as injeções utilizadas no campo de Auschwitz eram de fenol".

Stanisław Kłodziński, um médico-prisioneiro da Polônia, denunciou que Capesius foi quem havia fornecido o Evipan que o dr. Werner Rohde usara em um atabalhoado experimento que matou quatro prisioneiros. Dessa vez, Capesius admitiu que Rohde lhe pedira morfina, Evipan e um litro de café.

"Ele [Rohde] me disse que queria fazer uma experiência que permitisse, por exemplo, que um espião se servisse inocentemente de café batizado com alguma substância indutora do sono e, com a ajuda do Evipan, rapidamente ficasse apagado por um período maior. Assim, com a ação da morfina, o suspeito poderia ser transportado sem oferecer resistência."

Capesius reconheceu que "estava claro que o dr. Rohde havia feito essa experiência em prisioneiros".

Ele, no entanto, alegou que "não se preocupou na época", porque não deu a Rohde grandes quantidades de morfina ou de Evipan, fora que "o café e os narcóticos não foram misturados na farmácia". Só mais tarde ficou sabendo que um prisioneiro grego tinha morrido de parada cardíaca em função da mistura que ele fornecera. "Mas não foi possível determinar o que provocou essa parada cardíaca", justificou.[29]

Além das drogas que Capesius pode ter disponibilizado para experiências, o que dizer da acusação de que negara remédios aos prisioneiros? Kügler começou a ler o depoimento de Ludwig Wörl, um dissidente político alemão que foi um dos primeiros detentos em Auschwitz. Wörl trabalhava no escritório do médico-chefe e disse que era de conhecimento geral que o único interesse de Capesius era achar itens de valor entre os pertences pessoais dos prisioneiros recém-chegados ao campo. Capesius, acusava Wörl, confiscava todos os remédios que encontrava e se recusava a "desperdiçá-los" com prisioneiros. As medicações eram guardadas para uso exclusivo da ss.

Capesius fingiu surpresa.

"Isso não está correto. Esses remédios não eram usados em enfermos da ss em Auschwitz, mas sim distribuídos apenas para os prisioneiros do campo." Como se isso não bastasse para convencer a Corte, ele complementou: "Até os melhores remédios que eu recolhia eram mantidos longe dos oficiais da ss".[30]

À medida que a longa sessão ia se aproximando do fim, o juiz perguntou a Capesius se ele tinha mais alguma coisa a acrescentar. Ele aproveitou a oportunidade para falar novamente do Zyklon B:

"Em minha defesa, gostaria de acrescentar o seguinte: em uma audiência diante da Corte Militar em Nuremberg, pelo que posso me lembrar agora, o réu principal era o dr. [Karl] Brandt. A forma como se usava o Zyklon B nas câmaras de gás e como era fornecido ao campo foi analisada. Ali ficou claro que o farmacêutico em Auschwitz, e especialmente eu, no ano de 1944, não tivemos a menor relação com isso. Peço que consultem urgentemente os autos."[31]

As várias horas de perguntas e respostas que se seguiram resultaram em um notável documento de catorze páginas, com espaçamento simples, intitulado "Interrogatório da Promotoria", que Capesius assinou.[32]

No dia seguinte, 5 de dezembro, dois detetives escoltaram Capesius em um trem expresso para percorrer a curta distância entre Göppingen e a prisão de Hammelsgasse, em Frankfurt. Ele foi posto em uma cela com três estrangeiros. "O mais velho conhecia todas as vírgulas do código penal e cometia somente roubos que o fizessem ficar pelo menor tempo possível na prisão", lembrou Capesius. Ele conversou com esse homem e com os outros dois "bandidos porque queria provar minha inocência... que seria liberado".[33]

Capesius teve pouco tempo para convencer seus colegas de cela de que havia sido acusado por engano. Dois dias depois de chegar em Hammelsgasse, ele foi levado a outra audiência, mais uma vez na presença do promotor público Joachim Kügler.

Capesius começou a audiência deixando o juiz ciente de que a declaração de catorze páginas que ele assinara havia alguns dias fora "lida duas vezes para mim pelo promotor Kügler e pelo magistrado de Göppingen que me interrogara. O depoimento registrado está correto".[34]

Ele concordou em responder a mais perguntas. E aproveitou a oportunidade para detalhar seu depoimento anterior. Em algumas ocasiões, ele se mostrava mais do que cooperativo, em outras, arrogante. Mais uma vez, em todos os relatos apresentados pela sindicância de Bauer, ele negou ser diretamente culpado. Quanto a participar da seleção entre vida e morte dos prisioneiros recém-chegados na rampa de acesso da linha férrea, Capesius repetiu que não tivera opção, já que o dr. Wirths ameaçara até mesmo lhe dar um tiro caso ele se recusasse a fazê-lo. Dessa vez, contudo, ele mudou a história de como havia subornado alguns médicos desconhecidos com garrafas de bebida para que fizessem a seleção no lugar dele na rampa. Em seu testemunho original, quando Kügler perguntou quais médicos ele subornara, Capesius havia dito: "Não consigo me lembrar do nome de nenhum deles. Possivelmente, o dr. Rohde ou o dr. Mengele".

Por alguma razão, após um intervalo de 72 horas sua memória havia melhorado muito. Sem hesitar, ele agora dizia que apenas um único médico, o dr. Fritz Klein, seu amigo húngaro e colega da SS, "ficara no meu lugar nas seleções".[35] Klein havia sido executado por crimes de guerra em dezembro de 1945. O que quer que Capesius dissesse sobre ele, portanto, não poderia ser corroborado. Será que durante os poucos dias entre sua primeira audiência e esta última, Capesius se lembrou do que lhe havia sido informado, em 1946, por vários alemães étnicos julgados com Klein? Eles haviam lhe revelado um segredo quando ficaram detidos juntos pelos britânicos: que Klein "encarara a morte com tranquilidade" e estava "contente" que, "por sua intercessão em Auschwitz, pudera isentar o dr. Capesius de culpa". Capesius então interpretou que Klein também estivesse provavelmente disposto a ser seu álibi nas seleções na rampa de acesso da linha férrea.

E quanto a testemunha que o vira na rampa? Tudo aquilo, Capesius disse "não ser verdade".[36]

Ao ser pressionado outra vez a respeito do Zyklon B, ele se ateve à defesa de que "as embalagens nunca foram minha responsabilidade, tampouco distribuí-las".[37] Quando o juiz perguntou se o Zyklon B era armazenado no mesmo local onde Capesius guardava seus suprimentos da farmácia, ele evitou uma resposta direta. Preferiu dizer apenas que as provisões médicas ocupavam "talvez apenas metade da sala".[38]

O juiz pareceu não acreditar que Capesius não soubesse o que era armazenado na outra metade daquele mesmo recinto.

"Conforme você mesmo admitiu, você trabalhou entre oito e nove meses como farmacêutico no campo de Auschwitz. Parece-me difícil acreditar que não tenha tido curiosidade, durante todo esse tempo, ou mesmo descoberto de alguma maneira, o que havia na outra parte da sala, dividindo espaço com seus suprimentos."

"Eu realmente não sei o que era armazenado ali", respondeu Capesius de forma pouco convincente.

Quando o assunto chegou na questão sobre Capesius ter distribuído a droga chamada Evipan, que o dr. Rohde havia utilizado em seu experimento mortal, ele manteve firme a história de que fornecera apenas "uma dose não letal". A única afirmação diferente do que ele dissera dias antes foi de que o "prisioneiro grego do dr. Rohde (...) morrera de infarto", sendo que ele relatara anteriormente que o homem havia morrido de parada cardíaca.[39]

Ao encerrar, Capesius aproveitou a oportunidade e fez uma abrangente defesa nos autos: "Nego ter feito qualquer coisa errada enquanto fui farmacêutico em Auschwitz".

Apesar de parecer calmo e controlado na audiência, Capesius posteriormente escreveu que estava "em choque" nos primeiros dias depois de sua prisão. Colocado em uma cela individual sob vigilância, para evitar suicídio, ele resumiu sua rotina naquelas primeiras semanas a "confinamento e passeios solitários no pátio, ou na companhia de espiões e informantes". Passado algum tempo, disse que o isolamento "acabava com seus nervos".[40]

De sua cela, Capesius escreveu para Eisler suplicando que lhe "escrevesse cartas tão melosas ou secas quanto quisesse", porque "ser inocente diante de Deus era totalmente irrelevante para a justiça".[41]

## "A banalidade do mal"

Capesius estava desanimado por passar a véspera do ano-novo de 1960 na prisão. Sua melancolia era amenizada, no entanto, pela esperança de que o caso contra ele não conseguisse se estruturar, da mesma forma que acontecera catorze anos antes, quando foi detido pelas forças norte-americanas. Uma das razões para sua confiança era que ele havia contratado Fritz Steinacker e Hans Laternser, advogados bem-sucedidos em casos de acusações de crimes de guerra. Steinacker, de quarenta anos, havia sido membro do Partido Nazista e servira à Alemanha como piloto de bombardeio. Ele era o sócio minoritário do escritório. Laternser era o lendário advogado que defendera o alto-comando do Exército e o pessoal da Wehrmacht nos principais julgamentos de Nuremberg. Ele também fora o chefe da defesa de Max Ilgner no julgamento da Farben e representara o general Albert Kesselring, que havia ordenado o massacre de *partisans* em Roma. Capesius não era seu cliente mais controverso. A família de Mengele também havia contratado a dupla, em 1959, para apelar contra o indiciamento do doutor fugitivo.

Capesius era o único réu até aquela data que tinha condições de pagar por uma equipe jurídica particular. Ninguém, nem mesmo seus advogados, sabiam que a maior fonte de renda do farmacêutico era o ouro e os pertences de valor que ele roubara em Auschwitz. Steinacker e Laternser asseguraram a Capesius que estavam preparados para contestar firmemente, em cada passo do processo, o caso contra ele. Bauer, porém, não estava com pressa para montar um caso que não fosse levar à condenação. Em 1960, apenas sete homens da ss em Auschwitz tinham enfrentado a justiça alemã. Os promotores não tiveram muito do que se vangloriar em relação a esses casos. Naquele ano, por exemplo, dr. Johann Kremer, que mantivera um diário enquanto esteve em Auschwitz, foi considerado culpado pelo Tribunal de Münster. No entanto, por Kremer ter passado dez anos preso na Polônia, o juiz alemão o pôs em liberdade logo após sua condenação por "tempo de serviço". Em um dos casos mais esperados para ir ao tribunal, o do dr. Carl Clauberg — de quem Capesius era amigo em Auschwitz —, o processo judicial foi tão demorado que Clauberg morreu na prisão antes mesmo de o julgamento de fato ter início.

Com suas investigações, Bauer pretendia ir além de apenas levantar acusações contra vários réus. Ele sabia que cerca de 7 mil a 8 mil oficiais da ss haviam participado da administração de Auschwitz, então se deu conta de que só seria possível julgar uma pequena fração deles. Mas o impacto ainda seria imenso. Bauer imaginou que se conseguisse encontrar e indiciar nazistas o suficiente, reunindo seus respectivos casos em um único julgamento, o processo de arbitragem poderia ser a grande e catártica confrontação do país com seu passado vexatório. Ele queria não apenas expor os assassinatos cometidos pelos oficiais de patentes mais baixas, mas também julgar a hierarquia da ss que criara o "Complexo de Auschwitz". Seu ambicioso objetivo era que a Corte alemã de justiça reconhecesse os crimes do Holocausto e que esses crimes fossem apresentados por promotores alemães e julgados por juízes alemães.[1]

Capesius e sua bancada de defesa apostavam no difundido sentimento alemão de esquecer o passado. A falta de apoio da população, conjecturava Capesius, poderia fazer com que as investigações de Bauer eventualmente morressem sem que nem chegassem a ir a julgamento. Para seu desânimo, no entanto, naquela primavera um espantoso fato reacendeu o interesse da população pelos crimes nazistas e pelo destino dos criminosos impunes. Uma unidade de operações especiais de Israel realizou uma missão secreta digna das páginas de uma história de espionagem das mais populares. Em 11 de maio de 1960, Adolf Eichmann — oficial da ss responsável pela deportação de milhões de judeus para os campos de extermínio — acabava de terminar seu turno na fábrica da Mercedes-Benz, nos subúrbios de Buenos Aires, na Argentina. Ele então embarcou em um ônibus rumo à sua modesta casa na rua Garibaldi. Quando saltou da condução, ele não percebeu que havia um carro parado ali por perto, em cujo motor dois homens pareciam estar mexendo. Ele também não notou um outro carro, parado próximo ao ponto de ônibus, com três homens no interior. Ao passar pelo primeiro carro, as portas de trás se abriram e quatro homens o agarraram e o puxaram para dentro. O sequestro levou menos de um minuto. Antes de ser amarrado e amordaçado, ele apenas conseguiu dizer: "Estou resignado a meu destino".[2]

Os sequestradores levaram Eichmann em segredo para Israel, onde o Estado judeu anunciou a intenção de julgá-lo por genocídio e crimes de guerra. Foi um momento eletrizante e serviu de motivação para os caçadores particulares de nazistas — os famosos Simon Wiesenthal, de Viena, e Serge e Beatte Klarsfeld, de Paris — acelerarem as buscas por fugitivos como Mengele e Franz Stangl, o comandante de Treblinka. De repente, os crimes relacionados à Solução Final estavam novamente no centro das atenções.

Ninguém sabia que, por trás dos panos, Fritz Bauer desempenhara um papel fundamental para colocar Eichmann nas mãos dos israelitas. Lá atrás, em setembro de 1957, Bauer mandara um telegrama secreto para Isser Harel, chefe do Serviço Secreto de Israel, compartilhando informações que sugeriam que Eichmann estava escondido na Argentina.

"Bauer me disse que ninguém mais sabia disso", contou Harel. "Ele disse que não confiava no Departamento de Relações Exteriores [da Alemanha] nem na embaixada de Buenos Aires. Afirmou que éramos os únicos de quem se podia esperar alguma ação em decorrência daquela informação."[3]

A descoberta de Bauer se deu por meio de um judeu alemão, Lothar Hermann, que vivia em uma longínqua cidade argentina chamada Coronel Suarez. Um jovem alemão de Buenos Aires, Nicholas Eichmann, vinha dando em cima da filha de dezoito anos de Hermann. Com base em algumas coisas que Nicholas dissera à garota, Hermann escreveu uma carta a Bauer apresentando suas suspeitas.

Os israelitas, contudo, não ficaram convencidos da veracidade dessa pista. Só em dezembro de 1959 — mesmo mês em que Capesius havia sido preso — Bauer voou para Jerusalém e prestou queixa ao advogado-geral de Israel. Ele revelou que um informante da ss recentemente denunciara o nome falso de Eichmann: Ricardo Klement. Bauer também entregou as plantas e as chaves de seu escritório em Frankfurt para o Mossad, o Serviço Secreto de Israel, para que pudessem pegar uma cópia do arquivo de Eichmann. Cinco meses depois, Eichmann foi capturado.[4]

Embora o Caso Eichmann tivesse renovado as energias dos caçadores de criminosos nazistas, ainda havia pessoas proeminentes que se opunham aos planos de Bauer de realizar um julgamento espetacular. Em especial, Helmut Kohl, de 31 anos, que na época representava o estado de Mainz e que, anos depois, viria a ser chanceler da Alemanha. Ele defendia uma visão popular de que o colapso do Terceiro Reich ainda era historicamente muito recente para que fosse possível a realização de um julgamento imparcial.

Bauer já esperava encontrar resistência entre os líderes políticos alemães. O que o surpreendeu, na verdade, foi um significativo obstáculo jurídico. Em 1960, no mesmo ano em que as Operações Especiais de Israel capturaram Eichmann, o *Bundestag* anulou todos os decretos criados pelos Aliados. Isso tornou mais difícil perseguir criminosos nazistas sem que houvesse provas de assassinato deliberado.[5] Na prática, essa mudança na lei significava que, se o réu estivesse obedecendo a ordens, ele só poderia ser acusado de cúmplice do crime. Na Alemanha pós-guerra, isso se traduzia em uma pena máxima de dez anos. Quando tal lei foi aplicada no julgamento de um assassino da KGB que matara vários agentes secretos na Alemanha Ocidental, a Corte determinou que, em um regime totalitário, apenas os oficiais mais graduados, isto é, de quem partiam as ordens, deveriam ser responsabilizados pelo crime. Como o assassino da KGB seguira ordens de Moscou, a Corte alemã o sentenciou somente como cúmplice dos homicídios. Esse precedente deixava claro que, se aplicado aos crimes do Terceiro Reich, apenas uma dúzia de oficiais da elite nazista seria incriminada pelos assassinatos.[6]

Para contornar a lei, Bauer então teria de provar que os acusados tinham matado por vontade própria em Auschwitz, agindo de forma individual e isolada de ordens recebidas. Caso contrário, todos seriam indiciados apenas como cúmplices.

Durante 1960, Bauer e sua equipe trabalharam incansavelmente para criar uma lista curta de réus que representassem o esqueleto da máquina de assassinatos de Auschwitz. Os criminosos mais qualificados que Bauer gostaria de ter incluído nessa lista, entretanto, haviam morrido, ou estavam foragidos. O comandante Rudolf Höss e Arthur Liebehenschel tinham sido condenados e enforcados na Polônia, em 1947. Ainda assim, Bauer ficou satisfeito por conseguir localizar, em abril, Stefan Baretzki, um líder brutal de um dos blocos da SS.

Capesius e seus colegas da SS que já haviam sido presos estavam bem cientes de que Bauer procurava por nomes específicos antes de seguir adiante com o caso. Em uma carta escrita à mão a Gerhard Gerber, o segundo farmacêutico de Auschwitz, em junho de 1960, Capesius fala desse e de outros problemas da promotoria. Gerber ainda estava solto e havia se reunido à sua família depois da guerra, logo voltando a trabalhar em uma drogaria.

"Eles estão tentando transformar os julgamentos de Auschwitz em um espetáculo", Capesius alertara Gerber. "Estão tentando achar 950 pessoas, de acordo com a lista. Se alguém é suspeito de ter feito qualquer coisa, será trazido a Frankfurt. Até agora, acharam 26 desses nomes em dois anos, então parece que as investigações podem demorar bastante tempo. Eu sou o único oficial de patente [alta] de Auschwitz. Todos os outros presos são suboficiais. O *Unterscharführer* Pery Broad, que antes era o responsável por conduzir as investigações, é o único preso aqui que lhe envia saudações, já que é seu único conhecido."[7]

Capesius escreveu — algumas vezes erroneamente — para alguns dos mais proeminentes médicos de Auschwitz que "ainda estavam vivos, mas cujo endereço era desconhecido". Na verdade, Mengele ainda estava foragido na América do Sul, e o dr. Bruno Weber vivia na Alemanha Oriental. Capesius também citou Horst Fischer e Werner Rohde, mas Rohde tinha sido executado pelos britânicos em 1946, e Weber — que havia sido julgado e absolvido depois da guerra — morrera de causas naturais em 1956.

"Quarenta pessoas [que serviram] em Auschwitz [já foram] enforcadas: médicos, comandantes e *Oberscharführers*", Capesius contara a Gerber. Ele assegurou, no entanto, que "os dentistas estavam em liberdade", inclusive informando a ele que "falara com o dr. Schatz e o dr. Frank". A boa-nova era que o dr. Münch, "do Departamento de Higiene, estava morando perto de Munique, e, como tinha sido absolvido, estava livre para retomar sua profissão".

Capesius então começou a discutir a sina dos homens da ss que trabalharam com Gerber e com ele em Auschwitz e que, por isso, tinham conhecimento direto do que haviam feito no campo. "Walter Berliner, [Fritz Peter] Strauch e [Paul] Reichel morreram. Wirths se enforcou. Dr. Lolling tomou veneno", comentou Capesius, "o *Unteroffizier* Frymann e o *Rottenführer* Dobrzański não foram localizados".

Carl Blumenreuter, um *Gruppenführer*, estava vivo, mencionou Capesius. Assim como eles, Blumenreuter havia recebido treinamento para farmacêutico na Waffen-ss. Ele havia sido chefe do Escritório Médico de Berlim, responsável por todos os serviços farmacológicos dos campos de concentração. Exercendo essa função, ele mantivera contato regular com Capesius em Auschwitz. Depois da guerra, quando os britânicos soltaram Blumenreuter, ele se mudou para Grömitz, perto do mar Báltico, onde se tornou diretor da farmácia de um hospital. Visto que criara uma nova vida para si e sua família na Alemanha do pós-guerra, não foi nenhuma surpresa quando Capesius escreveu que "ele não testemunharia a nosso favor por *falta de conhecimento*".[8]

Entretanto, o objetivo dessa carta extraordinária era mais do que simplesmente informar um ex-colega de Auschwitz sobre o destino de outros que também tinham servido no campo. Steinacker e Laternser haviam avisado a Capesius de que as autoridades judiciais liam as cartas que saíam e chegavam. Sabendo disso, Capesius viu uma oportunidade de dar início à sua defesa. E, ao fazê-lo, não apenas reforçou sua alegação de inocência diante dos promotores, mas também avisou a Gerber do que ele dissera às autoridades. Dessa forma, quando Gerber eventualmente fosse interrogado, poderia contar a mesma história.

Quanto à acusação de que ele armazenara e distribuíra Zyklon B, Capesius lamentou que aquilo fosse um problema apenas por causa do testemunho que seu prisioneiro-assistente de confiança, Fritz Peter Strauch, dera em 1949, no julgamento de Guntrum Pflaum, um oficial da ss responsável pelo Controle de Pestes em Auschwitz. Capesius escreveu que Strauch tinha "dito que o dispensário usava Zyklon B sem as salvaguardas necessárias. Depois da morte dele [Strauch], isso [seu testemunho] voltou para me assombrar".

Capesius então sinalizou para Gerber que essa era a melhor defesa: "Eu afirmei que o Zyklon B não era armazenado no dispensário nem administrado ou manuseado por nós. E que nunca nenhum de nós (...) buscou o Zyklon B (...). Neguei [tudo isso], uma vez que nenhum dos nossos materiais de trabalho jamais fora guardado ali. Peço que você também argumente sobre isso".

Capesius sugeriu a Gerber que, quando ele fosse eventualmente interrogado, talvez se saísse melhor falando do tempo que ficavam longe de Auschwitz em vez do que acontecia por lá.

"O que falei a nosso respeito é que quando estávamos de folga íamos à casa de Armin Rump, o farmacêutico da cidade de Auschwitz, aquele que se mudou de Bucovina para Vatra Dornei. E que eu também costumava passar alguns fins de semana com o dr. Schatz, visitando os Stoffel na fazenda Csechischowa; a família agora vive em Munique."

Na carta, Capesius se vangloriou de ter prontamente se negado a admitir que tivesse participado de qualquer seleção na rampa de acesso da linha férrea. E quando os promotores disseram que tinham testemunhas para provar o contrário, ele alegou que "isso só provaria que estavam mentindo. Eu disse que minha testemunha facilmente refutaria essa afirmação".

Capesius não permitiu que sua carta tão conveniente para si mesmo fosse enviada sem um toque de autopiedade. Ele então se queixou do promotor do caso: "[Kügler] me recrimina, dizendo que é perda de tempo eu ficar demonstrando ser um ser humano decente e solícito, como na ocasião em que eu disse ter ajudado os prisioneiros de todas as maneiras que me eram possíveis. Ele diz que essa não é a questão e que isso não me trará nenhuma vantagem". Capesius ainda acrescentou que ficou chateado quando Kügler soube de sua reunião com os dois dentistas do campo, o dr. Frank e o dr. Schatz, depois da guerra, e não deu valor a esse encontro por não ter sido mencionado quando Capesius fora interrogado pela primeira vez. "Ele provavelmente acha que estou escondendo alguma coisa", Capesius escreveu, "talvez que eu e você tenhamos partilhado o ouro dos dentes."

Ao incluir tal referência, Capesius garantiu a total atenção de Gerber. Ele ainda revelou que os promotores tinham perguntado sobre o colega em "seu primeiro interrogatório". E acrescentou que "a única coisa incriminadora aqui é o intervalo entre 1º de julho e 15 de outubro de 1944, o período do transporte dos húngaros, já que Hermann Langbein alegou, em seu testemunho, ter visto uma escala de serviços em que nós dois estaríamos listados".

Havia uma razão para passar essa informação adiante: ele esperava minar a credibilidade de Langbein. Capesius contou a Gerber que acreditava que Langbein, que era "um comunista tradicional", havia tirado sua equipe das listas de pessoas a serem mortas por injeções nas enfermarias (...) e a trocado por judeus".

E aí Capesius pediu ajuda.

"Se souber alguma coisa sobre isso, um pequeno depoimento incriminador seria importante. Nada sério irá acontecer a eles, desde que o assassinato de pessoas passou a ser regulado pelo estatuto de limitações em 20 de junho de 1960. Ainda assim, em Frankfurt eles teriam menor credibilidade como testemunhas da promotoria."

A carta de Capesius realmente fez com que o pessoal de Bauer adicionasse Gerber à investigação, mas, em 1960, ele estava longe de ser uma prioridade na lista dos advogados. Os promotores ainda tinham esperanças de conseguir encontrar um único oficial de alta patente que pudesse despertar o interesse público. Em novembro, o escritório de Bauer conquistou uma vitória ao prender Robert Mulka, o antigo *Obersturmführer* que servira por um ano como braço direito de Rudolf Höss, o famoso comandante de Auschwitz. Bauer localizara Mulka, por sorte, havia apenas alguns poucos meses. No início de setembro, um promotor iniciante lera em um jornal de Frankfurt que o ganhador da medalha de bronze da equipe de remo da Alemanha Ocidental nas Olimpíadas de Roma era Rolf Mulka. Mulka não é um sobrenome comum na Alemanha, então o promotor resolveu investigar a família do atleta. O pai dele era um ex-oficial da ss que era então responsável por um negócio de importação e exportação em Hamburgo (dois anos mais tarde, Rolf Mulka abandonou a carreira de esportista profissional para ajudar na defesa do pai).[9]

Mulka era o nome de maior relevância até aquela data. Não havia dúvidas, porém, de que a cereja do bolo seria o homem com a patente mais alta da ss de Auschwitz, o último comandante do campo, o *Sturmbannführer* Richard Baer, que ainda não havia sido localizado. Ele teria em torno de 49 anos se ainda estivesse vivo, mas desaparecera após o término da guerra e ninguém nunca havia encontrado nenhuma pista dele. Somente em fins de 1960 — depois que retratos de Baer foram divulgados com grande frequência pela imprensa alemã, como parte do esforço para localizá-lo — o escritório de Bauer conseguiu uma pista. Um guarda-florestal que trabalhava na propriedade de Otto von Bismark, neto do lendário líder político que unificara a Alemanha no século XIX, achava que seu colega de trabalho pudesse ser Baer. O homem dizia se chamar Karl Neumann era introvertido e sempre que se falava da guerra, Neumann dizia apenas que tinha sido cozinheiro do chefe da Luftwaffe, Hermann Göring.

Em dezembro, Joachim Kügler, o promotor público, dirigiu-se até a pequena cidade de Dassendorf, vizinha das terras de Bismarck, e prendeu Neumann nas entranhas da floresta. Foi apenas depois de muitas horas insistindo que tinham pegado o cara errado que Neumann confessou ser o comandante de Auschwitz há muito procurado.[10]

Essa prisão foi um triunfo para a promotoria. Baer era um nome de peso e daria um novo impulso para o julgamento espetacular que tanto desejavam realizar. Por coincidência, fazia um ano que Capesius havia sido preso. Sua atrevida convicção inicial de que sua liberação seria rápida havia desaparecido. E a previsão de que estaria em casa até o fim do ano, com suas acusações retiradas, provara-se terrivelmente improvável.

No início de 1961, o escritório de Bauer prendera treze oficiais da SS que haviam servido em Auschwitz. Sete estavam soltos por fiança, mas Capesius era um dos encarcerados que não iria tão cedo a parte alguma. Naquela primavera, Bauer começou a preparar uma detalhada investigação preliminar (*Voruntersuchung*), etapa necessária antes de qualquer indiciamento na Alemanha. Em papéis que preencheu em julho, ele listou 24 possíveis suspeitos, incluindo Capesius.[11] Enquanto isso, o escritório de Bauer tinha que avaliar se havia provas suficientes para levar todos eles a julgamento. Nesse meio-tempo, a polícia e outros investigadores continuavam a procurar por ex-oficiais da SS que tivessem servido no campo, na esperança de aumentar o número de réus.

Em 11 de abril, Bauer e sua equipe estavam extasiados, como muitos alemães, com o julgamento de Adolf Eichmann em uma Corte local em Jerusalém. Acusado de crimes contra a humanidade, crimes de guerra e de ser membro de uma organização criminosa, Eichmann testemunhou dentro de um cubo de vidro à prova de bala. Ao depor em sua própria defesa, em um depoimento notadamente seco e sem emoção, ele explicou como sua eficiente burocracia de trens havia carregado milhões para a morte. Hannah Arendt, escritora e filósofa alemã que fez a cobertura jornalística do julgamento para a revista *New Yorker*, mais tarde escreveu um aclamado livro sobre o assunto, onde cunhou a expressão "banalidade do mal" para definir a atitude fria e tecnocrata de Eichmann.[12] O caçador de nazistas Simon Wiesenthal comentou à época: "O mundo agora compreende o conceito do crime de colarinho-branco".

Dois dias depois do início do julgamento, Capesius compareceu ao Tribunal de Frankfurt acompanhado de seu advogado, Fritz Steinacker. Nessa audiência, em 13 de abril, o promotor Kügler pediu alguns esclarecimentos a Capesius.

O primeiro era sobre o Zyklon B, que Capesius, em sua prisão em 1959, alegara várias vezes nunca ter armazenado ou distribuído. Capesius iniciou sua fala reiterando a colocação de que a substância jamais havia sido armazenada em "sua farmácia ou em qualquer sala sob sua supervisão (...). Se alguma testemunha diz o contrário, está errada".[13] Quanto à nova evidência de que ele poderia ter assinado o recebimento de vinte caixas do veneno, ele intempestivamente declarou que era para uma visita da Cruz Vermelha a Auschwitz e que o conteúdo dessas caixas era um produto substituto de Ovaltine.[14]

Quando Kügler passou para o assunto das seleções, Capesius sabia que o promotor tinha uma lista crescente de depoimentos de sobreviventes que o conheciam de seu cargo de representante da Bayer e que tornaram a vê-lo na rampa de acesso da linha férrea em Auschwitz. Ele começou repetindo sua fala padrão: "Eu não fiz seleções na rampa nem uma única vez". E então acrescentou algo que revelou o cuidadoso preparo de Steinacker em relação a como Capesius poderia relatar seus atos de modo a aparentar maior inocência: ele alegou que, algumas vezes, quando chegava na cabeceira da linha do trem, "os pertences dos prisioneiros já tinham sido levados da rampa (...). Nessas ocasiões, ficávamos esperando para poder carregar as bagagens. Nessas ocasiões, eventualmente conversei com esses médicos que me reconheceram. Eu conhecia de nome quase 3 mil médicos judeus na Romênia por causa do meu trabalho para a I.G. Farben".

Em um monólogo um tanto incoerente, Capesius mais uma vez descreveu como o chefe dos médicos do campo o designara, contra sua vontade, para as seleções na rampa e como seu amigo, o falecido dr. Fritz Klein, supostamente assumira essas suas atribuições em troca de cotas extras de bebida.

Quando Kügler seguiu para as acusações de que Capesius intencionalmente fornecera Evipan para experiências letais conduzidas pelo dr. Rohde, o bom preparo da defesa também ficou evidente. Capesius alegou então que Rohde havia apenas levado os grãos de café até a farmácia e comentado sobre uma "receita médica". Dessa vez, ele negou com veemência saber que "qualquer droga seria usada em um prisioneiro".[15] Depois de sua prisão em 1959, Capesius declarara o oposto: "Ele [Rohde] me disse que queria fazer um experimento (...). Ficou claro para mim que o dr. Rohde fez tais experiências em prisioneiros".[16]

A audiência terminou com Steinacker fazendo um pedido de fiança de 100 mil marcos (25 mil dólares) para pôr fim à prisão preventiva de seu cliente. Capesius tinha esperança de que essa moção o libertasse das grades depois de quase dezoito meses. Mais tarde, ele confidenciou à família que ficou "destroçado" diante da recusa do juiz, que deliberou que o risco de fuga de Capesius era muito alto para liberá-lo.

De volta à cela, Capesius, melancólico, acompanhou o desenrolar do julgamento de Eichmann. A imprensa alemã fez uma cobertura exagerada. Um elemento-chave centrava a acusação contra Eichmann em deportações em massa de judeus húngaros para Auschwitz na primavera de 1944, baseado em testemunhos sob juramento de sobreviventes, que também se provavam problemáticos para Capesius e seus advogados.

A promotoria e a defesa de Eichmann finalizaram o caso em 14 de agosto de 1961. Nesse mesmo ano, Bauer teve sucesso em conseguir que Heinz Düx — um juiz de reputação impecável — fosse indicado como juiz revisor. Isso marcou a segunda fase da investigação de Bauer sobre Auschwitz. Pela lei alemã, uma vez que a promotoria considerasse ter reunido provas suficientes para seguir adiante, seus arquivos deveriam ser entregues a um juiz independente.[17] Era a missão de Düx fazer sua própria investigação, sem intervenção da polícia ou do escritório da promotoria. Isso exigia que ele revisse mais de cinquenta fichários grossos, repletos de testemunhos e de provas documentais. Antes de terminar sua tarefa, Düx ainda faria centenas de entrevistas diretamente com as testemunhas.[18]

Mas antes de chegar muito longe em sua nova missão, dois colegas da Corte de Frankfurt vieram visitá-lo. Düx relatou o ocorrido: "Eles pensaram que facilitaria meu trabalho se eu rejeitasse a jurisdição da Corte Regional de Frankfurt no caso de alguns dos acusados, pelo menos, já que eram muitos. Se eu seguisse esse conselho, poderia então contar com a ajuda da Administração da Corte. Era fácil ler nas entrelinhas que essa oferta não era destinada a reduzir a quantidade de trabalho, mas sim a evitar processos que iriam enfim documentar as estruturas de um campo de extermínio alemão, quinze anos após o fim da Segunda Guerra Mundial".[19]

Düx, com firmeza e educação, declinou. E quando se mostrou especialmente cheio de energia para desempenhar seu papel, um advogado da defesa tentou, sem sucesso, fazer com que ele fosse removido por "imparcialidade". Em outra circunstância, o ministro da Justiça se negou a ajudá-lo a obter os depoimentos das testemunhas que estavam atrás da Cortina de Ferro.[20]

O ano de 1961 terminou de forma assustadora para Capesius e seus colegas da SS que eram alvo do enorme processo de Bauer. Em 12 de dezembro, três juízes da Corte de Jerusalém declararam Eichmann culpado por crimes de guerra e por crimes contra a humanidade. Eles deliberaram que o réu tinha ido muito além de apenas seguir ordens e que também havia sido um dos arquitetos do genocídio. Três dias depois, em sessão, Eichmann foi a primeira pessoa na curta história de Israel, à epoca com apenas 39 anos de existência, a ser sentenciada à morte. Apesar de não haver pena capital na Alemanha, a notícia do destino de Eichmann fez com que os réus de Auschwitz que estavam presos sentissem calafrios.

Até Josef Mengele, foragido em um trecho de floresta tropical do Paraguai, a mais de 10 mil quilômetros de Frankfurt, ficou angustiado diante da incessante cobertura jornalística sobre Eichmann. Em um diário que manteve enquanto esteve foragido, Mengele registrou suas suspeitas de que, de alguma maneira, os judeus estivessem por trás da nova onda de interesse nos crimes nazistas: "É inacreditável o que é permitido publicar de forma caluniosa nas revistas alemãs. Esses veículos são a prova ilustrada da falta de caráter e atitude apropriada do atual governo alemão, que tolera tal profanação de si mesmo. A mentira política triunfa e o tempo e a história estão sendo distorcidos e vergados. As falácias de 'humanitarismo e cristandade' e 'de Deus' são as mais frequentemente citadas. Por trás de tudo isso só há uma coisa: o ódio do Velho Testamento voltado contra toda a consciência alemã, heroica e verdadeiramente superior".[21]

# "Eu não tinha poder para mudar nada"

Capesius estava desanimado no início de 1962. Já fazia mais de dois anos que estava preso. Suas custas legais continuavam crescendo, e nenhum advogado podia lhe dar uma estimativa efetiva de quando Bauer finalmente encerraria o caso ou anunciaria falta de provas para enfim soltá-lo. Como Steinacker e Laternser eram realistas, logo informaram a Capesius que a probabilidade de ele ser solto eram baixas. A promotoria tinha investido muito tempo e esforço no caso, e os olhos do mundo estavam postos neles, especialmente na esteira do julgamento de Eichmann. Era provável, portanto, avaliou Steinacker, que Capesius fosse a julgamento.

A partir de 10 de janeiro, Capesius teve a impressão de que seu caso estava progredindo rapidamente. Acompanhado de Steinacker, ele foi levado em um carro da polícia até o tribunal de Frankfurt. De acordo com a lei alemã, cada réu deve ser ouvido separadamente, uma vez pelo promotor, outra pelo juiz revisor. Era a vez do juiz Heinz Düx.

Antes do início da sessão, houve um momento dramático no tribunal, quando Capesius inesperadamente se viu cara a cara com Josef Glück, um dos judeus sobreviventes responsáveis pelas acusações.[1] Glück era um fabricante de tecidos romeno que havia sido um dos melhores clientes de Capesius em sua época na Farben, antes da guerra. Capesius o havia selecionado na cabeceira da linha férrea em Auschwitz no mês de junho de 1944. Naquela manhã de quarta-feira, no tribunal, a vítima e seu algoz se viram pela primeira vez depois de dezoito anos, enquanto um saía e o outro entrava na sala da audiência. Pessoas que presenciaram a cena posteriormente contaram que Glück ficou muito perturbado, apresentando "claros sinais de agitação". Ele anunciou: "É o Capesius! Ele continua com a mesma cara. Não perdeu peso algum. Eu o reconheço com absoluta certeza!".

Glück ficou tão alterado que teve dificuldades para falar. Ele ficou tão transtornado que confundiu o sorriso irônico de Capesius com uma cicatriz na boca. Quando Capesius se apressou para se afastar da porta, Glück estava "tão abalado... que rompeu em lágrimas".[2]

Capesius, por sua vez, pareceu não ligar para o encontro, pois estava ansioso demais pelo começo da audiência. Tal postura era resultado da frustração acumulada durante seu já longo encarceramento, além da crença equivocada de que ainda poderia de alguma maneira escapar da condenação.

A cada acusação, Capesius repetia o que já dissera e ocasionalmente apresentava mais algum detalhe novo. Ele muitas vezes negou com veemência certas conjecturas. "Nunca fui um dos selecionadores da rampa."[3]

Quando o juiz Düx perguntou especificamente sobre duas testemunhas que o haviam identificado como a pessoa que tomava a decisão de vida e morte nessas seleções, Capesius se viu inesperadamente vítima de uma péssima memória. Quanto a algumas testemunhas oculares, ele simplesmente alegou: "Não o conheço". Sobre outras, respondeu: "Não me lembro". Em determinadas ocasiões, ele apenas "negou" que tenha havido um encontro. Capesius também deu uma nova explicação para que tantas pessoas que o conheciam antes da guerra o reconhecessem na rampa de acesso da linha férrea: "Suponho que todas essas testemunhas estejam me confundindo com o dr. Klein. Ele era húngaro e falava o idioma melhor do que eu".[4]

A cuidadosa instrução que Steinacker dera a Capesius ficou explícita quando o réu entrou em detalhes daquilo que descreveu como resistência inicial à ordem recebida por Eduard Wirths para que ele participasse das seleções. Capesius agora alegava que Wirths não exigira que ele obedecesse porque: "Eu não tinha perfil militar. Minha educação militar na Romênia se resumia a um mês de treinamento básico. A propósito, eu era apenas farmacêutico que havia sido convocado. Acho que por essa razão Wirths não me considerava um oficial da SS ativo".[5]

Ele ainda acrescentou mais uma linha na sua história para ilustrar como estava desolado com a ordem de ter que fazer as seleções. Quando voltou ao dispensário, ele disse ter comentado com Jurasek, um prisioneiro-farmacêutico, que estava pensando em desertar.[6] Capesius mudou de ideia porque, mais tarde, naquele mesmo dia, o dr. Fritz Klein sentiu tanta pena dele que acabou assumindo seu lugar na seleção. Talvez tenha sido Steinacker quem convenceu Capesius de que seu testemunho anterior, que alegava que dr. Klein assumira sua escala por apenas uma garrafa de Schnapps, parecia muito pouco crível. Dessa vez, ele deu a entender que oferecera a Klein um pagamento maior, cedendo-lhe todos os seus *Marketenderware* (cupons extras de ração), inclusive os premiados, que davam direito a álcool, cigarros e alguns alimentos difíceis de conseguir.[7]

O juiz Düx percebeu que o novo testemunho de Capesius contradizia seus depoimentos anteriores, feitos sob juramento. Na primeira vez em que depôs depois de sua prisão, ele nem mesmo mencionara Klein. Na verdade, quando questionado sobre quais médicos tinham se voluntariado para substituí-lo no serviço de seleção, dissera: "Não consigo me lembrar do nome de nenhum deles".[8] Capesius também descrevera duas circunstâncias diferentes sobre como e onde ele supostamente teria se aproximado do dr. Klein e o convencido a assumir seus turnos na rampa de acesso da linha do trem.

Steinacker era um advogado experiente e sabia que o juiz e o promotor não deixariam passar nenhuma inconsistência. Por isso, havia cuidadosamente preparado seu cliente para elucidar qualquer possível contradição. Sem hesitar, Capesius argumentou que seus depoimentos anteriores não deveriam ser considerados, visto que ocorreram em um momento em que "ele estava em choque por ter sido preso sem aviso prévio e não soube se expressar com clareza". Mais ainda, ele disse ao juiz que Kügler o enganara, fazendo-o assinar um depoimento sob juramento sem que ele tivesse compreendido de fato seu teor, "já que não sabia ler taquigrafia". Capesius insistiu mais uma vez que assinara o depoimento incriminador de 4 de dezembro de 1959 porque pensou estar confirmando "aquilo que Kügler tinha acabado de dizer".[9]

"Não mencionei o dr. Klein no meu primeiro depoimento", disse Capesius mais tarde a um jornalista, "porque tive medo de incriminar as filhas dele na Romênia. Só voltei a falar nele porque fui informado de que não haveria graves consequências se eu o citasse."[10]

Sobre as acusações de que lucrara ao roubar itens de valor entre os pertences pessoais daqueles que foram mandados para a câmara de gás, Capesius insistiu que tudo isso não passava de calúnia. Ele admitiu ter levado 1.500 valises da cabeceira da linha férrea para o dispensário, mas alegou, de forma inacreditável, que o único item pessoal que ele pegara para si eram "alguns bons grãos de café".[11] Diante de todas as acusações que afirmavam que ele roubara pertences de prisioneiros, ele retrucava que aquelas denúncias estavam "incorretas" ou "faltavam com a verdade".

E ele novamente negou ter conhecimento de que o fenol armazenado em seu dispensário era usado pelos médicos da SS para matar prisioneiros. Segundo seu relato, ele só ficou sabendo disso pelo que havia escutado depois da guerra.[12] E, de qualquer maneira, Capesius disse ainda ao juiz Düx, o fenol era controlado por um de seus prisioneiros-farmacêuticos, Fritz Peter Strauch, que, é claro, estava morto. Capesius usou essa mesma desculpa para outro experimento que alegava desconhecer: o Evipan usado pelo dr. Rohde para matar vários prisioneiros. Aquela mistura "[também] era preparada por Strauch (...). Strauch era o responsável".[13]

Capesius pensava que tinha feito uma virtuosa performance de ofuscação, distorção, lapsos estratégicos de memória e um orquestrado esforço de transferir a responsabilidade de qualquer delito para um prisioneiro-assistente ou para colegas da SS convenientemente mortos. Steinacker não estava tão satisfeito. Ele achava que Capesius havia falhado em passar a ideia de que tudo o que fizera no campo fora somente seguir ordens.

As conversas entre o advogado e seu cliente resultaram no comparecimento de Capesius diante do juiz Düx duas semanas mais tarde, no dia 24 de janeiro. O réu surpreendeu a Corte:

"Eu me descobri em condições físicas e mentais adversas na minha última audiência [11 de janeiro], porque, durante o recesso, me perdi nos resumos das alegações do promotor Kügler. Minhas afirmações foram, portanto, emitidas sem minha total intenção ou clareza absoluta da minha mente. Depois que continuei a resistir (...) eu já não estava mais em posição de esclarecer alguns pontos importantes ou de me defender. Por isso, retiro o depoimento que assinei em 11 de janeiro de 1962."[14]

Nessa sessão, além de repetir muitos de seus argumentos ensaiados sobre todos os pontos abordados, desde o Zyklon B até as seleções e os experimentos médicos, Capesius incluiu a informação de que sua equipe de defesa em breve apresentaria como evidência o fato de ele estar certo de que o que fazia em Auschwitz era apenas seguir ordens de seus superiores, pois crescera em um lar em que "o pai constantemente dizia que a Alemanha era o modelo de ordem e a medida da lei. Diante dessa convicção, achei que o que estava acontecendo em Auschwitz era legal, apesar de parecer cruel para mim".[15]

"E quanto às seleções para a câmara de gás?", perguntou Düx.

"Nunca acreditaria que na Alemanha esse tipo de coisa pudesse existir sem que houvesse uma lei", repetiu. Steinacker claramente fizera seu cliente entender que, para escapar da pena de morte por assassinato brutal, ele teria de enfatizar que até mesmo no pior dos casos fora apenas um dente da engrenagem da máquina de morte em massa. "Gostaria também de acrescentar que nunca fui hostil com os judeus que estavam no campo. Pelo contrário, na opinião de testemunhas (...), eu os tratava muito bem se comparado com os polacos."[16]

Düx tentou mais uma vez desviar Capesius de seu roteiro pronto:

"O que acontecia em Auschwitz que estava de acordo com a lei que você pensava existir?"

"Pessoalmente, sou contra qualquer campo de concentração no estilo de Auschwitz. Mas eu não tinha poder para mudar nada. A propósito, eu realmente tentei sair de lá. Mais ainda, me recusei a cumprir uma ordem quando fui escalado para fazer as seleções, como já contei."

Além de basear sua defesa em "eu estava apenas seguindo ordens", Capesius usou seu último encontro com Düx para turvar alguns registros sobre os serviços que prestara no campo. Ele alterou, por exemplo, a data de sua apresentação em Auschwitz para 12 de abril de 1944. Capesius alegou que havia se recordado da "data específica" quando recentemente foi lembrado de que passara a Semana Santa de 1944 com a mãe e a irmã, enquanto ainda servia em Dachau. Era uma tentativa ousada de reduzir quatro meses de sua passagem por Auschwitz. Se funcionasse, ele eliminaria automaticamente todos os testemunhos oculares prejudiciais anteriores a essa data.

Joachim Kügler não o contestou, apesar de os documentos arrolados no processo informarem que Capesius iniciara seus serviços em "fins de

1943".[17] Haveria muitas oportunidades posteriormente para mostrar que tal mudança de data não era verdadeira. De fato, em sua correspondência pessoal na prisão, Capesius deixava claro que não se lembrava exatamente de qual fora seu primeiro dia de trabalho no campo. "Também seria bom descobrir a data da morte do farmacêutico Krömer", escrevera, "meu predecessor em Auschwitz, porque todos mencionam datas diferentes, e alguns afirmam ter acontecido no outono de 1943. Nessa época, estávamos havia um mês ou seis semanas em Varsóvia? Onde estávamos no Natal de 1943?".[18]

A audiência de 24 de janeiro terminou com Capesius listando algumas poucas pessoas que ele planejava chamar para sua defesa. Entre elas estavam os Stoffel, o casal com quem passara muitos finais de semana quando encontrava-se de licença de Auschwitz. Também incluía Armin Rump, o alemão étnico que era farmacêutico em Oświęcim, e Lotte Lill, uma enfermeira de Auschwitz com quem passara um curto período em 1944. Ele listou também Victoria Ley, uma conhecida da Transilvânia que nunca pisara no campo de concentração, mas era casada com outro oficial da SS, o falecido Josef Becker, e poderia dar testemunho sobre as semelhanças físicas entre Capesius e Fritz Klein.[19]

Depois dessa audiência, Capesius voltou à sua cela. Enquanto a promotoria continuava construindo metodicamente o caso contra ele, Capesius se sentia cada vez mais isolado. Seu contato com o mundo exterior consistia, na maioria das vezes, somente em visitas de sua equipe de advogados. Ainda não houvera progresso em seus esforços de trazer a esposa e as três filhas para a Alemanha.

Em 31 de maio, os ânimos de Capesius e dos outros réus detidos por Bauer eram sombrios. A Suprema Corte de Israel tinha negado a apelação final de Adolf Eichmann. Alguns minutos antes da meia-noite, Eichmann se enforcara na prisão de Ramle (suas cinzas depois foram jogadas no mar, para além das águas territoriais de Israel, de maneira que fosse impossível que neonazistas fizessem do local um santuário).

Poucos dias depois, problemas mais graves desviaram a atenção de Capesius de Eichmann. Fritz Steinacker ligara para Joachim Kügler. Ele contou que Adolph Rögner estava tentando extorquir dinheiro de Capesius para localizar testemunhas que o inocentassem. Rögner era um *Kapo* de Auschwitz com um longo histórico de prisões e penas por perjúrio, que fora responsável pela pista que levou Wilhelm Boger, ex-oficial da SS, à prisão. A promotoria não tinha dúvidas de que Rögner estava atrás de vingança, fama e dinheiro. Kügler preocupava-se que Rögner se aproximasse dos sobreviventes que conhecia e usasse a dinâmica torturador/vítima que funcionara tão bem para ele quando *Kapo* em Auschwitz para, dessa vez, pressioná-los a fazer declarações que pudesse vender a Capesius e outros réus. Kügler não perdeu tempo em convocar Rögner e informá-lo, sem meias palavras, de que ele seria preso se não parasse imediatamente com aquilo. Essa foi a última vez que Rögner se meteu com Capesius.[20]

O restante do ano de 1962 foi pacato, mas também frustrante para o farmacêutico. Ele estava ficando cada vez mais impaciente com sua longa detenção sem acusações formais. Não era de surpreender que continuasse bombardeando com frequência seus advogados com um volume enorme de perguntas sobre o caso e reclamações a respeito da lentidão do processo. Ele mandou uma série de cartas para conhecidos, algumas vezes aparentemente descuidando-se da possível vigilância de sua correspondência pelas autoridades. À época, Capesius disse ao cunhado: "[minha] inocência foi provada (...). Não tenho mais nada com isso. Mas, por favor, guarde essa informação só para você".[21] Em correspondência com os Stoffel, ele foi incrivelmente ingênuo ao pedir que o casal lhe avisasse quando fosse chamado para prestar depoimento. Falando de si mesmo na terceira pessoa, escreveu: "O dr. Capesius sempre enfatizou o quanto o clima de Auschwitz o deprimia. Quando descia a chamada rampa para pegar as valises médicas e acabava dando uma espiada no trem que chegava, ele às vezes fazia comentários desanimados sobre o que via".[22]

Capesius instigou os Stoffel a dizer como eles o visitavam com frequência no dispensário e "conversavam regularmente" com seus prisioneiros-assistentes. "Sempre tivemos a impressão de que estavam felizes com seu chefe. Strauch em particular era sempre elogios. Todos aparentavam estar sendo bem alimentados e tratados com delicadeza. Ele era bom com os prisioneiros."

Não foi por acaso que Capesius sugerira que dessem destaque a Strauch. O ex-oficial não apenas estava convenientemente morto — e, portanto, não tinha como contestar nada que fosse dito a seu respeito —, como também havia sido a testemunha que, anos antes, em um julgamento de crimes de guerra, vinculara Capesius ao Zyklon B. O farmacêutico ainda lembrou aos

Stoffel que eles deveriam mencionar sua "natureza gregária" ou que "tinham uma dívida de gratidão para com o dr. C.", por ele ter apressado sua saída da área de Auschwitz antes de as tropas russas chegarem.

Quando os Stoffel foram chamados pela promotoria para depor, seguiram o roteiro descaradamente benevolente que Capesius lhes enviara.[23]

A única boa notícia para o farmacêutico se deu no fim do ano e foi algo totalmente desvinculado de suas questões legais. O dinheiro que ele pagara para o "programa de recompra de famílias" na Romênia estava finalmente dando resultados. Sua filha mais nova, Christa, foi a primeira a receber autorização para migrar para a Alemanha Ocidental. Apesar de a esposa e as duas outras filhas, Melitta e Ingrid, ainda estarem na lista de espera, o processo de suas solicitações parecia ser apenas uma questão de tempo. Ele também estava satisfeito por sua filha do meio, Ingrid, ter se formado em Biologia pela Universidade de Cluj-Napoca, pois isso lhe abriria portas para várias oportunidades na Alemanha Ocidental. Capesius, no entanto, estava frustrado com o fato de, depois de tantos anos, o primeiro reencontro com uma de suas filhas ser na prisão. Mesmo assim, ele se apegou à esperança de que, quando fosse solto um dia, sua família toda estaria ali para recebê-lo.

# "Perpetradores responsáveis por assassinato"

O juiz Heinz Düx começou o ano de 1963 anunciando que sua investigação de quase dois anos tinha enfim terminado. Durante uma revisão independente dos arquivos, ele reunira milhares de páginas de depoimentos sob juramento de centenas de sobreviventes nos Estados Unidos, na Rússia, em Israel, no Brasil e espalhados pela Europa. Era um dos maiores arquivos já reunidos por um magistrado revisor. Ele então acendeu a luz verde para Bauer finalmente apresentar as acusações. Bauer estava ansioso por isso, porque a Alemanha se encontrava imersa em uma acalorada discussão sobre estender ou não a lei que limitava a responsabilidade por assassinatos. A legislação em vigor prescreveria assim que completasse vinte anos, o que tornaria impossível acusar os réus de Auschwitz depois de 1965, a não ser que o *Bundestag* a mudasse. A promotoria não queria depender de uma decisão política tão incerta com repercussões legais tão grandes.[1]

Em 4 de abril, o escritório de Fritz Bauer emitiu seu tão esperado indiciamento. Alguns conhecedores da lei haviam predito que uma demora de anos após as primeiras prisões poderia tornar as acusações um anticlímax. No entanto, a raiva contagiante contra os crimes dos 24 réus apresentados pelo documento de 698 páginas criou ondas de revolta que varreram a Alemanha. Nas primeiras 195 páginas, a promotoria se apoiou, em grande parte, em respeitados historiadores do Terceiro Reich para contar em detalhes a história de Auschwitz. Com isso, ele pretendia estabelecer as bases para provar que os crimes dos réus eram parte integrante da burocracia de assassinato em massa que existia no campo. Depoimentos de mais de duzentas testemunhas forneceram detalhes sobre as acusações de cada um dos acusados. O perfil desenhado pela promotoria era inequívoco: eles eram perpetradores por escolha, que excederam em muito as simples ordens recebidas ao zelosamente executar a Solução Final.

Bauer esperava que o indiciamento limitasse o escopo da discussão pública. Ele incluíra alguns dos relatos mais chocantes que havia reunido durante os cinco anos de preparo. O horror da câmara de gás, por exemplo, foi revivido no depoimento de Richard Böck, um oficial nazista da engrenagem motriz de Auschwitz: "Eu simplesmente não consigo descrever como aquelas pessoas gritavam. Durava entre oito ou dez minutos, e aí tudo ficava em silêncio. Um pouco depois, alguns outros prisioneiros abriam a porta e ainda se podia ver uma névoa azulada sobre a pilha de cadáveres. Os corpos estavam tão embolados que não dava para dizer a quem os membros pertenciam. Cheguei a ver, certa vez, que uma das vítimas tinha enfiado o dedo indicador vários centímetros dentro da cavidade ocular de outro. Isso dá uma ideia de como devem ter sido terríveis os estertores da morte dessa pessoa. Eu me senti tão mal que quase vomitei".[2]

Outros relatos de revirar o estômago, somados ao esclarecimento e à especificação de todas as acusações, sem dúvida tinham atraído a atenção do público.

Junto com Capesius, os réus representavam algo como uma seção transversal de todas as áreas do campo. O último comandante, Richard Baer, era o topo da cadeia de comando. Os outros incluíam um dos ajudantes de Baer, Karl Höcker, e Robert Mulka, ajudante de Rudolf Höss. Havia o chefe da guarda (o capitão Franz Hofmann) e dois homens-chave de sua tropa (Oswald Kaduk e Stefan Baretzki), um médico da SS (Franz Lucas), os dois dentistas da SS e amigos de Capesius (Willi Frank e Willi Schatz), oficiais da Gestapo e do Departamento Político (Wilhelm Boger, Klaus Dylewski, Pery Broad, Johann Schoberth e Hans Stark), líderes dos blocos e pátios (Heinrich Bischoff e Bruno Schlage), prestadores de serviços médicos (Josef Klehr, Emil Hantl, Herbert Scherpe, Gerhard Neubert e Hans Nierzwicki), o gerente de Pertences dos Prisioneiros (Arthur Breitwieser) e um *Kapo* de detentos (Emil Bednarek).

Poucos haviam sido julgados e considerados culpados em casos anteriores.

Arthur Breitwieser, por exemplo, foi condenado e sentenciado à morte no grande julgamento de Auschwitz na Polônia, em 1946. Em 1948, sua pena foi amenizada para prisão perpétua, mas, depois de onze anos na cadeia, os poloneses o deportaram para a Alemanha Ocidental, onde retomou sua vida civil como contador até Fritz Bauer detê-lo, em 1961.

A maioria dos acusados havia simplesmente retomado suas carreiras de antes da guerra, usando seus nomes verdadeiros, até os promotores de Frankfurt aparecerem. O ajudante de ordens Karl Höcker seguira o padrão e voltara para sua cidade natal, Eingershausen, onde reabriu seu banco. Willi Frank e Willi Schatz, amigos de Capesius, haviam aberto consultórios dentários bem-sucedidos em Stuttgart e Hanover, respectivamente. Dr. Franz Lucas, um ginecologista, recomeçara a vida como auxiliar em um hospital em Elmshorn, logo passando a auxiliar do diretor-médico e depois sendo promovido a chefe do Departamento de Ginecologia. O hospital o demitiu após relatos sobre seus serviços em Auschwitz serem publicados nos jornais, em 1963, mas ele ainda conseguiu abrir um próspero consultório particular antes que Bauer finalmente o detivesse. O mais notório exemplo talvez fosse Emil Bednarek, que assombrosamente havia recebido indenização como vítima do campo e posteriormente foi desmascarado como um sádico *Kapo*.

Os réus foram acusados do crime máximo de "perpetradores de assassinato". Algumas acusações eram genéricas, já que os promotores não tinham identificado vítimas específicas, e tais crimes haviam todos sido cometidos como parte do genocídio de Auschwitz. O ajudante de campo Robert Mulka foi acusado de ser o "único responsável pelo preparo e pela execução dos procedimentos de extermínio", apesar de não haver nenhuma testemunha ocular que o tivesse visto desempenhando essas atividades. Bauer sabia que, pela lei alemã, acusações genéricas seriam difíceis de serem provadas. E a defesa, é claro, imediatamente rechaçou essas acusações do indiciamento. O advogado de Mulka ressaltou que na Alemanha não existia o conceito de "culpa funcional", argumentando que "se retirassem do indiciamento tudo que era genérico, e às vezes até polêmico (...) não sobraria um único ato cujas evidências estivessem contra ele".[3]

Outras vezes, no entanto, o indiciamento identificava os nomes das pessoas assassinadas e vinculava tais mortes a réus específicos. Oswald Kaduk, por exemplo, foi acusado de "surrar prisioneiros no Bloco 8 e depois estrangulá-los até a morte, colocando uma bengala sobre suas gargantas e ficando de pé em cima deles. Essa foi a forma como Kaduk matou, dentre outros, o negociante de diamantes Moritz Polakewitz, antigo secretário do Conselho Judeu da Antuérpia".[4]

Em 17 de junho, os promotores receberam um golpe quando seu mais notável réu, Richard Baer, inesperadamente morreu de ataque cardíaco na prisão. O historiador David Pendas escreveu que a morte de Baer "representou mais do que apenas perda de publicidade para a promotoria de Frankfurt. Significou também que a estratégia de julgar toda a hierarquia de Auschwitz teria que seguir sem o líder nazista do campo".[5] A repentina morte de Baer foi um presente para a defensoria. Os advogados perceberam que isso possibilitaria que turvassem questões sobre a cadeia de comando e perguntas sobre responsabilidade individual versus obediência a ordens recebidas. Esse novo quadro era crítico, visto que a legislação alemã só permitia condenar alguém que houvesse seguido uma ordem ilegal se essa pessoa de fato soubesse que a ordem seguida ia contra a lei. Caso contrário, a responsabilidade ficava restrita somente ao oficial em comando que tivesse dado a ordem.[6]

Os promotores ainda sofreram mais um baque antes do início do julgamento. Na Alemanha, um indiciamento é apenas uma sugestão à Corte das reais acusações, de modo que a 3ª Divisão Criminal do Tribunal Distrital de Frankfurt não estava convencida de que todos devessem ser julgados sob a acusação mais grave, isto é, a de "perpetradores de assassinato". No início do verão, o Tribunal Distrital reduziu metade dos réus a "cúmplices de assassinato", o que significava que seriam sentenciados a uma pena de no máximo dez anos.[7]

A defensoria recebeu a decisão do Tribunal Distrital com alegria. Capesius e sua bem remunerada equipe jurídica, no entanto, não comemoraram. Contra ele, a acusação de "perpetrador responsável por assassinato" foi mantida. Capesius era um dos sete réus que encarariam prisão perpétua. Para complicar ainda mais seu caso, ele era o único entre eles a também ser acusado de participar por vontade própria de experimentos médicos mortais.[8]

Quando um jornalista perguntou a Fritz Bauer sobre a culpa dos acusados de acordo com a lei, o promotor-chefe não hesitou em dizer: "Pessoalmente, acredito que essa pergunta só possa ser respondida se formulada da seguinte maneira: aqueles que serviram em Auschwitz o fizeram porque eram nazistas comprometidos ou não? De longe, em especial os que estiveram nesse campo de concentração específico, é preciso que respondam afirmativamente (...). Não se trata de um crime estranho ou estrangeiro, os perpetradores eram, na maioria dos casos, pessoas convencidas de que estavam fazendo a coisa certa, ou seja, levando sua visão de mundo nacional-socialista à vitória. A meu ver, esses homens são apenas perpetradores que, juntamente com Hitler, se comprometeram a contribuir para a 'Solução Final para a Questão dos Judeus', que eles acreditavam ser correta".[9]

Embora Bauer fosse o motor por trás de todos aqueles anos de investigação — e não fosse tímido para expressar suas opiniões —, ele evitou ter qualquer papel direto no julgamento. Em vez disso, indicou quatro dos melhores jovens promotores que tinha em seu escritório para participar da Corte: Hans Großmann como advogado principal e Joachim Kügler, Gerhard Wiese e Georg Friedrich Vogel como seus assistentes. Todos haviam começado a carreira depois de 1945, portanto eliminava-se a possibilidade de serem influenciados ou tendenciosos devido a experiências pessoais com o Terceiro Reich.

Em 20 de dezembro de 1963, mais de cinco anos após o início das investigações, o julgamento de Auschwitz finalmente teve início. Poucos meses antes, a esposa de Capesius, Fritzi, e a filha do meio do casal, Ingrid, haviam recebido permissão para migrar da Romênia para a Alemanha Ocidental. Elas chegaram a tempo de ver Capesius enfrentar a pena de morte.[10]

PROVA DO JULGAMENTO DE AUSCHWITZ

Esta rara foto de antes da guerra (cerca de 1928) retrata Capesius aos 21 anos (esquerda) relaxando na piscina pública em sua cidade natal, Sighişoara, com a família Böhm. Ella, de oito anos (ao lado de Capesius), o chamava de "tio farmacêutico". Dezesseis anos mais tarde (maio de 1944), os Böhm e quase 2 mil de seus vizinhos foram reunidos pelos nazistas e enviados a Auschwitz. Ao chegar no campo de extermínio, Gisela Böhm (extrema direita), pediatra, e Ella ficaram pasmas de reconhecer Capesius como um dos oficiais da ss na rampa de acesso da linha férrea no campo.

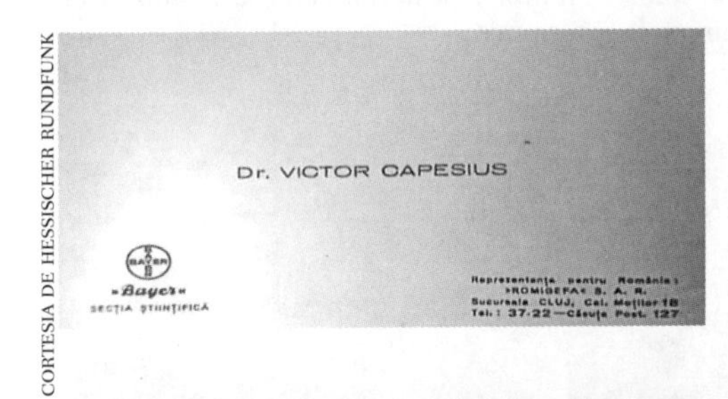

BUNDESARCHIV CORTESIA DE HESSISCHER RUNDFUNK

Antes de se juntar à Waffen-ss, em 1943, Capesius trabalhou como representante comercial da subsidiária farmacêutica romena da I.G. Farben. A Farben, sediada em Frankfurt, era o quarto maior conglomerado mundial e também parceira em tempo integral de Hitler e do Terceiro Reich. Muitos farmacêuticos, como Capesius, queriam trabalhar para uma de suas marcas, a Bayer. Os laboratórios científicos da empresa tinham batido recorde ao contar com quatro prêmios Nobel, em Química e Medicina. Em seu trabalho para a Farben/Bayer, Capesius viajou pela Romênia e atendeu muitos médicos e farmacêuticos judeus, bem como indústrias têxteis judias.

YAD VASHEM

As avançadas tecnologias da I.G. Farben e suas patentes de combustível sintético e borracha eram fundamentais para o sonho de Hitler de tornar a Alemanha militarmente autossuficiente. Próximo a Auschwitz, a Farben instalou uma enorme fábrica. Em 1941, o chefe da SS, Heinrich Himmler (o segundo à esquerda), se encontrou com os engenheiros da Farben no local da construção. A companhia chamou, no início, o local de Monowitz, por sua proximidade com uma aldeia polonesa de mesmo nome. Himmler posteriormente o rebatizou de Auschwitz III, uma extensão do imenso campo de extermínio.

YAD VASHEM

Auschwitz III teve o custo recorde de 1 bilhão de Reichsmarks (quase 55 bilhões de dólares em 2015) para a Farben. O formidável complexo tinha vários quilômetros quadrados e consumia mais eletricidade que Berlim. Dos 300 mil trabalhadores forçados, cerca de 25 mil trabalharam até a morte.

YAD VASHEM

Em Auschwitz II-Birkenau, os trens lotados de judeus vindos de toda a Europa eram submetidos aos médicos da SS, inclusive a Capesius, que faziam a seleção entre vida e morte na rampa de acesso da linha férrea. Dos 1,5 milhões de deportados para Auschwitz, 1,1 milhões foram despachados imediatamente para a câmara de gás. Outros, considerados aptos, foram designados para trabalhar, muitos nas fábricas da Farben que ficavam nas redondezas. Nesta rara foto, a SS havia separado os prisioneiros recém-chegados em filas de homens e mulheres.

MUSEU DO HOLOCAUSTO DOS ESTADOS UNIDOS

A Farben pagou milhões à SS pelo suprimento contínuo de prisioneiros. Os valores eram 4 Reichsmarks (na época 1,60 dólares e, em 2015, 20 dólares) por dia por prisioneiros capacitados, 3 pelos sem capacitação e 1,5 por crianças. Para isso, a SS fornecia o transporte de ida e volta a Auschwitz I, que ficava a cerca de seis quilômetros dali. Acima, mulheres prisioneiras se reunindo para o trabalho.

YAD VASHEM

Os judeus deportados tinham autorização de trazer no máximo cinquenta quilos de bagagem com pertences pessoais. Acreditando que estavam sendo levados para campos de trabalho forçado na Europa Oriental ocupada pelos nazistas, eles levavam consigo seus bens mais preciosos, esperando conseguir escondê-los. Na cabeceira dos trilhos do trem, esses bens eram amontoados próximo aos vagões. Uma das tarefas de Capesius era procurar por remédios e instrumentos médicos trazidos por prisioneiros que ali chegavam.

Uma das poucas fotos de prisioneiros marchando de Auschwitz I para Monowitz (Auschwitz III). Os nazistas exigiam que todo trabalhador que saísse do campo depois da chamada das quatro da manhã estivesse presente na chamada da noite. Trabalhadores arrastavam o corpo de seus colegas mortos durante o turno de trabalho para o bloco de suas respectivas celas, de forma que os nazistas pudessem contar os cadáveres.

MUSEU DO HOLOCAUSTO DOS ESTADOS UNIDOS

YAD VASHEM

À esquerda, uma sala típica do trabalho de Capesius e de outros médicos em Auschwitz, com sua rede autônoma de hospitais e clínicas. A primeira enfermaria foi construída em 1940, mas, quando Capesius chegou, havia alas para prisioneiros, clínicas para pacientes externos da SS, consultório dentário e ainda o dispensário. Prisioneiros apelidaram o hospital de "sala de espera do crematório".

YAD VASHEM

Os pertences pessoais dos judeus que chegavam eram levados para grandes depósitos em Birkenau e então classificados por outros prisioneiros. Dinheiro, diamantes e joias frequentemente eram costurados em forros de casacos, vestidos e malas, escondidos em frascos de cremes e loções e até mesmo em compartimentos secretos recortados nas próprias malas. Os nazistas logo se tornaram especialistas em descobrir onde as vítimas tinham escondido seus pertences de valor.

WIKIPEDIA COMMONS

Como farmacêutico chefe, Capesius era responsável pelo armazenamento do Zyklon B, um pesticida à base de cianeto usado inicialmente para fumigar os alojamentos dos prisioneiros e suas roupas e, mais tarde, como agente letal nas câmaras de gás. A Farben, antiga empregadora de Capesius, administrava a empresa que patenteara o Zyklon B, composto que gerou lucros astronômicos quando a demanda de Auschwitz cresceu.

MUSEU ASCHWITZ-BIRKENAU

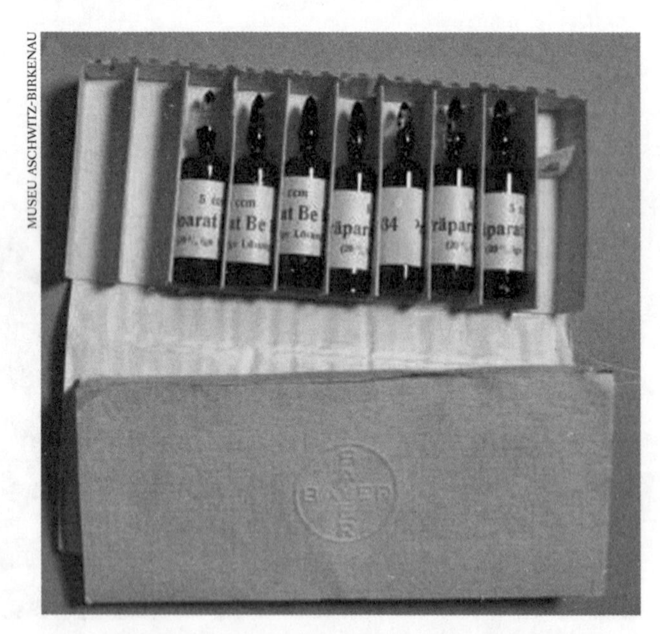


Parte do trabalho de Capesius era distribuir drogas e medicamentos, incluindo fórmulas em fase de testes da Farben e da Bayer, para experimentos médicos. As companhias pagavam pelos prisioneiros e os médicos da SS então os usavam como cobaias. A maioria deles sofreu terríveis efeitos colaterais ou morreu. Uma das séries de testes mais mortal foi a fórmula B-1034, da Bayer — uma droga experimental contra o tifo.

MUSEU DO HOLOCAUSTO DOS ESTADOS UNIDOS

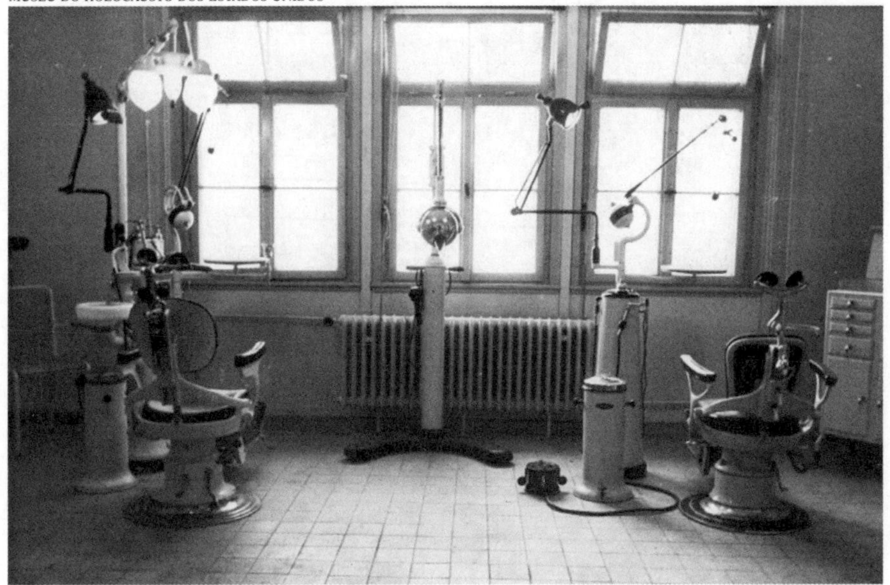

Os dois dentistas do campo, dr. Willi Frank e dr. Willi Schatz, tinham sua clínica dentária dentro do mesmo prédio que o dispensário de remédios de Capesius. Eles eram os responsáveis pela guarda do ouro extraído pelos prisioneiros-dentistas designados para a horripilante tarefa de arrancar todos os dentes dos cadáveres retirados das câmaras de gás. Esse ouro fazia parte dos cerca de 35 quilos que eram recolhidos diariamente em Auschwitz, junto com moedas, relógios, cigarreiras e joias. Antes de enviados a Berlim para serem transformados em moedas, os dentes e coroas eram guardados, por segurança, pelos dentistas.

YAD VASHEM

O ouro dos dentes guardados em grandes malas no sótão do dispensário se provou uma tentação grande demais para Capesius e para os dentistas, que roubaram grandes quantias e as contrabandearam para parentes fora do campo. Um dos prisioneiros-farmacêuticos de Capesius se lembra de uma ocasião em que "o farmacêutico andou até as malas. Elas estavam abarrotadas de dentes com pedaços de mandíbulas, gengivas e ossos ainda presos a eles. Tudo estava em decomposição. Fedia barbaramente. Era uma visão macabra (...). Com as próprias mãos, ele começou a vasculhar essa bagunça fétida até puxar uma dentadura e tentar estimar seu valor. Eu saí de perto".

YAD VASHEM

Capesius passou muitos fins de semana socializando nas casas da vizinhança dos descendentes de alemães da Romênia. Um deles era Armin Rump, um colega farmacêutico cuja loja ficava na cidade de Auschwitz. O lar da família Rump era tão perto do campo (...) que Capesius chegou a comentar que "à noite, da varanda, era possível ver a luz de uma enorme chama e todos sabiam que seres humanos estavam sendo cremados, dava para sentir o cheiro quando o vento mudava de direção".

MUSEU DO HOLOCAUSTO DOS ESTADOS UNIDOS

Muitos dos oficiais da SS nomeados para Auschwitz passavam seus dias de folga em Solahütte, uma pequena pousada às margens do rio Sola, a trinta quilômetros do campo. No verão de 1944, o *Obersturmführer* Karl-Friedrich Höcker, comandante adjunto, compilou um assustador álbum de fotografias do pessoal da SS se divertindo em uma miríade de festividades sociais que pareciam um mundo à parte do campo de extermínio em que trabalhavam.

BUNDESARCHIV

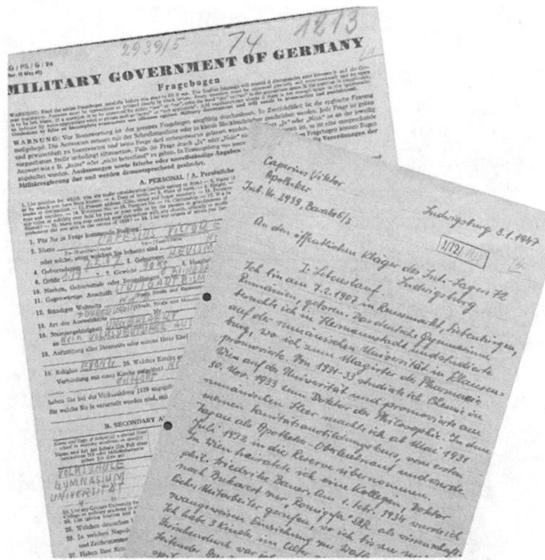
MILITARY GOVERNMENT OF GERMANY

Fragebogen

Em 5 de maio de 1945, as tropas inglesas detiveram Capesius no nordeste da Alemanha, mas o liberaram no ano seguinte sem acusações formais. Graças a uma pista dada por um sobrevivente de Auschwitz, o Exército americano o prendeu em agosto de 1946, em Munique, mas, sem conseguir juntar evidências suficientes, o liberou depois de um ano. Em 1947, Capesius precisou se submeter ao processo de desnazificação, em que tribunais alemães inocentavam ou não a culpa daqueles que serviram ao Terceiro Reich. Em uma série de questionários feitos pelos britânicos e americanos, e numa carta manuscrita dirigida aos tribunais, Capesius inúmeras vezes faltou com a verdade ou omitiu completamente seu trabalho em Auschwitz.

MUSEU DO HOLOCAUSTO DOS ESTADOS UNIDOS

Os americanos soltaram Capesius em 1947, na época em que teve início o julgamento dos executivos mais graduados de sua ex-empregadora, a I.G. Farben. Entre os réus estavam três dos diretores que haviam administrado a empresa que fabricava o Zyklon B, o veneno que Capesius guardava em seu dispensário e que era utilizado nas câmaras de gás. Também estava sob julgamento um diretor que aprovara as despesas de alguns dos experimentos médicos de Auschwitz. Capesius e outros colegas da SS foram soltos quando dez dos réus da Farben foram absolvidos e os demais receberam penas brandas que acabaram sendo comutadas.

NDR

Com o ouro roubado dos dentes de prisioneiros de Auschwitz, Capesius abriu sua própria farmácia (acima) em 1950, em uma pequena cidade alemã chamada Göppingen. Em 1952, ele tinha ganhado dinheiro suficiente com o negócio para abrir um bem-sucedido instituto cosmético numa vila próxima. Seu slogan era: "Fique bela com o tratamento de Capesius".

NDR

NDR

SCHINDLERFOTO OBERURSEL

Na década de 1950, Capesius achou que tivesse obtido sucesso ao conseguir evitar qualquer tipo de punição por seus crimes em Auschwitz. Ele, porém, não tinha conhecimento de que dois homens estavam trabalhando para fundamentar casos de crimes de guerra cometidos por ex-nazistas, inclusive por ele. Hermann Langbein, que havia sido prisioneiro e trabalhado no escritório do médico chefe de Auschwitz, depois da guerra, fundou a maior organização mundial de sobreviventes. Ele foi incansável em localizar testemunhas, colher depoimentos e forçar autoridades alemãs a abrir arquivos sobre nazistas que estavam vivendo à vista de todos na Alemanha do pós-guerra.

SCHINDLERFOTO OBERURSEL

Fritz Bauer, jurista que foi prisioneiro por um breve período em um dos campos de concentração alemães, tornara-se, em 1956, o primeiro promotor chefe judeu da história da nação. Bauer tinha paixão por investigar crimes de guerra. Seu objetivo era localizar um número suficiente de oficiais de alta patente da SS que tivessem servido em Auschwitz, para então realizar um julgamento exemplar sobre os crimes relacionados à Solução Final.

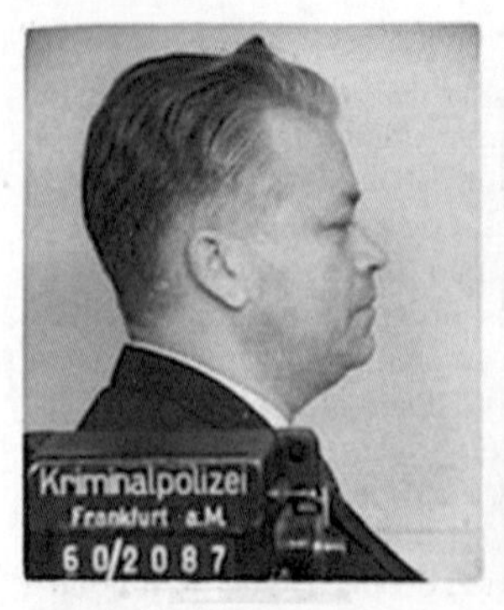

SCHINDLERFOTO OBERURSEL

Capesius foi preso por investigadores alemães em 4 de dezembro de 1959, na frente de sua farmácia, em Göppingen. Foi mantido encarcerado e sem possibilidade de pagamento de fiança até que ele e quase uma dúzia de seus colegas da SS em Auschwitz foram a julgamento, em 20 de dezembro de 1963.

SCHINDLERFOTO OBERURSEL

SCHINDLERFOTO OBERURSEL

Acusado de assassinato e de conduzir experimentos médicos mortais, Capesius contratou dois advogados famosos para sua defesa. Um deles era Hans Laternser (acima), que defendera o Alto Comando do Exército, acusado de crimes de guerra, no principal julgamento de Nuremberg. O outro, o sócio minoritário de Laternser, Fritz Steinacker, era um antigo membro do Partido Nazista e também advogado da família do médico fugitivo da SS, Josef Mengele.

CORTESIA DE HESSISCHER RUNDFUNK

Berner estava com a esposa e as três filhas, duas delas gêmeas. “Elas terão que voltar para suas respectivas filas”, Capesius dissera a Berner. “Não chore. Sua esposa e suas filhas vão apenas tomar banho. Você as verá em uma hora.” Mais tarde, Berner soube que sua família havia sido morta na câmara de gás menos de uma hora após sua chegada.

CORTESIA DE HESSISCHER RUNDFUNK

Capesius surpreendeu muitos observadores no tribunal por ser o único réu que sorriu e até soltou gargalhadas, mesmo diante de testemunhos muito prejudiciais para ele. Capesius estava sempre com uma expressão satisfeita ao olhar para os demais acusados, para sua família e seus amigos presentes. Posteriormente, ele tentou explicar seu estranho comportamento alegando que tratava-se de um riso involuntário.

CORTESIA DE ELAN STEINBERG

Cada réu recebia um número escrito em um papelão que deveria ficar em sua frente. Isso foi desenvolvido para facilitar para as testemunhas a identificação da pessoa a qual estavam se referindo. Capesius, o número dezoito, foi o único réu que usou óculos escuros dentro da sala de julgamento.

CORTESIA DE HESSISCHER RUNDFUNK

O julgamento durou vinte meses e ouviu 359 testemunhas de dezenove países. Um dos relatos mais emocionantes foi o do médico romeno Mauritius Berner. Antes da guerra, ele comprara medicamentos da Bayer diretamente das mãos de Capesius. Em maio de 1944, Berner e sua família foram deportados para Auschwitz. Ele reconheceu Capesius na rampa de acesso da linha férrea e implorou, em vão, para que o oficial protegesse sua família.

SCHINDLERFOTO OBERURSEL

No dia 19 de agosto de 1965, Capesius foi considerado culpado de sua acusação menos grave, "cúmplice de assassinato", e condenado a nove anos de prisão. Após dois anos e meio, no entanto, ele foi solto e voltou como herói para sua pequena cidade alemã.

No ano anterior à libertação de Capesius, o promotor principal do caso, Hermann Langbein (terceiro à esquerda), foi homenageado no Yad Vashem, o Museu do Holocausto de Israel, como "um dos homens mais corretos entre as nações", um reconhecimento para os não israelitas que arriscaram a vida para salvar judeus durante a Segunda Guerra.

## Burocratas entediados

Esperava-se que o julgamento levasse vinte meses. Os alemães construíram um tribunal especialmente para isso, o Bürgerhaus Gallus, em Frankfurt, capaz de receber todos os réus, advogados, promotores, membros da Corte e juízes, além da esperada superlotação de espectadores e repórteres. Como o Bürgerhaus ainda não estava pronto quando o julgamento começou, a Corte se acomodou temporariamente na prefeitura, àquela época o único edifício público capaz de comportar uma assembleia tão grande.

Três juízes formavam a banca do julgamento. Hans Hofmeyer, de 59 anos e uma sólida reputação de ser extremamente hábil e livre de deliberações sem sentido, foi indicado como juiz-chefe. Isso depois de outro jurista, Hans Forester, ter se afastado devido a questionamentos sobre ele ter algum conflito de interesse no caso, visto que os nazistas haviam perseguido parte de sua família. Ninguém se opôs à indicação de Hofmeyer, apesar de ele não apenas ter servido no Serviço Secreto alemão como oficial, mas também ter sido membro das Cortes militares nazistas. Em decorrência da idade de todos os juízes mais antigos que eram elegíveis para supervisionar um julgamento tão importante, era impossível escolher alguém cuja carreira profissional não tivesse se desenvolvido durante o Terceiro Reich. Hofmeyer tentou minimizar seu papel durante a guerra salientando que as Cortes nazistas tinham muito pouca independência: "A Nsdap e suas organizações tinham poder suficiente para vergar as Cortes como bem entendessem".[1] Poucos advogados acharam ser no mínimo irônico que o juiz-chefe estivesse justificando seu passado com um argumento do tipo "apenas segui ordens", exatamente o cerne do julgamento que estava para começar.

A história de Hofmeyer no Terceiro Reich foi, no entanto, matéria de capa e página central na imprensa da Alemanha Oriental. O *Neues Deutschland*, o jornal oficial do Partido Comunista, repetidas vezes se referiu a ele como um "juiz militar nazista", acusando-o de ter sido escolhido porque "não ia querer ir a fundo no julgamento".[2] A imprensa da Alemanha Oriental também reclamou da ausência dos executivos da I.G. Farben, já que o julgamento alardeava ser o definitivo em relação a Auschwitz. A cobertura foi particularmente mordaz quando, em um dos testemunhos, um especialista apresentou um estudo, custeado pela Alemanha Oriental, sobre o papel da Farben no nazismo, e Hofmeyer se recusou a recebê-lo como evidência, alegando ser irrelevante.[3]

Os outros dois magistrados eram Josef Perseke, o juiz do Tribunal Distrital, e Walter Hotz, o juiz do Tribunal Estadual (havia também dois suplentes para o caso de um dos três juízes principais ficar doente ou incapacitado de assumir a função). Em contraste gritante com os julgamentos nos Estados Unidos e na Inglaterra, na Alemanha fazer perguntas às testemunhas não é atribuição exclusiva da promotoria ou da defensoria, e sim incumbência dos juízes.

Havia também um júri de seis pessoas, composto por três donas de casa, um funcionário de escritório, um operário e um comerciante de carvão. Havia ainda três juradas suplentes, todas donas de casa, já que era difícil encontrar profissionais disponíveis para um caso tão longo. Na Alemanha, o júri delibera com os juízes. Eles decidem fatos e questões legais, sendo excluídos apenas de fazer perguntas sobre a admissão de evidências ou o escopo do depoimento da testemunha.[4] Em uma sociedade respeitadora, em que as nuances da complexa legislação eram exigentes, a maioria dos observadores esperava que os juízes dominassem os interrogatórios e as deliberações e relegassem ao júri um papel mais limitado.

O julgamento de Auschwitz aconteceu com a Guerra Fria como pano de fundo, a União Soviética com satélites sobre o Leste Europeu e os Estados Unidos com aliados na Europa Oriental. A Alemanha era o marco zero, sendo que, em 1961, a Alemanha Oriental construíra o muro que dividiu Berlim. No ano anterior ao início do julgamento, um número recorde de alemães orientais (22) tinham sido mortos a tiros ao tentar fugir para a Berlim Ocidental. Nos primeiros anos da década de 1960, era alta a tensão entre as duas Alemanhas, e ambos os lados se preparavam para uma possível invasão militar do outro. Aumentando ainda mais a pressão sobre o julgamento de Auschwitz, a lei alemã ainda permitia que cada queixoso civil com interesse nas acusações criminais pudesse ser representado por seu próprio advogado. Os advogados desses civis queixosos tinham, portanto, permissão para interrogar e submeter provas.

O julgamento ainda não havia começado quando o primeiro problema aconteceu: um exuberante advogado da Alemanha Oriental, Friedrich Karl Kaul, pediu para representar um grupo de nove alemães orientais que haviam perdido parentes em Auschwitz. Kaul, que fora descartado como advogado pelos nazistas por sua mãe ser judia, era um advogado bem conhecido no Leste, onde tinha um programa de televisão e publicara uma série de romances de detetive que vendia muito bem. Ele certamente aproveitaria toda e qualquer oportunidade de conseguir unir os objetivos de extermínio em massa dos nazistas com os interesses financeiros da monolítica e capitalista Farben, bem como com os da operação da SS em Auschwitz.

A defensoria veementemente objetou a admissão de Kaul, salientando que seus queixosos não tinham como provar que seus parentes haviam sido mortos pelas mãos de algum dos 22 acusados. Mesmo assim, depois de uma arenga legal, os juízes relutantemente permitiram que ele fosse admitido, para não serem taxados de injustos.[5] Todos na Alemanha Ocidental então se prepararam para as inevitáveis ondas de propaganda ideológica que ele disseminaria.

A Corte montou uma escala de julgamento para segundas, quartas e sextas-feiras, deixando os outros dias para moções e trabalhos processuais. No primeiro dia, havia 22 acusados. Dois tinham sido dispensados por más condições de saúde. Seis eram considerados os principais réus, enfrentando a acusação de perpetradores de assassinato intencional e premeditado (doloso). Capesius era um deles.

Naquela manhã, como aconteceria em todos os dias de audiência durante o restante do julgamento, às oito da manhã um comboio de três caminhonetes da Volkswagen, com escolta de carros da polícia na frente e atrás, chegou de Hammelsgasse com os acusados. A polícia então os escoltou para dentro do tribunal. Alguns dos réus usavam óculos escuros durante essa curta caminhada. Outros escondiam o rosto com um jornal da manhã dobrado. Capesius usou óculos de sol até mesmo na sala de audiência.

Sob a orientação de seus advogados, todos se vestiam de forma conservadora, com gravata e terno escuros, e camisa branca. Nenhuma de suas roupas era da moda ou parecia ter custado muito. Ninguém usava relógios de marca. Os sapatos eram muito polidos, mas pareciam mais ser típicos de um carteiro ou de um funcionário de loja do que de um executivo. Nada na aparência deles passava a impressão de riqueza, status ou, mesmo que remotamente, de hierarquia. Pelo contrário, eles se pareciam muito com os auxiliares administrativos que queriam imitar, isto é, gente comum com quem se cruza na rua e não se olha uma segunda vez.

Os advogados de defesa acreditavam que, se seus clientes parecessem burocratas entediados, seria mais fácil reforçar o argumento de que eles simplesmente não teriam tido coragem de fazer nada além de seguir as ordens enviadas pela cadeia de comando. Assim, talvez fosse possível, pensavam ainda alguns advogados, fazer com que seus clientes parecerem quase vítimas: homens que quiseram fazer a coisa certa ao servir seu país, mas que foram ludibriados por oficiais de alta patente e tragados pela máquina de matar nazista, sobre a qual não tinham controle nem como se opor. Certamente era um argumento que o júri de alemães comuns poderia aceitar como válido. Se o fizessem, contudo, estariam passando para toda uma geração de alemães a mensagem de que, durante a Segunda Guerra, apenas um punhado de homens dementes fora responsável pelos horrores do Holocausto, de maneira que o restante da nação simplesmente havia obedecido a ordens contra sua vontade.

Uma vez dentro da sala de audiência, os acusados acomodaram-se em bancos de madeira normalmente destinados a vereadores. Um policial sentou à direita de cada um deles. Todos os réus receberam uma placa numerada, colocada à sua frente para que as testemunhas pudessem identificar mais facilmente o objeto de seu depoimento. Atrás deles, diante de janelões, havia dois enormes quadros com esboços detalhados de Auschwitz I e Birkenau.

Câmeras de emissoras de televisão foram admitidas por quinze minutos apenas no primeiro dia. Enquanto as equipes de TV filmavam, Capesius se manteve cabisbaixo, cobrindo com uma das mãos o lado de seu rosto virado para as câmeras. Seus ex-colegas, como Roland Albert, que o viram na televisão, ficaram surpresos por ele parecer estar mais pesado, mais gordo do que jamais havia sido durante a guerra. Seu cabelo estava mais grisalho, mas ainda era predominantemente preto e oleoso.

No primeiro dia, houve uma certa estranheza. Foram reservadas cadeiras para os membros das famílias dos acusados e uma grande seção foi destinada à imprensa. Também foram reservadas sessenta cadeiras para a multidão de espectadores curiosos. Na verdade, a polícia achava até que teria de mandar gente embora, por isso providenciou uma faixa de isolamento que se estendia por mais de trinta metros, para acomodar o que todos acreditavam que seria o número de alemães interessados em descobrir mais sobre o pior capítulo da sua história. Muitos assentos, entretanto, ficaram vazios. No dia seguinte, as manchetes dos jornais dos Estados Unidos declaravam: "21 em julgamento pelo assassinato de milhões", seguidas pelo subtítulo "Pouco interesse tem sido demonstrado, visto que muitas cadeiras no Tribunal de Frankfurt ficam vazias".[6] Os advogados de defesa não ficaram surpresos. Cerca de 90% da correspondência que recebiam era contra o julgamento, considerando-o vingativo e tardio demais em relação à época em que os crimes foram cometidos.[7] O interesse escasso e a ambivalência do público alemão não mudaram ao longo do julgamento.

O que ali se seguiu foi o mais longo caso legal da história da Alemanha moderna, tendo sido finalizado somente em abril de 1965. A Corte ouviu 359 testemunhas de dezenove países. A maioria, 211, era sobrevivente do campo, apesar de 85 delas serem antigos nazistas. O julgamento foi especialmente difícil para muitos judeus sobreviventes, uma vez que tiveram de reviver acontecimentos terríveis e sua credibilidade e memória foram frequentemente questionadas por agressivos advogados de defesa. Além disso, eles ainda tiveram que viajar para a Alemanha. Para alguns, aquela era a primeira visita à nação responsável por Hitler e pela Solução Final. Eles não viam seus torturadores havia vinte anos, e o julgamento aconteceu em alemão, a língua de seus captores.

As 85 testemunhas da SS, pelo contrário, não tiveram o mesmo problema. Eles não sabiam de nada, não tinham visto nada ou não se lembravam de nada. Não demonstraram vergonha, não demostraram nenhuma culpa e também não demostraram, nem uma única vez, terem tido alguma dúvida em relação a suas sombrias atividades durante os serviços prestados na guerra. Para evitar qualquer possibilidade de se autoincriminar, eles enfatizaram que o que acontecera em Auschwitz podia parecer horrível na Alemanha de 1964, mas estava em conformidade com as leis, normas e decretos do nazismo. Às vezes, as testemunhas nazistas soavam tão arrogantes que até mesmo os acusados começaram a se ressentir de que elas estivessem livres e nunca houvessem sido indiciadas.[8]

## "Sem motivos para rir"

As duas primeiras semanas foram tomadas pela apresentação de evidências de todos os interrogatórios dos acusados. Era a oportunidade de o público conhecer o que os réus haviam dito sob juramento ao promotor e ao juiz revisor. No 15º dia, 7 de fevereiro de 1964, um professor alemão foi a primeira testemunha. Ele explicou como funcionava a estrutura da ss.[1] Uma semana mais tarde, o dr. Otto Walken foi a primeira testemunha ocular a depor. Walken era um médico vienense que passara dezoito meses no campo e mantivera um diário que sobreviveu à guerra.

No entanto, era a segunda testemunha ocular, Herman Langbein, que os observadores na sala esperavam que desse o tom para os que viriam depois. E Langbein não desapontou.

Na sexta-feira, 6 de março, Langbein, em seus 51 anos, foi até o banco das testemunhas. Ele era alto e magro e sentou-se ligeiramente curvado para a frente, com as mãos fortemente juntas diante de si. A Corte ficou fascinada com seu relato deliberadamente detalhado das condições horrorosas de Auschwitz, todas presenciadas por ele ao exercer a função de prisioneiro-secretário do médico-chefe da ss.

A certa altura, o promotor o interrompeu e perguntou se Langbein poderia identificar algum dos acusados. O juiz lhe deu permissão para transitar por entre as fileiras de réus para olhá-los mais de perto. Todos receberam ordens para ficar de pé. Um burburinho percorreu a sala quando Langbein andou na direção deles. Alguns baixaram a cabeça e desviaram o olhar, mas isso não foi o bastante para que Langbein deixasse de tirar total vantagem do momento. O julgamento era o clímax pessoal de sua busca de dezoito anos, em que trabalhou incansavelmente para localizar nazistas, encontrar testemunhas e reunir evidências.

Ele então parou diante de Oswald Kaduk, o sargento da SS de 1,92m e conhecido por sua crueldade.

"É um prazer vê-lo novamente", disse Langbein a Kaduk, que cerrou o maxilar. "E bem aqui, entre todos os lugares!"

"Você me conhece", gritou Kaduk, chamando a atenção de todos. "É verdade. Mas o que disse aqui a meu respeito é bobagem!"

"É o que você queria que fosse", respondeu Langbein com calma, continuando sua lenta inspeção.

Em seguida, parou diante de Capesius. O juiz mandou o ex-farmacêutico tirar os óculos escuros. Ele transpirava muito, a testa brilhava de suor.

"E aqui está o bom dr. Capesius. Como vai, doutor?"

"Nunca participei da seleção de prisioneiros para as câmaras de gás, como você testemunhou." Diferente de Kaduk, a voz de Capesius tremeu ligeiramente.

"Você certamente participou e sabe disso."

Os únicos ruídos na imensa sala do tribunal eram os sapatos de Langbein arranhando o chão de madeira e as curtas frases trocadas por ele com os réus. Ao longo de quinze minutos, ele identificou oito acusados, dizendo que todos "mantinham em funcionamento a máquina de assassinatos que era Auschwitz".[2]

Enquanto o confronto protagonizado por Langbein era catártico para ele e seus colegas sobreviventes, os acusados reagiam como se tivessem sendo desafiados. Na verdade, durante os quinze meses de julgamento seguintes, o único fator que permaneceu constante foi a lealdade intacta entre os ex-SS: nenhum deles se pronunciou contra o outro. Ninguém subiu ao púlpito para se defender nem mesmo quando entraram com recursos ou tiveram que responder perguntas diretas feitas pelos juízes.

Em vez disso, os acusados simplesmente deixaram seu destino nas mãos de seus advogados. E nenhum deles era mais agressivo que Hans Laternser, que defendia Capesius. Fritz Bauer não pensava ser coincidência o fato de os únicos acusados com condições de pagar pelos mais caros e famosos defensores serem justamente Capesius e seus dois amigos dentistas. Era o mesmo trio que Bauer suspeitava ter roubado o ouro dos dentes de Auschwitz e depois se encontrado para dividir o maldito butim, em 1947 (Fritz Steinacker, sócio minoritário de Laternser, representava Broad e Dylewski).

Laternser, que alguns comentaristas pensavam ser "um simpatizante nazista de extrema direita", certamente fazia valer sua reputação de advogado capaz de qualquer coisa por seus clientes.[3] Desinibido e cheio de recursos, ele tinha uma estratégia maior do que apenas ratificar o argumento de "apenas segui ordens". Ele liderou um esforço para tentar abalar as testemunhas ao sugerir que estavam exagerando ou que suas lembranças não eram confiáveis devido a traumas e à passagem do tempo. Laternser também chegou a questionar o testemunho mais prejudicial, insinuando que estava temperado com desejos de vingança.[4] Ele ainda classificou como inúteis todos os relatos danosos de testemunhas oculares de países comunistas, alegando que faziam parte de uma insidiosa trama comunista para desmoralizar a Alemanha Ocidental.[5]

Não era nenhuma surpresa que Ella Böhm — que havia sido selecionada por Capesius na rampa de acesso da linha férrea — e muitos outros de seus colegas sobreviventes tivessem que tomar tranquilizantes para acalmar os nervos antes de prestar testemunho. A dra. Ella Lingens teve pesadelos por semanas antes e depois de depor.[6]

"Foi muito difícil para nós estar entre aquelas pessoas na terra do inimigo", contou Böhm, "cada pedra nos fez chorar, cada palavra doeu. Éramos como crianças muito machucadas."[7] O interrogatório dela feito por Laternser foi duro. "Meu testemunho durou mais de uma hora. Laternser nos tratou de forma muito ofensiva, nos bombardeando com perguntas confusas e insinuações. Quando me perguntou sobre a tatuagem que fizeram em meu braço quando cheguei ao campo e eu disse que não me lembrava mais de cor qual era o meu número, ele me olhou com ironia e desprezo. E, além disso, no dia seguinte, o *Frankfurter Allgemeine* ainda publicou que eu havia sido teatral."[8] Ao atacar os sobreviventes dessa maneira, muitos observadores na sala pensaram que Laternser estivesse torturando as vítimas outra vez.

Os acusados faziam o máximo para não demonstrar qualquer reação ao que as testemunhas diziam, e isso tornou tudo mais complexo. Oswald Kaduk, por exemplo, manteve-se impassível, brincando com sua caneta-tinteiro, em seu banco na sala de julgamento, enquanto um sobrevivente descrevia em horripilantes detalhes como ele surrava e depois executava os prisioneiros com um único tiro de pistola.[9]

O único indício de que eles estavam prestando alguma atenção nos depoimentos era quando, às vezes, um deles encarava a testemunha. "Eu percebi isso quando eu olhava o rosto de Boger ou Kaduk, e também Capesius e Klehr", lembrou Henry Ormond, um advogado civil que representava a família de alguns sobreviventes. "Especialmente quando o testemunho era incriminador, eu não podia deixar de sentir que eles queriam dizer: 'Foi um erro deixar você viver. Nós claramente esquecemos de asfixiá-lo. Agora está voltando para nos assombrar'. Certamente não havia o menor indício, por menor que fosse, de remorso."[10]

Capesius, nesse meio-tempo, não tinha rivais no quesito aparentar despreocupação. O que o diferenciava dos demais é que ele era o único que com frequência estava sorrindo ou rindo. Ele sorria constantemente para os demais acusados e para os familiares e amigos que haviam comparecido para dar apoio (a última de suas filhas, Mellita, de 29 anos, chegou no meio do julgamento, em outubro de 1964). O sorriso de Capesius, que até alguns amigos achavam inadequado, era mais pronunciado quando o testemunho contra ele era mais incriminador. E, nas vezes em que foi interrogado por algum dos juízes, ele não raro pareceu distraído, como se de alguma maneira tivesse que se esforçar para conseguir se concentrar no tribunal. Por vezes ele teve dificuldade em dar uma resposta articulada, em outras, mostrou-se esquecido, e quase o tempo todo aparentou estar inquieto.

Ninguém sabia ao certo o que estava por trás desse estranho comportamento. Será que o sorriso era a maneira de Capesius mostrar que era um homem inocente e que pouco tinha com que se preocupar no processo? Ou seu sorriso e seus eventuais acessos de riso eram uma estratégia para atribuir comicidade às evidências apresentadas contra ele? Alguns achavam que o intuito era fazer com que parecesse tolo, na esperança de amenizar ou mesmo apagar a acusadora e danosa imagem de oficial assassino da SS.

Até a imprensa alemã eventualmente descrevia o comportamento de Capesius como "estranho" e "fora de contexto". Em certa ocasião, quando o juiz Hofmeyer o interrogou sobre a acusação de que ele havia fornecido ácido fenólico, usado para matar prisioneiros com injeções no coração, Capesius aproveitou a oportunidade para tentar explicar seu comportamento questionável: "Meritíssimo, na manhã da última segunda-feira, eu estava sob muita tensão. Isso me deixou um pouco confuso mais tarde, e as pessoas me criticaram por sorrir, de forma inconsciente, o tempo todo. Eu certamente não pensei que havia algo do que rir, e só posso explicar esse meu comportamento lembrando que fiquei na solitária por mais de quatro anos. Isso e todas as pessoas aqui, além de todas essas lâmpadas elétricas, me distraem, então não consigo me concentrar, na maioria das vezes, no que estou dizendo".[11]

Poucos, porém, foram receptivos. A essa altura, um fluxo constante de testemunhas oculares havia deposto contra ele, e a maioria não se curvou diante dos ataques que o advogado de defesa de Capesius fez contra a credibilidade delas.

Entre as testemunhas estava Ella Böhm, que contou sobre sua chegada a Auschwitz e sobre como reconhecera Capesius na rampa. Sua mãe, que era pediatra, estava no mesmo trem e confirmou que ele mandava os prisioneiros recém-chegados para a direita ou para a esquerda. O dr. Mauritius Berner, que havia reconhecido Capesius por ter feito negócios com ele antes da guerra, narrou a comovente história de como suplicara em vão ao farmacêutico para que ele salvasse suas filhas gêmeas.

Muitos dos depoimentos contra Capesius eram diferentes dos testemunhos dados contra outros acusados. Nenhum dos outros réus era alguém que os sobreviventes haviam conhecido antes da guerra. Com Capesius, entretanto, esse tipo de testemunho se acumulava. Josef Glück, por exemplo, que fora um cliente importante da Farben/Bayer na Romênia, não apenas depôs que Capesius o selecionara em Auschwitz, como também relatou várias ocasiões dentro do campo em que Capesius e Mengele escolhiam prisioneiros para a câmara de gás. "Enquanto faziam isso, eles riam", Glück lembrou. "Eles provavelmente achavam engraçado ver os rapazes gritando por suas mães."[12]

Um após o outro, os sobreviventes foram depondo e contando como tinham conhecido Capesius quando ele trabalhava para a Farben/Bayer e como havia sido o momento em que o reconheceram na rampa de Auschwitz. Entre eles estava Paul Pajor, o farmacêutico judeu; Adrienne Krausz, cuja mãe Capesius mandara para a câmara de gás; Sarah Nebel, cuja família, antes da guerra, vivia no mesmo prédio que Capesius em Bucareste; o dr. Lajos Schlinger, cuja esposa Capesius sentenciara à morte; Albert Ehrenfeld, outro cliente da Farben cuja família Capesius mandara para a câmara de gás.

O promotor Joachim Kügler explicou para a Corte por que tais extraordinários relatos eram particularmente tão danosos: "A singularidade monstruosa de Capesius diz respeito ao fato de que, para ele, não se tratava apenas de massas anônimas, mas sim de pessoas que ele conhecia pessoal e profissionalmente, pessoas completamente inocentes, que acharam que vê-lo era um bom sinal. Eram pessoas que confiavam nele. Que tipo de ser humano precisaria ser este dr. Capesius para conseguir — mesmo sabendo que aqueles que mandava para a esquerda com um gesto de mão tinham apenas mais uma ou duas horas de vida — dar um sorriso amigável e dizer algumas poucas palavras tranquilizadoras enquanto enviava a família de seus antigos conhecidos e colegas de trabalho, suas esposas e filhos, para a morte?

"Quanta brutalidade emocional, quanto sadismo demoníaco, quanto cinismo impiedoso precisa se ter para agir como esse mostro. E pensar que bastava a ele, esse *Hauptsturmführer* da SS, literalmente uma única palavra, apenas um gesto, para manter essas poucas pessoas vivas, essas pessoas que pouca diferença fariam diante daquela grande massa de seres humanos." [13]

Nem todos que testemunharam contra Capesius o conheceram antes da guerra. Para muitos, a primeira vez que o viram foi em Auschwitz. Erich Kulka, um judeu tcheco que havia trabalhado como ferreiro na equipe de manutenção de Birkenau, testemunhara a chegada de muitos dos trens abarrotados de prisioneiros. Quando solicitado a identificar quais dos acusados ele vira fazer a deleção entre vida e morte, ele listou Boger, Baretzki, Broad, Kaduk e Mulka. Então esticou o braço direito e apontou para o outro lado da sala: "E aquele senhor com o número dezoito".

"Você sabe o nome dele?"

"Não."

O homem detrás da placa de número dezoito era Capesius. Ele ficou paralisado em sua cadeira.

"É muito importante para a Corte saber", disse o juiz Hofmeyer, "se você tem certeza de que reconhece o número dezoito como uma das pessoas que fazia seleção na rampa."

"Eu via o número dezoito com frequência. Os homens e as mulheres passavam por ele em fila. Esse era um dos homens que decidiam para que lado deviam ir. O rosto dele não mudou muito. Eu o reconheço com certeza."[14]

Além dos testemunhos de prisioneiros como Kulka, havia também os prisioneiros-farmacêuticos, homens em quem Capesius confiara a administração de seu dispensário. Eles foram os que fizeram os relatos mais incriminadores. Wilhelm Prokop e Jan Sikorski, os dois assistentes em que Capesius mais confiava, vincularam-no de forma definitiva tanto à supervisão do Zyklon B quanto ao desvio generalizado de pertences pessoais de valor, incluindo o ouro dos dentes dos mortos. Ainda mantendo seu comportamento excêntrico no tribunal, a reação de Capesius ao que disseram foi espantosa. Quando, por exemplo, Prokop afirmou que Capesius era o "responsável pelas chaves" da sala em que o Zyklon B era armazenado, Capesius deu uma risada. Prokop prosseguiu descrevendo a ocasião em que encontrara Capesius vasculhando as malas com os dentes e como o farmacêutico-chefe ameaçara sua vida caso ele contasse aquilo a alguém. Isso fez com que Capesius caísse na gargalhada.

"Dr. Capesius", o juiz Hofmeyer falou em seu tom mais grave, "isso realmente não é motivo para risadas. Isso foi uma ameaça de morte."[15]

Capesius não só não parecia perplexo com o que diziam sobre ele no tribunal, como também eventualmente respondia de forma arrogante quando se referia a seus colegas da acusação. Certa feita, um ex-prisioneiro relatou que Oswald Kaduk o surrara com selvageria simplesmente porque o colarinho de sua farda estava desabotoado. Quando Hofmeyer perguntou a Kaduk se ele reconhecia a testemunha, Kaduk respondeu: "Meritíssimo, a testemunha me parece familiar, mas havia 17 mil prisioneiros em Auschwitz e precisávamos mantê-los na linha". Ele admitiu que às vezes batia em um ou outro. "Porém alguns caíam só de me ver levantar a mão; eles apenas fingiam." Isso fez com que Capesius risse descontroladamente.[16]

Uma coisa que o farmacêutico definitivamente não achava engraçada era quando testemunhos sensacionalistas sobre ele viravam manchete nos jornais do dia seguinte. As histórias mais impressionantes eram as que vendiam mais exemplares e as que atraíam os maiores índices de audiência na televisão. Não era de surpreender que a maioria das pessoas que acompanhavam o julgamento se atualizasse apenas por meio das informações de tabloides como o *Bild-Zeitung*. No 118º dia de julgamento, houve uma cobertura frenética da imprensa quando um álbum macabro de fotos de Auschwitz foi apresentado como evidência. Era uma coleção de fotografias clicadas pelo sargento da ss Bernhard Walter, que tinha uma sádica fixação por registrar a miséria e a morte no campo.

Alguns comentaristas apelidaram essa indecente coleção de "a pornografia do horror", e um acadêmico concluiu que "isso contribuiu para a perda geral de interesse público em relação aos acusados do julgamento".[17] O que também frequentemente se perdia era a esperança de Fritz Bauer de que o julgamento fosse uma oportunidade de ensinar algo sobre a Solução Final para a nova geração alemã, inspirando também a introspecção e a reflexão na geração da guerra.

Em abril, quando a prisioneira enfermeira Ludwig Wörl depôs, revelando que um amigo de Capesius insinuara a possibilidade de haver um prêmio de 50 mil marcos para qualquer testemunha que provasse que o Zyklon B não era responsabilidade do farmacêutico-chefe, a manchete nos jornais do dia seguinte foi: "Acusação de suborno no julgamento de Auschwitz!".[18] Em junho, o depoimento de Jan Sikorski gerou a chamada: "Farmacêutico de Auschwitz é rotulado como médico e monstro".[19] E, naquele mesmo mês, depois do relato macabro de Wilhelm Prokop sobre Capesius procurar por ouro entre mandíbulas apodrecidas, as histórias de maior projeção tinham como títulos: "Farmacêutico armazenava dentes de ouro" e "Pilhagem de horror no campo nazista é revelada".[20]

"História de Auschwitz foi escrita com sangue" foi uma manchete de agosto de 1964, quando Josef Glück desatou a chorar ao tirar do bolso uma foto de seu sobrinho assassinado aos dezesseis anos: "Crianças fizeram cortes nos braços e escreveram seus nomes em um muro com o próprio sangue".[21] Ainda em agosto, quando o dr. Berner contou como Capesius despachou sua esposa e sua filha para a câmara de gás, uma das manchetes foi: "Médico depõe que nazista matou sua família".[22] Uma semana depois do depoimento de Berner, Martha Szabó descreveu Capesius gritando com um prisioneiro: "Eu sou Capesius da Transilvânia. Em mim você conhecerá o diabo".[23] O que gerou a seguinte manchete no dia seguinte: "Nazista chama a si mesmo de diabo!".[24]

Em cada uma das vezes que o juiz Hofmeyer perguntou se Capesius gostaria de dizer algo sobre algum testemunho devastador contra ele, o farmacêutico parecia estranhamente incapaz de fazer mais do que alegar conspiração e tentar explicar seus motivos. No caso de Martha Szabó, por exemplo, ele usou o argumento estabelecido por seu advogado de que todas as testemunhas do Bloco Oriental faziam parte de uma trama comunista, de modo que ela mentira em conluio com outras testemunhas para que conseguissem pegá-lo. Isso desencadeou uma advertência da parte de Hofmeyer, que "recusou com a maior energia" a insinuação de que uma testemunha ocular fizesse parte de uma intriga obscura e sem provas.[25] Mas isso não dissuadiu Capesius. Quando Sarah Nebel depôs, revelando que o conhecia desde 1930, época em que ambos viviam no mesmo prédio em Bucareste, e que Capesius a selecionara na rampa de acesso da linha férrea em Auschwitz, ele declarou: "O fato de meus compatriotas dizerem isso repetidas vezes não prova nada. Essa trama contra mim foi arquitetada na Romênia".

Hofmeyer logo detonou a teoria de conspiração comunista de Capesius: "A testemunha vem de Israel".[26]

Capesius então olhou em volta como se estivesse tentando decidir se poderia ter sido, de alguma maneira, enganado. Laternser, seu advogado, fez uma careta.

Em outra ocasião, o farmacêutico Paul Pajor afirmou que não apenas conhecia Capesius dos tempos da Farben/Bayer, mas também que havia sido selecionado por ele em Auschwitz: "O dr. Capesius estava de pé a uns doze ou quinze passos de mim, falou comigo em húngaro e me escolheu. De que ele fazia seleções, eu tenho cem por cento de certeza. Não dá para esquecer uma coisa dessas".

Hofmeyer então se dirigiu a Capesius: "O que queremos saber acima de tudo é se você fazia ou não seleções na rampa. O que a testemunha disse, em resumo, soa muito plausível."

"Apenas soa assim", retrucou Capesius e se lançou em uma diatribe sobre como o comunismo na Romênia o havia enquadrado em 1946, ano em que foi condenado *in absentia*.[27]

Quando outra testemunha apresentou um cartão-postal que Capesius teria lhe enviado durante uma viagem de férias antes da guerra, Hofmeyer perguntou ao réu se a caligrafia era dele. Capesius confirmou. Alguns dias mais tarde, contudo, aparentemente se lembrando de sua alegação de que todos os romenos estavam mentindo, ele mudou de ideia e contestou a caligrafia.

Em outras ocasiões, a resposta padrão de Capesius — negar ter conhecido qualquer testemunha antes da guerra e declarar que devia estar sendo confundido com o dr. Fritz Klein na rampa de Auschwitz — parecia caduca e cada vez mais absurda ao ser repetida tantas vezes. Quando uma testemunha declarou que o chamavam pelas costas de Capesius *Mopsel* (Capesius Pug), ele aproveitou a oportunidade para dizer que não se parecia com um pug, mas que o apelido valia para o dr. Klein. Isso levou um dos advogados civis presentes, Henry Ormond, a dizer que ele conhecera Klein durante o julgamento do campo de Bergen-Belsen e que "era difícil imaginar alguém que se parecesse menos com o dr. Klein do que Capesius".[28] Ella Lingens, uma das prisioneiras-médicas de Mengele, confirmou: "O dr. Klein tinha à época (1944) a idade que Capesius tem hoje (1964). Seus rostos não tinham nenhuma semelhança. O dr. Klein falava um alemão de elite, sem sotaque. Eu não sabia que ele era da Romênia. O modo como falavam não era parecido. O dr. Klein tinha menos sotaque, como alguém filho de mãe alemã. Ele até pode ter utilizado um pouco o dialeto da Suábia, em nada se parecia com alguém da Transilvânia, ao mesmo tempo em que, para mim, o dr. Capesius fala como alguém que tem um dos pais romeno. O dr. Capesius fala alemão como um romeno, mais como um estrangeiro".[29] (Uma das testemunhas a favor do farmacêutico, uma amiga de infância, Viktoria Ley, mais tarde tentou fortalecer a defesa de Capesius com base no álibi de Klein, contando que encontrara o falecido oficial em 1944 e que ele teria lhe confidenciado que "assumira todas as tarefas desagradáveis de Capesius". Ao ser interrogada por Hofmeyer, ela admitiu que elementos-chave de seu depoimento vieram de relatos lidos em jornais.)[30]

Outras vezes, Capesius falhava em dar qualquer explicação satisfatória sobre por que alguém de sua patente se deslocava até a rampa para pegar maletas e suprimentos médicos em vez de designar algum subordinado para isso, especialmente se ele achava a rampa tão perturbadora quanto alegava.

Quando o promotor mostrou a ele uma foto de uma das seleções, Capesius se recusou a admitir que reconhecia a cena. Os juízes pareciam intrigados com o esforço homérico que ele fazia para evitar perguntas. Ao ser pressionado, levantou os braços, em desespero. "Eu não tenho ideia de como isso deveria parecer!"[31]

Apesar de Capesius gostar de fingir que poucas coisas apresentadas ali o incomodavam, seus advogados sabiam que ele estava particularmente aborrecido com o fato de a mídia consistentemente se referir a um de seus colegas acusados, o dr. Franz Lucas, como o "bom alemão". Lucas dizia que, nos cinco meses que passara em Auschwitz, em 1944, "nunca desobedeceu ordens, mas fez o que pôde para contorná-las".[32] Capesius achava que também merecia aparecer bem na mídia, já que havia alegado que tentara escapar do serviço de seleção. Ele ficou melindrado por Lucas claramente ser o favorito da imprensa. Humilhação maior ainda era a equipe de Bauer ter escolhido Capesius como garoto-propaganda para mostrar que os nazistas roubavam dos cadáveres.

A certa altura, o promotor argumentou: "Capesius sistemática e impiedosamente tirou vantagem da situação em Auschwitz e de forma intencional seguiu seus próprios interesses materiais. As evidências mostrarão como é culpado, não de roubo ou extorsão — porque as pessoas de cuja propriedade se apropriou já estavam mortas —, mas pela forma como perpetrou de maneira particularmente hedionda a pilhagem dos mortos. As evidências mostrarão como o acusado, Capesius, tinha um bom motivo pessoal para permanecer em Auschwitz e dar continuidade aos assassinatos que ocorriam ali — um fato que legalmente tem grande significado, porque revela as verdadeiras intenções do acusado. [Este] foi um hábito amplamente difundido em Auschwitz a respeito dos itens de valor que eram confiscados dos prisioneiros recém-chegados: alguns oficiais da SS separavam esses objetos como um tipo de seguro para a própria velhice. E, de acordo com o que ouvimos, nenhum dos acusados foi indulgente nessa prática por tanto tempo ou com tanta eficiência comercial quanto o inescrupuloso Capesius".[33]

Uma coisa era ser acusado de assassinar judeus, considerados menos que humanos pelo Terceiro Reich, conjecturou Capesius, mas ser marcado publicamente como nada além de um ladrão de túmulos era ultrajante demais.

Por mais que Capesius fervesse por dentro com as acusações, ele tentou se mostrar imperturbável. O esforço para esconder a raiva e a vergonha levaram-no a alguns momentos de valioso acanhamento. Em junho de 1964, o prisioneiro-farmacêutico Wilhelm Prokop chocou a Corte ao descrever como Capesius havia se "debruçado e começado a vasculhar mandíbulas" de cadáveres em sua busca por ouro. Capesius então começou a rir descontroladamente até que Hofmeyer mandou ele "parar com isso".

Quando Prokop terminou seu depoimento, Hofmeyer perguntou a Capesius se ele gostaria de se pronunciar. Já sem sorrir, ele mostrou alerta na mesa dos réus: "Nunca tirei ouro de dentes. Uma única vez examinei um dente — e o ouro já tinha desaparecido".[34]

Até Laternser pareceu intrigado com seu cliente.

No desenrolar do julgamento, Capesius parecia viver em um mundo só dele, passando muito do seu tempo na prisão lendo a respeito de Auschwitz, tomando notas, sugerindo estratégias a seus advogados e, de modo geral, sentindo muita pena de si mesmo. Cartas escritas por ele enquanto esteve preso mostram que, em vez de o julgamento o impulsionar a pensar no que fizera no campo, Capesius se queixava de tudo, desde solidão à baixa qualidade da comida servida aos prisioneiros, mencionando até mesmo sua carência sexual.

Em Hammelsgasse, ele se lamentou: "Eles só lhe dão um pacote de cinco quilos de alimentos no Natal se você estiver em prisão preventiva. Detentos que cumprem pena, por outro lado, podem receber meia galinha ou um bolo quando suas famílias vêm para a visita mensal; nós, detidos, porém, recebemos no máximo uma garrafa de Coca-Cola da máquina de refrigerantes e ainda acham que isso vai impedir que escapemos?". Capesius disse que "seus prisioneiros [em Auschwitz] eram mais bem alimentados". A comida ruim o fizera perder dezoito quilos, fato que ele afirmava tê-lo deixado "praticamente impotente e sem desejo sexual. Não há sexo com esposa ou namorada, e todo mundo tem que lidar com isso de alguma maneira. Mas você consegue aguentar essa abstinência por algum tempo, devido à tensão nervosa que sente o tempo todo. Isso então acaba levando a um tormento sexual, ou pelo menos a uma necessidade (...). Mesmo em Auschwitz, montar um bordel era apenas uma medida paliativa".[35]

Capesius também estava irritado com o que chamava de "toda sorte de privações para alguém em confinamento solitário (...). Você não tem companhia, ninguém com quem falar". Outras vezes reclamava da "alienação" de sua família e que "em casa tenho gente de quem preciso cuidar". Sua esposa, ele salientou, havia acabado de chegar na Alemanha Ocidental e "minhas filhas ainda não têm pai, todas as três ainda estão na escola, porque sua escolaridade não é reconhecida totalmente aqui. Todos esses problemas poderiam ter sido resolvidos de outra maneira, se o pai delas estivesse em liberdade, não na prisão. Como é ter um pai na cadeia quando não há nenhuma prova contra ele?".

E quanto à testemunha ocular e às evidências de que ele era culpado? "É claro que ter a consciência em paz é um grande conforto, mas quando você descobre que as acusações a seu respeito são exageradas com mentiras, você simplesmente não entende mais o mundo. A testemunha pode ser apresentada como indigna de confiança, mas ainda assim aparece em todos os livros e no teatro, mesmo que seu testemunho tenha sido rejeitado no primeiro veredito: a acusação de ter mandado 1.200 crianças para a câmara de gás permanece, porque *scripta manent*" (um provérbio em latim que significa "as palavras faladas se vão com o vento, mas as escritas permanecem").[36]

Apesar de Capesius não ter nada além de elogios para sua equipe de advogados, ele chegou a anotar: "Riqueza e propriedade se foram. Dívidas estão se acumulando". Sua defesa lhe custou cerca de 100 mil marcos.

Capesius estava satisfeito pelo julgamento estar finalmente chegando à fase de conclusão. Um fato pouco usual ocorrido fora do tribunal lhe dera esperança de que os alemães modernos estivessem se tornando mais clementes quanto aos crimes de guerra. Heinrich Bütefisch, o químico diretor da Farben que havia sido condenado a sete anos no julgamento da companhia, estava de volta aos quadros de diretoria de algumas das maiores indústrias químicas alemãs. Dessa forma, ele se assemelhava a seus colegas diretores que também haviam sido condenados, já que todos recuperaram suas posições em cargos de confiança nas indústrias do país. A diferença, no final de 1964, foi que o presidente da Alemanha dera a Bütefisch a mais alta comenda civil por serviços prestados, a Grã-Cruz de Mérito. A ideia de um condenado por crimes de guerra receber a Grã-Cruz deu início a uma tempestade. E, apesar de Bütefisch mais tarde devolvê-la, quando o julgamento de Auschwitz estava chegando ao final pareceu a Capesius que isso era um sinal de que a sorte sopraria em sua direção.

# O VEREDITO

OS DISCURSOS DE ENCERRAMENTO começaram em 7 de maio de 1965. Em sua total negação, Capesius achou que isso significava que ele estivesse apenas a um passo de ser absolvido. Nessa época, dois dos acusados, Heinrich Bischoff e Gerhard Neubert, tiveram seus casos separados do julgamento em andamento devido a questões de saúde. Os promotores, os advogados dos queixosos e os advogados de cada um dos vinte acusados levaram três meses para finalmente encerrar o julgamento. A promotoria fez um discurso duro, não apenas reforçando que Auschwitz foi o principal centro de genocídio da Solução Final, mas também salientando a prova mais relevante contra cada um dos acusados. Até onde Fritz Bauer era responsável, o cerne do pleito da acusação era unânime: "Todo o julgamento serviu para dizer *você deveria ter se recusado a fazer essas atrocidades*".[1]

No discurso de encerramento dos advogados das vítimas, Henry Ormand apelidou Capesius de "um dos grandes carniceiros".[2]

Em junho, Hans Laternser fez seu tão esperado discurso de encerramento sobre Capesius e seus outros clientes. O *Frankfurter Allgemeine Zeitung* descreveu suas palavras como "irônicas, insultuosas, mas muito lógicas e espertas". Laternser desacreditou todas as testemunhas oculares ao alegar que não eram confiáveis, já que, segundo ele, estaria "além da capacidade humana" se lembrar com clareza de fatos tão terríveis vinte anos após terem acontecido. Além disso, ele acrescentou, havia ainda as motivações de vingança e a propaganda política das testemunhas do bloco comunista, que faziam aumentar as dúvidas sobre sua confiabilidade.[3] Ele então finalizou com a premissa de que os relatos podiam ter sido manipulados, uma vez que mais da metade das testemunhas eram de países estrangeiros e não poderiam ser julgadas na Alemanha.

Mas o que realmente chamou a atenção do público foi que Laternser distorcidamente argumentou que as seleções não eram um crime, mas sim um ato de misericórdia. Como Auschwitz era um campo de extermínio, os sobreviventes deviam a vida aos oficiais da SS que os havia selecionado na rampa. Na singular visão de mundo de Laternser, a seleção sabotava a ordem do Terceiro Reich de exterminar todos os judeus europeus. A seleção, de acordo com ele, era um obstáculo ao assassinato, não um auxílio. Os acusados, ao servir na rampa de Auschwitz, escolheram a vida, não a morte. "Pode-se dizer que aqueles que participaram das seleções agiram como salvadores dos selecionados, subvertendo assim o plano de Hitler."[4]

O sócio de Laternser, Fritz Steinacker, seguiu a mesma linha, afirmando que o julgamento todo tinha sido falho por não ser nada além de uma farsa política. Ele argumentou tenazmente que não importava se todos achavam-na discutível, a Solução Final fora ordenada pelos líderes do Terceiro Reich. Seus clientes eram simplesmente homens comuns que cumpriram seus deveres para com o Estado.

Em 6 de agosto de 1965, o 180º dia do julgamento, os acusados declararam sua defesa (pela lei alemã isso é feito no fim do julgamento, não no início). Capesius conseguiu evitar recorrer à sua marca registrada de esquecimentos e tropeços. Ele claramente havia ensaiado muitas vezes sua declaração. Ele disse apenas que "uma circunstância infeliz" permitira que ele, "um oficial romeno e um cidadão casado com uma meia *Jewess* (...) fosse farmacêutico-chefe em Auschwitz".

Alguns poucos espectadores e repórteres atrás dele franziram o cenho ao ouvi-lo pronunciar *Jewess*, um dos termos depreciativos que o Terceiro Reich usava para se referir às mulheres judias.

"Meritíssimo! Eu não fiz mal a ninguém em Auschwitz. Fui educado, simpático e gentil com todos sempre que possível. Estive na rampa muitas vezes, mas para pegar valises médicas para as farmácias do campo. Nunca fiz seleções, e preciso repetir isso enfaticamente. Da minha posição de farmacêutico, fiz meu trabalho da melhor forma que pude naquelas circunstâncias (...). Não sou culpado por nenhum crime cometido em Auschwitz. Eu lhe suplico minha absolvição."[5]

Apesar dos muitos testemunhos independentes relatarem conclusivamente que Capesius de fato fizera seleções na rampa, ele sabia que precisava continuar negando tê-las feito. Admitir uma única participação seria tão danoso para seu destino legal quanto se ele tivesse admitido dúzias delas.

Todos os acusados permaneceram sob custódia enquanto o julgamento caminhava para seu desfecho naquele mesmo dia (dois deles, Willi Schatz e Pery Broad, estavam sob fiança até então). Estava na hora de os juízes e o júri deliberarem. Qualquer votação teria que resultar em uma maioria de cinco votos, visto que se tratava de três juízes e seis membros do júri.

Em discussões iniciais, alguns poucos jurados haviam comentado achar que tempo demais havia passado para que uma testemunha tivesse credibilidade, de maneira que o julgamento não poderia se basear apenas em relatos. No entanto, havia documentos que comprovavam os testemunhos, como foi apontado pelos juízes. E, mais importante ainda, uma visita a Auschwitz durante o julgamento, realizada de 14 a 16 de dezembro de 1964, e a qual compareceram juízes, jurados e advogados, corroborara muito do que as testemunhas oculares haviam relatado. Depois de dez dias, finalmente a votação das acusações de cada réu teve início. De acordo com as leis da Corte, o júri votou antes dos juízes, começando pelo mais novo.

Quinta-feira, 19 de agosto de 1965, era o dia do veredito. Era surpreendente que só houvesse levado doze dias para que se chegasse à conclusão de todas as acusações de tantos réus. A sala do tribunal estava lotada. A imprensa internacional estava presente outra vez e espectadores ocupavam todos os assentos disponíveis. Apesar de pesquisas indicarem que mais da metade dos alemães não acompanhou o julgamento por nenhuma mídia, parecia que de repente todos queriam estar presentes naquele momento histórico.[6]

Às 8h30 os acusados começaram a entrar na sala do tribunal. Höcker e Baretzki imitaram Capesius e apareceram de óculos escuros. Os três juízes entraram poucos minutos antes das nove da manhã. O juiz Hofmeyer anunciou, como fizera todos os dias dos últimos vinte meses: "O caso de Mulka e de outros está em sessão". Todos os acusados então se levantaram pela última vez.

Hofmeyer anunciou que leria um resumo do veredito. Era literalmente uma "justificativa verbal" para a decisão como um todo, que ele salientou ter 457 páginas e "incluir argumentos e evidências do veredito do caso de cada acusado".[7] Mesmo o resumo oral e os vereditos levaram dois dias.

O juiz começou explicando que a Corte decidira não ser obrigatório chegar a um veredito que tivesse algum significado histórico relacionado a Auschwitz. "Embora o julgamento tenha atraído a atenção para além das fronteiras deste país e sido chamado de 'O Julgamento de Auschwitz', até onde diz respeito a esta Corte, trata-se do julgamento de Mulka e dos demais. É preciso esclarecer que, ao que concerne esta Corte, a única coisa considerada foi a culpa dos homens acusados. A Corte não foi reunida para julgar o passado e também não lhe coube decidir se este julgamento serviria para esse propósito ou não. A Corte não se dispôs a fazer um julgamento político nem um espetáculo."[8]

Hofmeyer então especificamente rejeitou a proposição da acusação de que todos os que haviam trabalhado em Auschwitz eram automaticamente cúmplices dos crimes ali perpetrados. O juiz-chefe declarou que, se os acusados fossem considerados culpados apenas com base em sua filiação à SS e em serviços prestados no campo de extermínio, o julgamento "teria terminado em poucas horas" e a Corte da Alemanha Ocidental "não seria melhor do que a lei praticada em Auschwitz".[9]

No entanto, Hofmeyer deixou claro que os acusados não se beneficiariam de ser "peixe pequeno", porque "foram tão vitais para execução do plano de extermínio quanto aqueles que desenharam o plano em suas mesas".

Para chegar aos vereditos, Hofmeyer percebeu a dificuldade de os testemunhos oculares terem sido dados tanto tempo depois dos acontecimentos. "A Corte teve cuidado e verificou com seriedade os relatos de cada testemunha", ele disse, "e, por isso, não pôde considerar culpados todos os réus das acusações do indiciamento." A capacidade da Corte de se certificar da veracidade dos relatos era limitada, ele ainda salientou, visto que os nazistas haviam "feito uma limpa de todos os vestígios" dos crimes: "Documentos que poderiam ser de grande valia para a Corte foram destruídos" e os próprios acusados "não apresentaram nenhuma pista que ajudasse a encontrar a verdade, ficaram calados acerca de muitas coisas e falharam amplamente em dizer a verdade".

Ele então prosseguiu nas deliberações de cada um dos vinte acusados, seguindo a ordem numérica em que estavam acomodados no tribunal. Isso significava que Capesius teria que ouvir dezessete vereditos antes de conhecer sua própria sina. Dentre esses dezessete, quinze foram considerados culpados de assassinato como perpetradores ou como cúmplices. O dr. Willi Schatz, amigo de Capesius, foi absolvido. Isso deve ter dado ao farmacêutico esperança de que sua defesa também tivesse convencido a Corte de sua inocência.

Capesius ficou alerta quando Hofmeyer se virou para ele. O chefe dos juízes começou por desconsiderar a alegação de que, como vivia na Romênia, Capesius não tinha total compreensão de que o que acontecia em Auschwitz era um crime universal. Hofmeyer ainda descreveu sua conduta no campo como "cruel" e "mal-intencionada". Capesius mais tarde contaria a um amigo que ele não pôde acreditar que tais palavras ditas pela tribuna fossem sobre ele. A Corte concluiu que ele tinha feito seleções na rampa de acesso da linha férrea e, por isso, era responsável por mandar "pelo menos 8 mil de seus compatriotas romenos para a morte". Na verdade, sua persistência em negar seu papel na rampa, a Corte deliberou, era uma evidência de que "ele sabia muito bem que estava facilitando o programa de extermínio e contribuindo para a morte de vítimas" por meio das seleções.[10] Capesius também era responsável, afirmou Hofmeyer, por assassinatos "na medida em que supervisionava a inserção de Zyklon B".

Uma pequena boa notícia foi que Capesius não havia sido responsabilizado pela distribuição do fenol usado para matar prisioneiros, porque a Corte determinou que esses experimentos tinham se encerrado antes que ele se tornasse farmacêutico-chefe. Ele também não foi considerado culpado por dar surras e fazer seleções no campo feminino, a despeito de um testemunho ocular.

A conclusão de Hofmeyer, no entanto, foi especialmente danosa. A Corte julgou ser "repugnante que o acusado enriquecesse com os pertences das vítimas assassinadas".[11]

Segundo alguns dos presentes no tribunal, Capesius pareceu ter murchado. Seus ombros descaíram, ele ficou cabisbaixo e abraçou a si mesmo, apoiando-se na ponta da mesa dos réus. Quando o juiz parou de falar, seu advogado precisou avisá-lo de que ele devia novamente se sentar.

Aquela manhã foi como um pesadelo surrealista para Capesius. Ele custava a entender por que, passados vinte anos do fim da guerra, a Corte alemã ainda insistia que ele fosse considerado culpado pelos assassinatos em Auschwitz. Ao longo das últimas décadas, Capesius havia se empenhado muito para negar os fatos e se convencer de que era uma simples vítima do destino e da má sorte. Ele não pensou que houvesse um risco real de ser condenado criminalmente, nem mesmo depois de sua prisão em 1959. Agora, no entanto, ao escutar a enxurrada de palavras de Hofmeyer, ele não conseguia assimilar que a Corte não aceitara a sua versão dos fatos. O veredito de culpado não foi um momento revelador para Capesius, em que ele de repente compreendeu que seu passado finalmente o alcançara. Em vez disso, apenas sentiu pena de si mesmo. Da mesma forma que os nazistas o tinham "vitimado" ao arrastá-lo para a Waffen-ss, ele achava que a Corte da Alemanha Ocidental também o estava "vitimando" ao fazê-lo pagar por crimes além de seu controle.[12]

A atenção de Capesius voltou-se para a sala do tribunal quando Laternser puxou seu paletó. O juiz Hofmeyer terminara a leitura dos vereditos. Dos acusados, dezessete haviam sido considerados culpados de pelo menos algumas das acusações, e três foram totalmente absolvidos (Breitwieser, Schatz e Schobert). Apesar de Capesius ficar chateado, Laternser estava satisfeito. Seu cliente era o único dos sete acusados de "homicídio doloso como perpetrador" que fora julgado culpado de forma mais leve, isto é, como "cúmplice de assassinato".

Em seguida, Hofmeyer passou para a leitura das sentenças. Os seis julgados culpados por homicídio doloso pegaram a pena máxima de prisão perpétua (Boger, Kaduk, Klehr, Hofmann, Baretzki e Bednarek). O restante, condenado por cumplicidade, pegou penas reduzidas, que variaram de três anos, para o dr. Franz Lucas, a catorze anos, para Mulka. Capesius pegou nove anos. Assim que ouviu a sentença, ele olhou para Laternser como que buscando uma confirmação de que escutara o número direito.[13]

"E, com isso, este julgamento diante da Corte de Frankfurt está terminado", declarou o juiz Hofmeyer. "Durante os vinte meses deste julgamento, a Corte teve que reviver o sofrimento e a tortura aos quais pessoas foram sujeitadas e que para sempre estarão associados a Auschwitz. Alguns de nós durante muito tempo não serão capazes de encarar os olhos alegres e confiantes de uma criança sem ver o profundo, inquisitivo, incompreendido e aterrorizado olhar das crianças que fizeram sua última viagem para Auschwitz."[14]

Hofmeyer agradeceu ao júri, aos advogados da promotoria e da defesa, e mandou que todos os que haviam sido considerados culpados fossem recolhidos à custódia. Só então voltou a atenção para os homens que acabara de julgar. "Os réus, por favor, levantem-se. Vocês ouviram o veredito. É minha obrigação lhes dar algum aconselhamento legal. Vocês podem apelar contra a sentença, mas apenas com base no argumento de que ela seja ilegal, não por acharem que as descobertas da Corte não estejam fundamentadas em fatos. A apelação deve ser encaminhada em uma semana."

O juíz bateu o martelo pela última vez.

"Está encerrada a sessão."

Fritz Bauer estava muito desapontado com o veredito. Pensava ser outro indício de que a Alemanha não queria ser confrontada com seu passado de guerra. Segundo ele, as condenações por cumplicidade, cuja pena era menor, eram uma maneira de a Corte alimentar "o que sobrou da fantasia otimista de que, no período do Estado totalitário nazista, apenas algumas pessoas eram responsáveis, enquanto o restante estava aterrorizado, despersonalizado como trapos pendurados ao vento, personalidades desumanizadas compelidas a fazer coisas totalmente contrárias à sua natureza. A Alemanha não é mais a sociedade que apoiava o nazismo, mas um país ocupado pelo inimigo. Isso, porém, não tem muita relação com a realidade histórica. Eles [os 'peixes pequenos'] eram nacionalistas virulentos, imperialistas, antissemitas e pessoas que odiavam judeus. Sem eles não teria sido possível imaginar um Hitler".[15]

Bauer considerou uma falha grave do sistema judicial que a Alemanha tivesse se recusado a aplicar retroativamente aos nazistas as leis de 1954 que baniam o genocídio e o extermínio em massa. "Havia uma ordem para exterminar os judeus na Europa controlada pelos nazistas; os instrumentos de genocídio eram Auschwitz, Treblinka e assim por diante. Quem quer que operasse essas máquinas mortais é culpado de participação nos assassinatos, [da mesma forma que] alguém que faz parte de uma quadrilha de assassinos é culpado de assassinato, não importando se ele deu a ordem como chefe em um escritório, distribuiu revólveres ou fez os disparos por si mesmo."[16]

Em menos de uma semana, todos os réus entraram com recursos para tentar reverter suas condenações. Pela lei alemã, os promotores também podem recorrer. Eles então pediram a revisão da absolvição de Willi Schatz e um novo julgamento para Capesius, Mulka, Höcker, Dylewski, Broad, Stark e Schlage.[17] A moção argumentou que todos haviam se livrado com penas leves, e que a pena apropriada para eles seria prisão perpétua.

A promotoria não era a única abatida. Herman Langbein, agora secretário-geral de outro grupo de sobreviventes, o Comité International des Camps, em Bruxelas, no mínimo sentia um desconforto em relação ao assunto. Apesar de satisfeito que dezessete dos acusados tivessem sido declarados culpados, ele achou que a Corte havia sido benevolente demais com as sentenças. Langbein estava perplexo pelo fato de os dois ajudantes do campo, Höcker e Mulka, não terem sido condenados à pena máxima. E o que deixou Langbein e outros sobreviventes espumando foi que Capesius havia sido condenado apenas como cúmplice, não como perpetrador intencional. "Qualquer um que não se envergonhe de ter lucrado com o assassinato em massa claramente desejava e queria isso", disse Langbein a um repórter.[18]

Langbein não estava sozinho. Jornais em Zurique, Paris e Londres criticaram as sentenças e salientaram que Capesius e Mulka haviam saído com penas leves demais.[19] O jornal *Neues Deutschland*, da Alemanha Oriental, publicou: "Esse julgamento é um insulto aos mortos de Auschwitz".[20] No ano seguinte, quando o dramaturgo Peter Weiss apresentou sua obra de quatro horas de duração, *The Investigation*, ela era baseada em sua quase totalidade no julgamento. Capesius, mais uma vez, foi apresentado como alguém que levara apenas um leve tapa na mão.

"Não há mais respeito no mundo", Capesius escreveu à sua família. "Estou marcado pela imprensa, e, naquela pecinha de teatro de Weiss, ele me cita, mas na verdade se refere ao dr. Fritz Klein: 'Vocês se verão novamente em uma hora'. Eles falam no palco (...) nos livros sobre o julgamento, além de mencionar Auschwitz em todo artigo, mesmo quando não há nenhuma relação com o tema da matéria; mas em muitos países essa caça às bruxas é utilizada para promover vendas."[21]

Para Capesius, toda essa notoriedade tinha pelo menos um lado bom insuspeito. Fosse pelos meramente curiosos ou por aqueles que queriam demonstrar apoio, os negócios na Markt-Apotheke em Göppingen estavam crescendo.[22]

## "Tudo não passou de um pesadelo"

O término formal do julgamento não interrompeu o ativismo de sobreviventes como Langbein. Em setembro de 1964, ele contatou a Universidade de Viena pedindo a revogação do título de doutor em farmácia de Capesius. A universidade não conhecia Langbein e pensou que ele desistiria se simplesmente dissessem não. Uma vez que o pedido foi recusado, Langbein fez o que já havia feito tantas vezes ao enfrentar uma burocracia emperrada, resistente e inerte: construiu uma coalizão forte para exigir sua revogação. A coalizão incluía o Centro Simon Wiesenthal, a Associação Profissional de Imigrantes da Hungria e da Romênia, alguns proeminentes médicos que residiam em Israel e até mesmo um embaixador de Israel na Áustria. Em novembro, para raiva de Capesius, a Universidade de Viena caçou seu diploma profissional.[1] (Langbein também conseguiu, com sucesso, anular o diploma do dentista Willi Frank e do médico Franz Lucas.)

Além de motivar ainda mais Langbein e outros sobreviventes, o julgamento teve outros bons frutos e consequências fortuitas. Alguns depoimentos levaram ao desmascaramento do dr. Horst Fischer, um colega de Capesius em Auschwitz que vinha trabalhando como médico na Alemanha Oriental. Depois de sua prisão, ele foi considerado culpado e foi a última pessoa a ser guilhotinada na Alemanha, em 1966.

O julgamento de Frankfurt também incentivou Fritz Bauer a completar várias investigações correlatas de seu escritório. De 1966 a 1971, Bauer participou de mais três julgamentos menores relacionados a Auschwitz, conseguindo uma série de condenações contra alguns dos *Kapos*-chefes em Auschwitz e na Farben/Monowitz. O acusado de patente mais alta foi o dr. Horst Schumann, que realizara diversos procedimentos de esterilização horripilantes no Hospital de Mulheres em Auschwitz. Schumann fora fugitivo em Gana até novembro de 1966, quando foi finalmente extraditado para a Alemanha (seis meses após o início de seu julgamento, ele foi solto devido a seu precário estado de saúde e viveu mais onze anos como um homem livre).

O julgamento de Auschwitz também fortalecera o debate, que escandalosamente se arrastara por anos, sobre a criação ou não de um estatuto que prescrevesse os crimes nazistas. Na Alemanha Ocidental pós-1945, o limite original de tempo para acusar alguém de assassinato era vinte anos. Quando 1965 foi definido como data de prescrição, o limite foi temporariamente estendido para que englobasse todos os casos em que Bauer estava trabalhando. Ele e seus colegas, no entanto, vasculharam os registros históricos do julgamento de Capesius e de seus 21 colegas da SS para argumentar ser evidente que os crimes de assassinato cometidos na era nazista não deveriam nunca ser prescritos (o que só viria a se tornar lei em 1979).

Quanto a Capesius, ele permaneceu preso e deu início à sua apelação. Sua esposa e suas filhas o visitavam com regularidade, bem como alguns velhos amigos, como os Stoffel. Assim como durante o julgamento, seus mais frequentes visitantes eram seus advogados. Capesius passava os dias tentando ajudá-los a rever o caso apresentado contra ele e procurando razões para seu veredito ser anulado.

Em 24 de janeiro de 1968, passados menos de dois anos e meio de sua pena de nove, o Supremo Tribunal da Alemanha surpreendeu quase todo o mundo ao libertar Capesius da prisão sem que o processo de sua apelação tivesse sido concluído. A Corte, ao avaliar que o réu tinha um negócio bem estabelecido e laços familiares na Alemanha, desconsiderou que houvesse risco de que fugisse. E ainda aceitou o argumento humanitário do advogado de Capesius de que os quatro anos e meio que ele ficara sob custódia, desde o dia em que fora detido até o momento em que fora julgado, deveriam ser levados em conta.[2] Semanas antes do seu 61º aniversário, Capesius saiu da prisão enquanto seu processo de apelação ainda seguia. Isso causou uma reação furiosa no escritório de Bauer, entre os sobreviventes e em grande parte da imprensa.

Para Capesius, contudo, foi um momento de vitória. Seu advogado, Hans Laternser, havia previsto corretamente que ele nunca mais voltaria à prisão. Capesius teria preferido que uma Corte de Apelação tivesse revisto seu caso e declarado sua inocência, mas, a despeito disso, ficar preso menos de três anos, sendo que sua sentença era de nove, sem dúvida alguma era um consolo.

Depois de sua libertação, a primeira aparição pública de Capesius foi em Göppingen, à noite, acompanhado de sua família em um concerto de música clássica. Ao entrar no teatro, a plateia espontaneamente irrompeu em aplausos entusiasmados.[3]

Fritzi, que nunca se sentira em casa na Alemanha, no início sugeriu que fosse melhor para eles começar uma nova vida no exterior. Ela sentia saudades e queria voltar para a Transilvânia, mas isso não era uma opção, já que a sentença de morte contra Capesius, dada em 1946, continuava em vigor na Romênia. Além disso, o fato era que ele não queria deixar a Alemanha. Ali era seu novo lar e, segundo Capesius, ele abrira mão de muita coisa ao ser julgado e condenado para agora simplesmente arrumar as malas e partir. Naquele verão, a calorosa recepção de seus vizinhos, somada à notícia inesperada de que Fritz Bauer havia morrido, aos 64 anos, de ataque cardíaco, haviam reforçado sua convicção de que a decisão de ficar era a melhor a ser tomada.

Mais importante ainda, no entanto, é que ele não queria se separar das filhas depois de ter ficado longe por tantos anos. Era evidente que elas haviam estabelecido raízes no Ocidente. Sua filha mais velha, Melitta, estava estudando Engenharia na Universidade Técnica de Stuttgart, a mesma instituição em que ele se matriculara após a guerra (no ano seguinte, ao se formar engenheira, ela se mudou para perto de Ludwigsburgo e foi trabalhar em uma empresa de manufaturas chamada Mann + Hummel). Enquanto Capesius esteve preso, Ingrid, a filha do meio, obtivera o título de doutora em Biologia e Ciências Naturais em uma das universidades mais antigas e famosas da Alemanha, a Universidade Eberhard Karls, em Tubinga. Enquanto Capesius se adaptava a viver novamente como um homem livre, ela fez pós-doutorado (um ano após a liberação do pai, ela entrou para o corpo docente do Departamento de Biologia da Universidade de Heidelberg). Christa, a mais nova, resolveu seguir os passos do pai e se formou em Farmacologia (e foi trabalhar em uma Apotheke em Schwäbisch Hall, uma hora ao norte da casa dos pais).

As filhas queriam que o pai ficasse na Alemanha. Depois de adultas, elas só o tinham visto na prisão ou no tribunal. A liberdade dele significava que teriam enfim uma oportunidade de conhecê-lo.*

Durante os dezessete anos que se seguiram até sua morte por causas naturais, em 20 de março de 1985, aos 78 anos, Capesius e a esposa viveram sozinhos na mesma casa que ele comprara no início dos anos 1950, em Göppingen (após o falecimento do marido, Fritzi permaneceu lá sozinha até sua morte, em 1998). O casal retomou os negócios de sua farmácia e de sua loja de produtos de beleza, apesar de Capesius não poder mais aviar receitas, já que perdera seu diploma de farmacêutico.

Ao longo dos anos, no entanto, muitos dos que os visitavam pensavam que eles pareciam preocupados: Fritz com saudades de sua terra natal e Capesius com sua necessidade constante de justificar seu serviço durante a guerra. Embora fosse um homem livre, seus amigos achavam que ele continuava preso à sua narrativa sobre o tempo que servira em Auschwitz.

O poeta romeno Dieter Schlesak, cuja família conhecera Capesius antes da guerra, visitou o casal em 1978 para fazer uma pesquisa para um romance que ele estava escrevendo com base na história do ex-farmacêutico. Schlesak ficou surpreso com o fato de eles parecerem confusos a respeito de nomes e lugares e frequentemente se equivocar em suas recordações dos acontecimentos.

* Melitta Capesius se aposentou na Mann + Hummel em 1992 e, mais tarde, se tornou diretora na Transylvanian Saxon Association, uma das maiores organizações culturais da Alemanha, dedicada a alemães étnicos vindos da Romênia. Era um grupo em que sua mãe, Friederike, havia sido membro ativo. Melitta morreu em 2003. Ingrid Essigmann-Capesius tornou-se titular da cadeira de Biologia na Universidade de Heidelberg em 1980, cargo que ocupou por vinte anos, e teve seus artigos científicos amplamente divulgados. E Christa Eißer — a única filha que eliminou o nome de solteira ao se casar — aposentou-se como farmacêutica em 2014. A autora localizou Ingrid e Christa, mas nenhuma das duas concordou em dar entrevista ou colaborar de alguma maneira. Ao se recusar a falar, no entanto, Ingrid fez alguns comentários de que "o que havia sido dito no passado foi distorcido por mentiras". Em Cluj-Napoca, onde ela e as irmãs foram criadas, ela disse que "havia harmonia entre os diferentes grupos étnicos". Ingrid ainda alegou que "ele [Capesius] teria preferido não estar lá [Auschwitz]. Ele tentou ajudar as pessoas". Um dos prisioneiros-assistentes em que seu pai mais confiava, cujo nome ela não conseguia lembrar (Fritz Peter Strauch), era judeu, ela afirmou, e teria testemunhado a favor de Capesius, mas morrera antes do julgamento.

Ele posteriormente escreveu: "A coisa mais irritante em Capesius que não é possível ignorar é aquela voz suave, contida, e ainda assim informal, carregada com sotaque da Transilvânia. Estou convencido de que no campo ele tinha voz de comando, mas passou por uma intensa mudança de personalidade ao decair de comandante para prisioneiro, de modo que agora parece um velho resmungão e confuso. Quando minha mãe escutou a voz dele na gravação, ficou surpresa: 'Vic era um homem culto, mas ouça como ele soa agora. Com certeza ficou de miolo mole'".[4]

Para Schlesak e outros amigos e conhecidos dispostos a ouvi-lo, Capesius falava por horas sem parar sobre como sua condenação havia sido um erro da justiça. E quanto às muitas testemunhas oculares que o haviam colocado no centro das seleções feitas na rampa de acesso da linha férrea ou na supervisão do Zyklon B?

"Eles eram estrangeiros, tinham sido comprados, era uma conspiração. Eles tinham que me difamar para fazer propaganda comunista (...). Tudo isso era uma trama comunista contra mim (...). Fui entregue de mão beijada, e eles acabaram comigo!"[5]

Às vezes seus olhos lacrimejavam, e Capesius se deixava engolfar por um tsunami de autocomiseração. Fritzi queria desesperadamente acreditar que o homem por quem se apaixonara, quando ambos estudavam Medicina em Viena, era incapaz de ter cometido os crimes de que o acusavam. Em muitas ocasiões, ela o ajudava em sua negação. Ela dizia que desde o julgamento o marido estava "gravemente deprimido". E também frequentemente argumentava que ele teria sido absolvido se não tivesse "se confundido tantas vezes (...). Aqueles quatro anos na solitária e depois todas aquelas pessoas e luzes, o deixaram confuso e disperso (...). Ele não conseguia se concentrar. Ficava simplesmente sorrindo, aéreo".[6]

E as seleções na rampa de acesso da linha do trem?

"Você tinha que obedecer a tudo que o mandavam fazer, sem reclamar, como em casa", disse Capesius.

"Sim, e você resistiu a fazer as seleções", Fritzi acrescentou.

"Isso", confirmou ele.[7]

E a respeito de Auschwitz em si? Se ele não gostava de seu posto tanto quanto alegava, por que não pediu transferência para o front Oriental?

"Eu não podia me voluntariar para o front, era velho demais."

E alguma vez ele sequer tentou?

"Não. Eles disseram que não podíamos fazer isso, que não éramos necessários lá, que só seríamos úteis atrás das linhas."

Certa vez, foi dito a Capesius que seu amigo, Roland Albert, havia feito uma solicitação e conseguira ser transferido para a frente de batalha.

"Ele foi transferido em novembro de 1944. Naquela altura, tudo já tinha acabado." É claro que, se Capesius tivesse pedido transferência na mesma época, ele teria sido poupado dos últimos três meses em Auschwitz.

"Foi tudo um horror", disse Fritzi, "Victor às vezes diz não ter passado de um pesadelo que não foi sonhado por ele, mas por outra pessoa."

Finalmente, Capesius se desculpou e justificou o que fizera utilizando a desculpa padrão de que ele não tivera escolha.

"Você podia fugir? Não! Não podia desertar! Você teria sido pego logo em seguida! Você teria sido enforcado no poste mais próximo. Ninguém tinha como resistir (...). Você não podia ir contra o sistema. Disciplina era o valor mais alto. Era guerra."

Henry Ormond, um dos advogados dos queixosos civis no julgamento de Auschwitz, havia demonstrado que essa defesa era nada menos que uma grande mentira.

"Isso me leva a fazer algumas afirmações sobre um mito — o mito de *Befehlsnotstand*, ou da exigência de completa obediência a ordens superiores — que, ao longo dos últimos anos, se tornou uma falsificação descarada da história. Quando o Escritório Central de Investigação de Crimes Nazistas foi criado em Ludwigsburgo, em 1958, ele começou a investigar essa questão com mais cuidado, olhando mais de perto aquelas testemunhas que eram apresentadas de um caso a outro e verificando seus depoimentos com maior atenção. E, percebam, descobriu-se que nem uma única vez isso foi comprovado — eu repito, nem uma única vez —, alguém foi levado até instâncias da SS ou à delegacia, ou ainda, como gostam de dizer aqui, foi morto à queima-roupa, enforcado ou asfixiado. Colocando de maneira simples e resumida: alguém que se declarava incapaz de participar de mortes criminosas podia ter certeza de que não seria punido."[8]

"Isso é o que parece", alegou Capesius. "No julgamento, tudo parecia diferente de como as coisas de fato eram em Auschwitz."

# Epílogo

Por muitas décadas, o Julgamento de Auschwitz (1963-1965) pareceu somente uma nota de rodapé na história jurídica da Alemanha. Além de ter pouco impacto na maneira como historiadores viam o Holocausto, não levava os alemães comuns a refletir. Isso acontecia porque, na verdade, por muito tempo, os registros do próprio caso estiveram desaparecidos e, portanto, não puderam ser estudados. Esse foi o último grande julgamento antes de as transcrições integrais serem adotadas. Em vez disso, naquela época os depoimentos de cada testemunha eram gravados em fita, para que os juízes e o júri pudessem escutá-las durante as deliberações. Após o veredito, todos os arquivos e fitas deveriam ser destruídos. Por razões que permanecem obscuras, o juiz Hofmeyer não o fez, deixando-as lacradas e sob custódia por trinta anos, até 1995. As fitas foram armazenadas no porão do Escritório da Promotoria Pública em Frankfurt, onde uma rádio local as encontrou, deterioradas, em 1993. Isso deu início a um projeto de digitalização dessas fitas que durou dois anos.

Desde que esse material se tornou público, em 1995, o Instituto Fritz Bauer, um Centro de Documentação do Holocausto, batizado assim em homenagem ao antigo promotor, deu início à árdua tarefa de transcrever as mais de quinhentas horas de depoimentos concedidos no tribunal. A disponibilização do conteúdo do julgamento possibilitou que David Pendas e Rebecca Wittmann, ambos professores de História, completassem uma elogiada revisão acadêmica do julgamento e de suas consequências, em 2006 e 2012.[1]

Em 2011, a Corte alemã emitiu um mandato de prisão de cinco anos para John Demjanjuk, por sua participação na matança de 28 mil prisioneiros quando serviu sadicamente como guarda no campo de extermínio de Sobibor. Foi um caso de destaque porque Demjanjuk era um trabalhador da indústria automotiva em Ohio e lutara durante anos contra sua extradição dos Estados Unidos para a Alemanha. Os acadêmicos de Direito sabiam, portanto, que o caso teria potencialmente maior notoriedade do que um simples julgamento de mais um criminoso nazista. Como o tribunal de Auschwitz em Frankfurt havia demonstrado, não era possível condenar um assassino se não houvesse provas de que o réu estava vinculado a uma morte em específico. No caso de Demjanjuk, porém, o promotor de Munique convenceu o juiz de que era impossível que alguém que tivesse servido em Sobibor não fizesse parte integral do assassinato em massa.

Tal decisão deu aos promotores em toda a Alemanha a oportunidade de abrir dúzias de investigações contra guardas dos campos de concentração, incluindo as que haviam sido encerradas pela impossibilidade de provar atos individuais de assassinato. O *New York Times* apelidou os novos promotores de "a geração dos netos", comentando que "eles traziam uma visão menos conflituosa sobre a culpa dos crimes cometidos durante a guerra".[2].

Nos seis meses seguintes ao veredito de Demjanjuk, o Escritório Central de Investigação de Crimes Nazistas, em Ludwigsburgo, tinha conseguido uma lista de cinquenta guardas de Auschwitz com o museu do campo. Também tinha identificado mais sete suspeitos que viviam fora da Alemanha, espalhados pelos Estados Unidos, Áustria, Brasil, Croácia e Polônia. Em setembro de 2013, o escritório de Ludwigsburgo encaminhara casos contra trinta guardas de Auschwitz, com idades entre 86 e 97 anos, para promotores locais.

"Minha opinião pessoal é que, em face da monstruosidade desses crimes, é uma dívida para com os sobreviventes e as vítimas não dizer simplesmente que 'certo tempo já passou, então devemos varrer tudo para debaixo do tapete'", disse Kurt Schrimm, que desde 2000 desempenhava o papel de promotor-chefe de crimes nazistas, cargo que um dia Fritz Bauer ocupara.[3] "Do nosso ponto de vista, esse trabalho por si só, não importando do que eles [réus] possam ou não ser acusados individualmente, os torna culpados de cumplicidade de assassinato."[4]

Schrimm deixou claro que os velhos nazistas de Auschwitz eram seus primeiros alvos, mas não os únicos. Ele prometeu expandir a procura por antigos guardas de outros cinco campos de extermínio — Bełżec, Chełmno, Majdanek, Sobibor e Treblinka —, bem como incluir nas buscas os oficiais da SS que serviram nos esquadrões da morte, os *Einsatzgruppen*.

As ações incisivas para processar os últimos nazistas foram bem recebidas. Efraim Zuroff, o maior caçador de nazistas do Centro Simon Wiesenthal, reagiu como de costume: "Esse realmente é um marco importante para os esforços de levar os nazistas à justiça. Nunca houve nada parecido nos últimos anos".[5]

Muitos pensaram que o renovado vigor à perseguição fosse uma maneira de demonstrar que, embora o sistema legal tivesse derrapado por décadas em definir como os nazistas deveriam responder por seus crimes, esse mesmo sistema finalmente encontrara como fazê-lo ao levar os perpetradores ainda vivos à justiça.

"Antes tarde do que nunca", concluiu Lawrence Douglas, um catedrático de Direito da Faculdade Amherst que estudara crimes nazistas.[6]

O primeiro julgamento dessas novas investigações aconteceu em 2015, relativo ao caso de Oskar Gröning, de 95 anos, que atuara como contador em Auschwitz e foi condenado a quatro anos por ser cúmplice do assassinato de 300 mil pessoas. Nos últimos dois anos, outros três julgamentos foram agendados. Um dos réus, então com 93 anos e que servira em Auschwitz por dois, morreu às vésperas de seu julgamento, marcado para abril de 2016. Outro caso, o de um médico de Auschwitz, foi suspenso quando o réu informou estar muito mal de saúde. Um caso marcante que foi a julgamento, em 2016, foi o de Reinhold Hanning, de 94 anos, ex-guarda da SS.[7] Hanning foi acusado de ter sido cúmplice do assassinato de 170 mil pessoas durante os dezoito meses em que esteve no campo de extermínio.

Nos primeiros dois meses de seu julgamento, Hanning nada disse. Em 29 de abril, ele então quebrou o silêncio. Sentado em uma cadeira de rodas, com a voz fraca, se dirigiu à Corte:

"Quero dizer que me perturba profundamente ter feito parte de tal organização criminosa. Tenho vergonha de ter visto que injustiças estavam sendo cometidas e de não ter feito nada para impedí-las. Eu peço desculpas pelos meus atos. Sinto muito mesmo."[8]

Para muitos sobreviventes, esse pedido de desculpas não bastava. Assim, uma medida mais justa se deu em julho, quando a Corte julgou o réu culpado e o sentenciou a cinco anos de prisão. Hanning, que disse ter "levado a vida inteira para esquecer que seu tempo em Auschwitz fora um pesadelo", pareceu já esperar ter que passar o resto de seus dias na prisão. "Eu me arrependo profundamente por ter seguido uma organização criminosa que foi responsável pela morte de muitas pessoas inocentes", lamentou, "pela destruição de incontáveis famílias, pela tristeza, pelo desespero e sofrimento das vítimas e de seus parentes."[9]

Hanning reconheceu publicamente que o simples fato de ele ter trabalhado na indústria da morte significava ter facilitado muitos assassinatos. Foi a primeira vez que um soldado da SS pediu desculpas ou admitiu qualquer culpa pelo que aconteceu em Auschwitz. Era exatamente a honestidade que Victor Capesius, sem o menor peso na consciência, sempre evitou. Capesius preferiu seguir até a morte insistindo em sua inocência. Sendo assim, ele não apenas ficou marcado como um assassino condenado e ladrão de cadáveres, mas também como alguém sem o estofo moral necessário para admitir qualquer responsabilidade por seus atos em Auschwitz. Capesius era muito do homem bastante comum que gostava de representar para o público. Mas ele era capaz, assim como muitos outros nazistas, de crimes extraordinários. Por fim, acabou escolhendo o caminho covarde, preferindo viver e morrer negando seus atos, para sua eterna vergonha.

# Agradecimentos

Escrever sobre um homem que passou mais da metade da vida decidido a enterrar seu passado por meio de distorções e mentiras não foi uma tarefa fácil. Este livro é o resultado de dois anos de pesquisa. Durante esse tempo, reuni um grande acervo de documentos sobre Victor Capesius e sobre a I.G. Farben, sua empregadora antes da guerra. Estou satisfeita por ter feito uma investigação profunda e assumo inteiramente a responsabilidade pela precisão das informações e pela integridade das opiniões aqui expressas.

Boa parte da minha pesquisa não teria sido possível sem a ajuda de muitas pessoas e organizações. Com os documentos, tive a ajuda de Paul B. Brown; nas referências, Larry Shockley, especialista em arquivologia, e Rick Peuser, chefe da Seção de Referências do Arquivo Nacional e Registros de Serviço, em Washington; Rosmarie Lerchl, arquivista dos Arquivos Estaduais, em Munique; Christiane Kleemann, arquivista de Diplomas no Arquivo Estadual Hessian, em Wiesbaden; Michael Conen, Berit Walter e Sven Devantier, dos Arquivos Federais em Coblença; dr. Peter Gohle, da filial dos Arquivos Federais em Ludwigsburgo; dr. Liviu-Daniel Grigorescu, chefe arquivista, e Laura Dumitru, do Arquivo Nacional de Publicações e Publicações Científicas, em Bucareste; Sigrid Bratzke, Arquivos Municipais de Baden-Württemberg; Mihai Cuibus, dos Arquivos Nacionais da Comarca de Cluj, em Cluj-Napoca; dr. Ioan Dragan, diretor dos Arquivos no Ministério do Interior em Bucareste; Vincent Slatt, Museu e Memorial do Holocausto nos Estados Unidos, em Washington, D.C.; e Emmanuelle Moscovitz, da Yad Vashem, em Jerusalém.

Também agradeço as respostas rápidas e cheias de informações úteis que pude obter com Peter Stroh e Roland Klostermann, da DPA Picture-Alliance, em Frankfurt; e Carol A. Leadenham, dos Arquivos do Instituto Hoover, na Universidade de Stanford. Sou grata pela orientação especial do dr. Werner Renz, do Setor de Documentação e Arquivo do Instituto Fritz Bauer, em Frankfurt.

Ao professor Tudor Parfitt, que me orientou para além de sua obrigação, e à Tina Hampson, que passou dias no Arquivo Nacional em Kew, na Inglaterra, buscando arquivos ainda obscuros sobre Capesius e o tempo que ele passou sob custódia britânica depois da guerra. Seu empenho na busca de uma imensa quantidade de registros é muito estimado.

Ao rabino Abraham Cooper, decano no Centro Simon Wiesenthal, que me apoiou desde o início na execução deste projeto.

Devo também um agradecimento especial a David Marwell, um amigo e historiador especializado em Segunda Guerra Mundial e Terceiro Reich. Ele foi gentil e paciente ao responder às minhas inúmeras perguntas e ao sugerir outras tantas que me foram úteis diante de documentos arquivados, além de também oferecer boas críticas em meus primeiros rascunhos. E ao David, muito atencioso ao recomendar Ilona Moradof, que nos ajudou com os pedidos de entrevista na Alemanha.

As fotos deste livro só foram possíveis graças à generosidade de várias pessoas que trabalharam para consegui-las a um preço de direitos de uso acessível. Nesse aspecto, estou imensamente agradecida a Christine Scherrer, do Studio Hamburg de Distribuição e Marketing, pelas imagens que conseguiu com a Norddeutscher Rundfunk (NDR) e pelo filme *Bleiben die Marder unter uns?*, de 1964. E um agradecimento especial a Gaby Schindler, do Schindlerfoto Oberusel.

Encontro-me em dívida com Michael Hofmann, chefe do Programa de Vendas da Hessischer Rundfunk (HR) Media sediado em Frankfurt. Ele permitiu o uso sem custo de fotos importantes para ajudar a ilustrar a história de Capesius, especialmente do período depois da guerra. O uso de nenhuma das fotos da HR Media teria sido possível, porém, se não houvessem sido antes divulgadas pelo documentário pioneiro *Auschwitz vor Gericht*, dos diretores Rolf Bickell e Dietrich Wagner.

Os muitos documentos históricos alemães, romenos, húngaros e hebraicos exigiram um grupo de tradutores que trabalhou por muitas horas em arquivos pouco legíveis, que já tinham décadas. Suas traduções cuidadosas foram cruciais para a história de Capesius. Agradecimentos especiais para Ruth Winter, de Israel, e Alex Ringleb, Thomas Just e Oren Nizri, de Miami. Estou em dívida também com velhos amigos, Christopher Petersen e Ann Froehlich, pela revisão do manuscrito. Eles abdicaram um tempo para meticulosamente rever os manuscritos, além de terem feito críticas construtivas que foram fundamentais para fazer deste um livro melhor. Agradeço também à Ellen Durkin, uma revisora técnica muito consciente, cujo trabalho aprimorou o manuscrito.

Por acreditar neste projeto, um agradecimento especial ao meu editor, Christopher Lascelles. Ele apoiou sem hesitar minha proposta de uma biografia de Victor Capesius. Seu entusiasmo, sua edição e seu sagaz envolvimento em cada fase do livro são raros hoje em dia no ramo editorial, e eu reconheço minha dívida para com ele.

E, por fim, quero agradecer a meu marido, Gerald Posner. Ele sempre me deu coragem para publicar este livro. Sua crença na minha capacidade sempre me deu a confiança necessária para completar com sucesso este projeto. Estamos unidos em todos os aspectos da vida, como parceiros e iguais. E foi certamente assim com o caso da descoberta da história de Victor Capesius. Gerald é um pesquisador infatigável, e seu olhar de editor me manteve sempre atenta à narrativa. Não haveria livro sem ele.

# Bibliografia

## Livros

Arendt, Hannah. *Eichmann em Jerusalém: um relato sobre a banalidade do mal*. São Paulo: Companhia das Letras, 1999.

Bonhoeffer, Emmi. *Auschwitz Trials: Letters from an Eyewitness*. Traduzido por Ursula Stechow. Richmond, VA: John Knox Press, 1967.

Borkin, Joseph. *The Crime and Punishment of I.G. Farben*. Nova York: The Free Press, 1978.

Browning, Christopher. *Ordinary Men: Reserve Police Battalion 101 and the Final Solution in Poland*. Nova York: HarperCollins, 1992.

DuBois. Jr. Josiah E. *The Devil's Chemist: 24 Conspirators of the International Farben Cartel Who Manufactured Wars*. Boston: The Beacon Press, 1952.

Ferencz, Benjamin B. *Less Than Slaves: Jewish Forced Labor and the Quest for Compensation*. Cambridge, MA: Harvard University Press, 1979.

Goran, Morris. *The Story of Fritz Haber*. Norman, OK: University of Oklahoma Press, 1967.

Gross, Rachel; Renz, Werner. *Der Frankfurter Auschwitz-Prozess (1963-1965)*. 2 vols. Frankfurt: Campus Verlag, 2013.

Hayes, Peter. *From Cooperation to Complicity: Degussa in the Third Reich*. Cambridge: Cambridge University Press, 2007.

Higham, Charles. *Trading with the Enemy: The Nazi-American Money Plot 1933-1949*. Nova York: Barnes and Noble Books, 1983.

Hilberg, Raul. *A destruição dos judeus europeus*. São Paulo: Manole, 2016.

Jeffreys, Diarmuid. *Hell's Cartel: IG Farben and the Making of Hitler's War Machine*. Nova York: Henry Holt and Co., 2008 (e-book).

Kraus, Ota; Kulka, Erich. *Tovarna na smrt* (Fábrica da Morte). Praga: Nase Vojsko, 1957.

Langbein, Herman. *Der Auschwitz-Prozess. Eine Dokumentation*. 2 vols. Frankfurt: Europäische Verlagsanstalt, 1965.

____________. *People in Auschwitz*. Chapel Hill, NC: University of North Carolina Press, 2004.

LATERNSER, Hans. *Die andere Seite im Auschwitz-Prozess 1963-1965. Reden eines Verteidigers.* Stuttgart: Seewald Verlag, 1966.

LEVI, Primo. *Assim foi Auschwitz: testemunhos 1945-1986*. São Paulo: Companhia das Letras, 2015.

LIFTON, Robert Jay. *The Nazi Doctors: Medical Killing and the Psychology of Genocide*. Nova York: Basic Books, 1986.

MOELLER, Robert. *War Stories: The Search for a Usable Past in the Federal Republic of Germany*. Berkeley: University of California Press, 2001.

NAUMANN, Bernd. *Auschwitz: A Report on the Proceedings Against Robert Karl Ludwig Mulka and Others Before the Court at Frankfurt*. Traduzido por Jean Steinberg. Nova York: Frederick A. Praeger, 1966.

NYISZLI, Miklós. *I Was Dr. Mengele's Assistant*. Cracóvia: Frap-Books, 2000.

PENDAS, Devin O. *The Frankfurt Auschwitz Trial, 1963-1965: Genocide, History, and the Limits of the Law*. Boston: Cambridge University Press, 2006.

POSNER, Gerald; WARE, John. *Mengele: The Complete Story*. Nova York: McGraw-Hill, 1986.

____________. *God's Bankers: A History of Money and Power at the Vatican*. Nova York: Simon and Schuster, 2015.

RENZ, Werner. *Fritz Bauer und das Versagen der Justiz. Nazi-Prozesse und ihre "Tragödie"*. Hamburgo: Europäische Verlagsanstalt, 2015.

RÜCKERL, Adalbert. *The Investigation of Nazi Crimes, 1945-1978: A Documentation*. Traduzido por de Derek Rutter. Heidelberg: C. F. Müller, 1979.

RUDOLF, Höss. *Commandant of Auschwitz*. Nova York: World Publishing Co., 1960.

SCHLESAK, Dieter. *The Druggist of Auschwitz: A Documentary Novel*. Nova York: Farrar, Straus and Giroux, 2011.

SOLONARI, Vladimir. *Purifying the Nation: Population Exchange and Ethnic Cleansing in Nazi--Allied Romania*. Baltimore, MD: Johns Hopkins University Press, 2009.

STEINKE, Ronen. *Fritz Bauer: oder Auschwitz vor Gericht*. Gebundene Ausgaben, 2013.

TAYLOR, Telford. *Sword and Swastika: Generals and the Nazis in the Third Reich*. Chigago: Quadrangle Books, 1969.

WITTMANN, Rebecca. *Beyond Justice: The Auschwitz Trial*. Cambridge, MA: Harvard University Press, 2012.

## ARTIGOS E PERIÓDICOS

"Auschwitz: 60 Year Anniversary — The Role of IG Farben-Bayer". *Alliance for Human Research Protection,* 27 de janeiro de 2005.

"Auschwitz Druggist Tagged As Jekyll-Hyde Character". *Nevada State Journal*, Reno, NV, 21 de junho de 1964.

BAUER, Fritz. "Zu den Naziverbrecher Prozessen". *Stirnrne der Gemeinde zum Kirchlichen Leben, zur Politik, Wirtschaft and Kultur*, vol. 18, 1963.

"Bribe Allegations at Auschwitz Trial". *The Sydney Moning Herald*, Sydney, Nova Gales do Sul, Austrália, 8 de abril de 1964.

"Chemist 'Stored Gold Teeth'". *The Sydney Morning Herald*, Sydney, Nova Gales do Sul, Austrália, 20 de junho de 1964.

"Doctor Testifies Man He Aided Killed Family". *The Fresno Bee Republican*, Fresno, CA, 18 de agosto de 1964.

"Horror Loot of a Nazi Camp Told". *Independent*, Long Beach, CA, 19 de junho de 1964.

"'Jekyll-And-Hyde' Described". *Tucson Daily Gazette*, Tucson, AZ, 19 de junho de 1964.

"Mass Killer Also Accused of Theft". *Tucson Daily Gazette*, Tucson, AZ, 27 de agosto de 1964.

"Past Notes: SS Orderly Kills 250 Patients". *The Guardian*, Londres, 31 de janeiro de 1995.

"Spectors At War Crimes Trial Call for Lynching of 'Child-Killer'". *The Lincoln Star*, Lincoln, NE, 7 de abril de 1964.

"Summation and Replies of Friedrich Karl Kaul", representante legal dos queixosos, na República Democrática Alemã, nas investigações criminais contra Mulka e outros diante do Tribunal Distrital em Frankfurt am Main. Dresden: Verlag Zeit im Bild, 1965.

"Survivor of Auschwitz Labels Capesius 'Devil'". *The Lincoln Star*, Lincoln, NE, 25 de agosto de 1964.

DAY, Matthew. "SS Documents Discovered Near Auschwitz". *The Telegraph*, 23 de março de 1970.

GUTMAN, Yisrael; BERENBAUM, Michael. *Anatomy of the Auschwitz Death Camp*. Bloomington, IN: Indiana University Press, 1998.

KELLERHOFF, Sven Felix. "Dokumente zu KZ-Ärzten in Auschwitz entdeckt". *Die Welt*, 24 de março de 2010.

MARTIN, Tom. "Nazi Scientist Stripped Me of Motherhood and I Still Need an Apology". *Sunday Express*, UK, 17 de agosto de 2003.

PENDAS, Devin O. "'I Didn't Know What Auschwitz Was': The Frankfurt Auschwitz Trial and German Press, 1963-1965". *Yale Journal of Law and Humanities*, dezembro de 2000.

"Displaying Justice: Nazis on Trial in Postwar Germany". Tese de doutorado, University of Chicago, 2000.

PHIL, Miller. "Scots Holocaust Victim In Fight for Compensation". *Sunday Times*, Londres, 30 de dezembro de 2001.

SOLONARI, Vladimir. "The Treatment of the Jews of Bukovina by the Soviet and Romanian Administrations in 1940-1944". *Holocaust and Modernity*, vol. 8, n. 2, 2010.

WITTMANN, Rebecca E. "Holocaust on Trial? The Frankfurt Auschwitz Trial in Historical Perspective". Tese de doutorado em Filosofia do Departamento de Graduação em História, University of Toronto, 2001.

"Telling the Story: Survivor Testimony and the Narration of the Frankfurt Auschwitz Trial". Dissertação do Prêmio Fritz Stern, 15 de novembro de 2002. Reimpressa no *GHI Bulletin*, n. 32, primavera de 2003.

"Legitimating the Criminal State: Former Nazi Judges on the Stand at the Frankfurt Auschwitz Trial". *Lessons and Legacies VI: New Currents in Holocaust Research*, editado por Jeffry Diefendorf, Chicago: Northwestern University Press, primavera de 2004.

"The Wheels of Justice Turn Slowly: The Pre-Trial Investigations of Frankfurt Auschwitz Trial, 1963-1965". *Central European History*, vol. 35, n. 3, 2002.

ZUPPY, Alberto L. "Slave Labor in Nuremberg's I.G. Farben Case: The Lonely Voice of Paul M. Herbert". *Louisiana Law Review*, vol. 66, n. 2, inverno de 2006.

## Publicações governamentais

"Elimination of German Resources for War". Sessões diante de um Subcomitê do Comitê Militar de Assuntos Internos, Senado dos Estados Unidos, 79º Congresso, 1ª sessão, Parte x, 1945.

"The Francolor Case in France". *Trials of the War Criminals before the Nuremberg Military Tribunals*, Under Council 10, vol. 8, Seção D, Arquivo Nacional dos Estados Unidos.

*Trials of War Criminals before the Nuremberg Military Tribunals under Control Council Law n. 10*. Washington, D.C.: US Government Printing Office, 1949.

*World War II Crimes and Prossecutions:* "Nuremberg Industrialists", vols. 1-2, e "Farben Trial", vol. 8, Arquivo Nacional dos Estados Unidos.

## Arquivos

*Archive Nationale Istorice Centrale România*, Bucareste, Romênia.

*Archive România Cluj Judet,* Cluj-Napoca, Romênia.

*Bundesarchiv,* Coblença, Alemanha.

*Bundesarchiv Außenstelle Ludwigsburg,* Ludwigsburgo, Alemanha.

*Bundesarchiv Dienststelle,* Berlim, Alemanha.

DPA *Picture Alliance,* Frankfurt, Alemanha.

*Comissariado Federal para Registros do Serviço de Segurança do Estado da antiga República Democrática Alemã* (RDA), Berlim, Alemanha.

*Instituto Fritz Bauer,* Frankfurt, Alemanha.

*Hessian Hauptstaatsarchiv*, Wiesbaden, Alemanha.

*Hoover Institute of War, Revolution and Peace*, Stanford, CA, Estados Unidos da América.

*Howard Gotlieb Archival Research Center,* Boston, Estados Unidos da América.

*International Auschwitz Committee,* Berlim, Alemanha.

*Lastenausgleichsarchiv (Arquivos de Indenização da Guerra),* Bayreuth, Alemanha.

*Öffentlicher Ankläger (Escritório da Promotoria Pública),* Frankfurt, Alemanha.

*Staatsarchiv München*, Munique, Alemanha.

UK *National Archives,* Kew, Inglaterra.

US *Holocaust Memorial Museum*, Washington, D.C., Estados Unidos da América.

*National Archives and Records Administration*, College Park, Maryland, Estados Unidos da América.

*Yad Vashem*, Jerusalém, Israel.

## Filmes e televisão

*183 Tage – Der Auschwitz-Prozess Deutschland*, escrito e dirigido por Janusch Kozminski, em parceria com Jewish Media and Culture Munich, 2014.

*Fritz Bauer: Gespräche, Interviews und Rede aus den Fernseharchiven 1961-1968*, 2 DVDs, Berlim: Absolut Medien, 2014.

*Auschwitz vor Gericht*, dirigido por Rolf Bickell e Dietrich Wagner, HR Productions, 2013.

*Der Auschwitz-Prozess: Tonbandmitschnitte, Protokolle, Dokumente*, editado e compilado pelo Instituto Fritz Bauer. Berlim: Directmedia Publishing, 2004.

KINGREEN, Monica. *Der Auschwitz-Prozess 1963-1965: Geschichte, Bedeutung und Wirkung: Materialien für die pädagogische Arbeit mit CD: Auschwitz-Überlebende sagen aus*. Frankfurt: Instituto Fritz Bauer, 2004.

*Verdict on Auschwitz: The Frankfurt Auschwitz Trial (1963-1965)*. Documentário dirigido por Rolf Bickell e Dietrich Wagner. First Run Films, 1993.

# Notas

## O "tio farmacêutico"

1 Testemunho de Mauritius Berner na apresentação da acusação do caso contra Robert Mulka, 4 Ks 2/63 Tribunal Distrital em Frankfurt am Main, depoimento de 17 de agosto de 1964. Ver também o testemunho de Mauritius Berner em *Verdict on Auschwitz: The Frankfurt Auschwitz Trial (1963-1965)*, documentário de Rolf Bickell e Dietrich Wagner, First Run Films, 1993. Até 1965, os julgamentos na Alemanha não tinham transcrições de gravações diárias, como nos tribunais americanos e britânicos. Em alguns casos, os testemunhos citados neste livro são extraídos de relatos divulgados em jornais da época, ou de áudios gravados pelas próprias testemunhas. Além disso, depoimentos de testemunhas e réus feitos pela promotoria antes do julgamento são posteriormente arquivados como parte dos registros do julgamento. Para comentários gerais feitos pelas testemunhas oculares, como Berner, ver Rebecca E. Wittmann, "Telling The Story: Survivor Testimony and the Narration of the Frankfurt Auschwitz Trial", dissertação que recebeu o Prêmio de Fritz Stern, Universidade de Marquette, 15 de novembro de 2002. Ver também Carta de Paul Hofmann para o Comitê de Auschwitz (Berlim), 22 de novembro de 1950, Bielefeld. StA b. LG Osnabrück, 4 Ks 2/52, Hauptakten, vol. II, p. 17R. Fitas da gravação do depoimento da testemunha estão em 4Ks 2/63. " Strafsache gegen Mulka..." (Diligências criminais contra Mulka e outros), Hessisches Staatsarchiv, Wiesbaden, Alemanha.

2 Berner citado em "Médico depõe que nazista matou sua família" (Doctor Testifies Man He Aided Killed Family). *The Fresno Bee Republican* (Fresno, CA), 18 de agosto de 1964, 31. Ver também testemunho de Mauritius Berner na apresentação da acusação do caso contra Robert Mulka, 4 Ks 2/63 Tribunal Distrital em Frankfurt am Main, depoimento de 17 de agosto de 1964.

3 Berner citado em "Doctor Testifies Man He Aided Killed Family". *The Fresno Bee Republican*, p. 31. Ver também testemunho de Mauritius Berner na apresentação da acusação do caso contra Robert Mulka, 4 Ks 2/63 Tribunal Distrital em Frankfurt am Main, depoimento de 17 de agosto de 1964.

4 Testemunho de Mauritius Berner, 4 Ks 2/63, Hessisches Staatsarchiv. Ver também *Verdict on Auschwitz: The Frankfurt Auschwitz Trial (1963-1965)* e Berner citado em "Doctor Testifies Man He Aided Killed Family". *The Fresno Bee Republican*, p. 31.

5 Testemunho da dra. Gisela Böhm recontado por Bernd Naumann (traduzido por Jean Steinberg). *Auschwitz: A Report on the Proceedings against Robert Karl Ludwig Mulka and Others before the Court at Frankfurt* (Nova York: Frederick A. Praeger, 1966), p. 305; 4 Ks 2/63, Hessisches Staatsarchiv.

6 Testemunho de Ella Salomon (nascida Böhm), 4 Ks 2/63, Hessisches Staatsarchiv e recontado por Naumann em *Auschwitz*, pp. 304-5.

7 Testemunho de Ella Salomon (nascida Böhm) na apresentação da acusação do caso contra Robert Mulka, 4 Ks 2/63 Tribunal Distrital em Frankfurt am Main, depoimento de 19 de novembro de 1964.

## A conexão com a Farben

1 A Agfa era Aktiengesellschaft für Anilinfabrikation, ou Companhia para Produção de Anilina, e o Basf era Badische Anilin und Soda Fabrik.

2 Ver Joseph Borkin, *The Crime and Punishment of I. G. Farben* (Nova York: The Free Press, 1978), pp. 6-7.

3 "Elimination of German Resources for War", sessões diante de um Subcomitê do Comitê Militar de Assuntos Internos, Senado dos Estados Unidos, 79º Congresso, 1ª sessão, Parte X, 1945.

4 Borkin, *The Crime and Punishment of I. G. Farben*, pp. 54, 57-8.

5 Citação de Morris Goran, *The Story of Fritz Haber* (Norman, OK: University of Oklahoma Press, 1967), p. 39.

6 Ver Peter Hayes, *Industry and Ideology: IG Farben in the Nazi Era* (Nova York: Cambridge University Press, 1987).

7 Diarmuid Jeffreys, *Hell's Cartel: IG Farben and the Making of Hitler's War Machine* (Nova York: Henry Holt and Co., e-book), pp. 170-2.

8 Carta de Heinrich Gattineau, da I. G. Farben, para dr. Karl Haushofer, 6 de junho de 1931, World War II Crimes and Prossecution, Arquivo Nacional dos Estados Unidos.

9 Declaração juramentada de Heinrich Gattineau, World War II Crimes and Prossecution: Nuremberg Industrialists, 4.833, 1-2, Arquivo Nacional dos Estados Unidos.

10 Ver Goran, *The Story of Fritz Haber*, pp. 38-9.

11 Ver Josiah E. DuBois Jr., *The Devil's Chemist: 24 Conspirators of the International Farben Cartel Who Manufacture Wars* (Boston: The Beacon Press, 1952), pp. 264-9.

12 Organograma dos empregados, oficiais e membros das organizações Nacional-Socialistas, World War II Crimes and Prossecution: Nuremberg Industrialists, 12.042 e Organograma da Diretoria da I. G. Farben, World War II Crimes and Prossecution: Nuremberg Industrialists, 7.957, Arquivo Nacional dos Estados Unidos.

13 Jeffreys, Diarmuid. *Hell's Cartel*, p. 229.

14 Charles Higham, *Trading with the Enemy: The Nazi-American Money Plot 1933-1949* (Nova York: Barnes and Noble Books, 1983), p. 133.

15 Para detalhes sobre a tomada de Skodawerke, ver DuBois Jr., *The Devil's Chemist*, pp. 219-21; ver também Raul Hilberg, *The Destruction of the European Jews* (Chicago: Quadrangle Books, 1961), p. 61.

16 Borkin, *The Crimes and Punishment of I.G. Farben*, p. 98; ver também DuBois Jr., *The Devil's Chemist*, pp. 113-5.

17 "The Francolor Case in France", *Trials of War Criminals Before the Nuremberg Military Tribunals*, Under Council 10, vol. VIII, Seção D; ver também "Elimination of German Resources for War", sessões diante de um Subcomitê do Comitê Militar de Assuntos Internos, Senado dos Estados Unidos, 79º Congresso, 1ª sessão, Parte X, 1.387, 1945; ver também DuBois Jr., *The Devil's Chemist*, pp. 287-98.

18 Higham, Charles. *Trading with the Enemy*, p. 133.

19 DuBois Jr., *The Devil's Chemist,* pp. 143-7.

20 "Os polacos chamavam de Oświęcim." Jeffreys, Diarmuid. *Hell's Cartel*, e-book, p. 281. Anotação em arquivo sobre encontro entre Ambros, Ter Meer e Krauch, 6 de fevereiro de 1941, *Trials of the War Criminals Before the Nuremberg Military Tribunals*, Under Council 10, vol. VIII, pp. 349-51 (Washington, D.C.: U.S. Government Printing Office); ver também carta de dr. Otto Ambros a Fritz ter Meer, diretor da I. G. Farben, sobre auxílio da SS para construir o campo da Farben em Auschwitz, 1941, reproduzido em *Sword and Swastika: Generals and the Nazis in the Third Reich*, de Telford Taylor (Chicago: Quadrangle Books, 1969).

## I.G. Auschwitz

1 O Departamento de História da Universidade da Califórnia em Santa Barbara oferece uma tabela histórica de conversão de marcos em dólares no site <www.history.ucsb.edu/faculty/marcuse/projects/currency.htm#tables>. O último ano de guerra em que consta uma comparação entre RM e dólar americano foi 1941, em que 2,5 RM equivalia a 1 USD.

2 DuBois Jr., *The Devil's Chemist,* p. 219; ver também o e-book de *Hell's Cartel*, 4.591- 9.525, de Diarmuid Jeffreys.

3 Ferencz, Benjamin B. *Less than Slaves: Jewish Forced Labor and the Quest for Compensation* (Cambridge, MA: Harvard University Press, 1979), pp. 9-10.

4 Ambros para ter Meer, citado em DuBois, Jr., *The Devil´s Chemist,* p. 172.

5 Jeffreys, Diarmuid. *Hell's Cartel*, 4.638; 4.654-9.525 (e-book).

6 Ferencz, Benjamin B. *Less than Slaves*, p. 15.

7 Citação em Jeffreys, *Hell's Cartel*, p. 293.

8 DuBois Jr. *The Devil's Chemist*, p. 179.

9 Jeffreys, Diarmuid. *Hell's Cartel*, 4.898-9.525 (e-book).

10 Zuppi, Alberto L. "Slave Labor in Nuremberg's I. G. Farben Case: e Lonely Voice of Paul M. Herbert", *Louisiana Law Review*, vol. 66, n. 2, inverno de 2006, p. 509, n. 57; Yisrael Gutman e Michael Berenbaum, *Anatomy of the Auschwitz Death Camp* (Bloomington, IN: Indiana University Press, 1998), pp. 17-8.

11 Jeffreys, Diarmuid. *Hell's Cartel*, 4.928-9.525 (e-book).

12 Ferencz, Benjamin B. *Less than Slaves*, pp. 24-5.

13 DuBois Jr., *The Devil´s Chemist*, p. 223.

14 "Judeus com frequência eram tratados pior do que outros prisioneiros no que se referia à dieta." Ver DuBois Jr., *The Devil's Chemist*, p. 221.

15 Ferencz, Benjamin B. *Less than Slaves*, p. xvii.

16 Lifton, Robert Jay. *The Nazi Doctors: Medical Killing and the Psychology of Genocide* (Nova York: Basic Books, 1986), p. 187.

17 C. Krauch para Reichsführer ss, 27 de julho de 1943, *Nuremberg Trial*, vol. VIII, p. 532.

18 Levi, Primo. *Survival in Auschwitz* (Chicago: BN Publishing, 2007), p. 72.

19 "Algumas estimativas iniciais eram de que mais de 200 mil teriam morrido, mas isso estava baseado em uma informação incorreta citada pelos investigadores dos Aliados." Ver DuBois Jr., *The Devil's Chemist*, pp. 220-1; 224.

## Entra Capesius

1 Naumann, *Auschwitz*, p. 22.

2 Transcrição de áudio de Audiência Judicial, Tribunal Distrital, Frankfurt, Victor Capesius em pessoa diante do juiz examinador Heinz Düx, oito páginas, 4 Js 444/59, 24 de janeiro de 1962, cortesia do Instituto Fritz Bauer, pp. 5, 4; The Military Government of Germany Fragebogen (Questionário), 27 de dezembro de 1946, seis páginas, Landersarchiv Baden-Württemberg.

3 Dieter Schlesak, "Fragwürdiger Holocaustworkshop em Siebenbürgen/Hermannstadt", *Zeit Online*, 1º de junho de 2010.

4 Nogly, Hans. "Die Mörder sind wie du und ich", *Stern*, n. 10, 1965, p. 58.

5 Carta de Victor Capesius, 12 de maio de 1947, sobre o Spruchkammer des Interniertenlagers 74, Artigo/Caso 895/J/74/1213, referente a Klageschrift de 2 de maio de 1947, duas páginas, Landersarchiv Baden-Württemberg, pp. 1-4.

6 The Military Government of Germany Fragebogen (Questionário), 27 de dezembro de 1946, seis páginas, Landersarchiv Baden-Württemberg; ver também Carta de Victor Capesius, 12 de maio de 1947, sobre o Spruchkammer des Interniertenlagers 74, Artigo/Caso 895/J/74/1213, referente a Klageschrift de 2 de maio de 1947, duas páginas, Landersarchiv Baden-Württemberg, p. 1.

7 Nogly, Hans. "Die Mörder sind wie du und ich", p. 58.

8 "The Military Government of Germany Fragebogen (Questionário), 27 de dezembro de 1946, seis páginas, Landersarchiv Baden-Württemberg.

9 "Statistics of Income for 1934", Parte I, Departamento do Tesouro dos Estados Unidos, Receita Federal, Government Printing Office, 1936, pp. 23; 78.

10 Schlesak, Dieter. *The Druggist of Auschwitz*, pp. 232; 236 (edição de capa dura).

11 "Depois de minha formatura como doutor em Filosofia, fui contratado, em 1º de fevereiro de 1934, como gerente da 'Romigrefa' SAR, Bucareste, para ser representante da Bayer Medicamentos em toda a Romênia e, depois de um curso de três meses na minha nova especialidade profissional, fui enviado a Leverkusen." Muitas das informações biográficas de Capesius vêm de suas próprias cartas e formulários durante suas audiências de desnazificação, em 1947, na Alemanha. Carta de Victor Capesius, 12 de maio de 1947, sobre o Spruchkammer des Interniertenlagers 74, Artigo/Caso 895/J/74/1213, referente a Klageschrift de 2 de maio de 1947, duas páginas, Landersarchiv Baden-Württemberg, pp. 1-4; e também a apresentação no caso contra os réus pelo promotor Joachim Kügler, no Julgamento de Auschwitz, em Frankfurt, "Caso contra Mulka e outros", 4 Ks 2/63, Landgericht Frankfurt am Main, 13 de maio de 1965; ver também Schlesak, Dieter. *The Druggist of Auschwitz: A Documentary Novel* (Nova York: Farrar, Straus and Giroux, 2011).

12 Nogly, Hans. "Die Mörder sind wie du und ich", pp. 60-61.

13 Apresentação do caso contra os réus pelo promotor Joachim Kügler, no Julgamento de Auschwitz, em Frankfurt, "Caso contra Mulka e outros", 4 Ks 2/63, Landgericht Frankfurt am Main, 13 de maio de 1965; ver também a carta manuscrita de quatro páginas de Victor Capesius para o promotor, Ludwigsburgo, 3 de janeiro de 1947, 1, Landersarchiv Baden-Württemberg.

14 Nogly, Hans. "Die Mörder sind wie du und ich", p. 61.

15 Entrevista de Capesius em Schlesak, Dieter. *The Druggist of Auschwitz*, p. 271 (edição de capa dura).

16 Entrevista de Roland Albert em ibidem, p. 206 (edição de capa dura).

17 Entrevista de Capesius em ibidem, p. 271 (edição de capa dura).

18 Entrevista de Roland Albert em ibidem, p. 235 (edição de capa dura).

19 Entrevista de Roland Albert em ibidem, p. 236 (edição de capa dura).

20 Entrevista de Capesius em Schlesak, Dieter. *The Druggist of Auschwitz*, 1.580 de 5.519 (e-book).

21 "Os dois eram dr. Alexandro Bardeanu (antes Rotbart) e dr. Mortiz Scheerer." Carta de Victor Capesius, 12 de maio de 1947, sobre o Spruchkammer des Interniertenlagers 74, Artigo/Caso 895/J/74/1213, referente a Klageschrift de 2 de maio de 1947, duas páginas, Landersarchiv Baden-Württemberg, pp. 1-4.

22 Nogly, Hans. "Die Mörder sind wie du und ich", p. 61.

23 Naumann, *Auschwitz*, pp. 22-3.

24 Citação de Karl Heinz em Schlesak, Dieter. *The Druggist of Auschwitz*, pp. 141-2.

25 Nogly, Hans. "Die Mörder sind wie du und ich", p. 62.

26 Ibidem.

27 Helge Krempels, "Kreisgruppe Ludwigsburg: In Erinnerung na Melitta Capesius", *Siebenbürgische Zeitung*, 3 de dezembro de 2013.

28 Naumann, *Auschwitz*, p. 23; ver também Hans Nogly, "Die Mörder sind wie du und ich", p. 60.

29 Schlesak, Dieter. *The Druggist of Auschwitz*, p. 174 (edição de capa dura).

30 Houve alguma confusão nos primeiros relatos sobre Capesius ter ou não a tatuagem da ss. A autora confirmou a informação por meio de um arquivo antes sigiloso, usando um Pedido de Liberdade de Informação: "War Crimes Central Suspect and Witness Enclosure", Central, Civilian Internment Enclosure, APO 205, Exército dos Estados Unidos, em 20 de dezembro de 1946, p. 8, presente no Dossiê 76950, 17 de maio de 1951, assunto: " Capesius, Victor Ernst", tornado público em 1º de abril de 2016, Nara.

31 Schlesak, Dieter. *The Druggist of Auschwitz*, p. 175 (edição de capa dura).

32 Naumann, *Auschwitz*, p. 22-3.

33 Entrevista de Roland Albert em Schlesak, Dieter. *The Druggist of Auschwitz*, p. 204 (edição de capa dura).

34 Georgescu, Paul. "Volksdeutsche in der Waffen-ss", *Südostdeutsche Vierteljahreshefe*, vol. 53, n. 2, 2004, pp. 117-23.

35 Meskil, Paul. *Hitler's Heirs: Where are they now?* (Nova York: Pyramid Books, 1961), p. 36.

36 Ibidem, pp. 36-7.

37 Gutman, Yisrael; Berenbaum, Michael. *Anatomy of the Auschwitz Death Camp* (Bloomington, IN: Indiana University Press, 1998), pp. 6; 8-9.

38 As cinco maiores batalhas que resultaram na maioria dos prisioneiros de guerra dos primeiros meses da luta foram: Vyazma e Bryansk, 512 mil; Kiev, 452 mil; Smolensk, 300 mil; Bialystok/Minsk 290 mil; e Uman, 103 mil.

39 Citação de Thilo em 5 de setembro de 1942, anotação do dr. Johann Paul Kremer, The Holocaust Education & Archive Research Team.

40 Citação de Capesius em Schlesak, Dieter. *The Druggist of Auschwitz*, p. 174 (edição de capa dura).

41 Ibidem, p. 175 (edição de capa dura).

## Bem-vindo a Auschwitz

1 Posner, Gerald; Ware, John. *Mengele: The Complete Story* (Nova York: McGraw-Hill, 1986), pp. 11-3.

2 Citação de Lingens em Schlesak, Dieter. *The Druggist of Auschwitz*, pp. 269-70 (edição de capa dura).

3 Em 5 de setembro de 1942, anotação do dr. Johann Paul Kremer, The Holocaust Education & Archive Research Team.

4 Sobre König ficando bêbado antes das seleções, ver Langbein, Herman. *People in Auschwitz* (Chapel Hill, NC: University of North Carolina Press, 2004), p. 353; e Naumann. *Auschwitz*, p. 93. Sobre Mengele na rampa de seleção, ver Posner e Ware, *Mengele*, pp. 26-7.

5 DuBois Jr., *The Devil's Chemist*, p. 213.

6 Depoimento de Höss no *Trial of Major War Criminals before the International Military Tribunal*, Nuremberg, 1947, vol. XI, p. 348.

7 Cornwell, John. *Hitler's Pope: The Secret History of Pius XII* (Nova York: Viking, 1999), p. 281.

8 Jeffreys, Diarmuid. *Hell's Cartel*, 5.161-5.183 de 9.525 (e-book).

9 Posner. *God's Bankers: A History of Money and Power at the Vatican* (Nova York: Simon and Schuster, 2015), pp. 91-2.

10 Citação de Capesius em Schlesak, Dieter. *The Druggist of Auschwitz*, 1.259 de 5.519 (e-book).

11 Citação de Capesius em Schlesak, Dieter. *The Druggist of Auschwitz*, p. 84 (edição de capa dura).

12 Day, Matthew. "SS Documents Discovered Near Auschwitz", *The Telegraph*, 23 de março de 1970.

13 Schlesak, Dieter. *The Druggist of Auschwitz*, 2.862 de 5.519 (e-book).

## O dispensário

1 Gutman, Yisrael; Berenbaum, Michael. *Anatomy of the Auschwitz Death Camp* (Bloomington, IN: Indiana University Press, 1998), p. 382.

2 Ibidem. Primeira foto, diagrama de Auschwitz I.

3 Staatsanwaltschaftliche Vernehmung (Interrogatório do promotor público), Tribunal Distrital, Göppingen, Victor Capesius pessoalmente diante do juiz superior dr. Trukenmüller, catorze páginas, 4 Js 444/59, 4 de dezembro de 1959, cortesia do Instituto Fritz Bauer, 6; ver também citação de Capesius em Schlesak, Dieter. *The Druggist of Auschwitz: A Documentary Novel*, 1.220 de 5.519 (e-book).

4 Naumann, *Auschwitz*, p. 191.

5 Staatsanwaltschaftliche Vernehmung, p. 6.

6 Jan Sikorski, depoimento juramentado e testemunho no Julgamento de Auschwitz, Tribunal Distrital, Frankfurt am Main, 19 de junho de 1964.

7 Naumann, *Auschwitz*, p. 191.

8 Jan Sikorski, depoimento juramentado e testemunho no Julgamento de Auschwitz, Tribunal Distrital, Frankfurt am Main, 19 de junho de 1964; citado em Schlesak, Dieter. *The Druggist of Auschwitz*, 1.287-1.293 de 5.519 (e-book).

9 A altura e o peso de Capesius foram obtidos de suas respostas no "The Military Government of Germany Fragebogen (Questionário), 27 de dezembro de 1946, seis páginas, Landersarchiv Baden-Württemberg.

10 Citação de Ludwig Wörl em "Spectators at War Crimes Trial Call For Lynching of 'Child-Killer'", *The Lincoln Star* (Lincoln, NE), 7 de abril de 1964, p. 2.

11 Citação de Capesius em Schlesak, Dieter. *The Druggist of Auschwitz*, 1.245 de 5.519 (e-book).

12 Citação de Sikorski em ibidem, 1.488 de 5.519 (e-book).

13 Documentos preparados por Capesius para sua defesa no Julgamento de Auschwitz, Tribunal Distrital, Frankfurt am Main, 19 de junho de 1964, citado por Schlesak, Dieter. *The Druggist of Auschwitz*, 191 de 5.519 (e-book).

14 O SD, Sicherheitsdienst, polícia de segurança.

15 Wilhelm Prokop em testemunho a 4Ks 2/63, Hessisches Staatsarchiv e citado em Naumann, *Auschwitz*, p. 190.

16 Citação de Capesius em Schlesak, Dieter. *The Druggist of Auschwitz*, 1.245 de 5.519 (e-book).

17 Testemunho de Sikorski em 4Ks 2/63, Hessisches Staatsarchiv e citado em Naumann, *Auschwitz*, pp. 191-2.

18 Wörl foi homenageado depois da guerra como Righteous Gentile, pelo Museu do Holocausto de Israel, Yad Vashem. Citação de Ludwig Wörl em *The Bridgeport Telegram* (Bridgeport, CT), 7 de abril de 1964, p. 11; citação de Josef Klehr no *Pittsburg Post-Gazette* (Pittisburg, PA), 7 de abril de 1964; e ainda citação de Klehr no *Kingsport News* (Kingsport, TN), 31 de janeiro de 1963, e em "Past Notes: SS Orderly Kills 250 Patients", *The Guardian,* Londres, 31 de janeiro de 1995, T3.

19 Jan Sikorski, depoimento juramentado e testemunho no Julgamento de Auschwitz, Tribunal Distrital, Frankfurt am Main, 19 de junho de 1964.

20 Capesius citado por Sikorski, depoimento juramentado e testemunho no Julgamento de Auschwitz, Tribunal Distrital, Frankfurt am Main, 19 de junho de 1964; ver também Prokop em Schlesak, Dieter. *The Druggist of Auschwitz*, 1.928 de 5.519 (e-book).

21 Interrogatório de Victor Capesius por um promotor, Frankfurt am Main, 7 de dezembro de 1959, citado em Schlesak, Dieter. *The Druggist of Auschwitz*, 1.314 de 5.519 (e-book).

22 Apesar de sua memória depois da guerra ter ficado enevoada, ele alegou que o armazena-

mento do Zyklon B era "muito misterioso" e que "ele não podia dizer" exatamente quanto nem onde era armazenado. Victor Capesius, interrogatório da investigação criminal anterior ao Julgamento de Auschwitz, 7 de dezembro de 1959, citado em: Schlesak, Dieter. *The Druggist of Auschwitz*, 1.311 de 5.519 (e-book).

23 Jan Sikorski, depoimento juramentado e testemunho no Julgamento de Auschwitz, Tribunal Distrital, Frankfurt am Main, 19 de junho de 1964, 4Ks 2/63, Hessisches Staatsarchiv.

24 Testemunho de Władysław Fejkiel, 4Ks 2/63, Hessisches Staatsarchiv, e em Naumann, *Auschwitz*, p. 156.

25 Citação de Ludwig Wörl em "Bribe Allegations at Auschwitz Trial", *The Sydney Morning Herald* (Sydney, Nova Gales do Sul, Austrália), 8 de abril de 1964, p. 3.

26 Testemunho de Tadeusz Szewczyk citado em Naumann, *Auschwitz*, p. 225.

27 Hayes, Peter. *From Cooperation to Complicity: Degussa in the Third Reich* (Cambridge: Cambridge University Press, 2007), p. 298.

28 Testemunho de Zdzisław Mikołajski citado em Naumann, *Auschwitz*, p. 253.

29 Entrevista com Klehr em Schlesak, Dieter. *The Druggist of Auschwitz*, 1.054 de 5.519 (e-book).

30 Testemunho de Paisikovic no Julgamento de Auschwitz em Frankfurt, "Caso contra Mulka e outros", 4 Ks 2/63, Landgericht Frankfurt am Main, 6 de agosto de 1964.

31 Capesius citado em Schlesak, Dieter. *The Druggist of Auschwitz*, 861 de 5.519 (e-book).

32 Wilhelm Prokop em testemunho a 4Ks 2/63, Hessisches Staatsarchiv e citado em Naumann, *Auschwitz*, p. 189.

33 Capesius citado em Schlesak, Dieter. *The Druggist of Auschwitz*, 1.190 de 5.519 (e-book).

34 Ibidem, 1.174 de 5.519.

35 Nyiszli, Miklós. *I Was Doctor Mengele's Assistant* (Cracóvia, Polônia: Frap-Books, 2000), p. 88.

36 Testemunho de Hermann Langbein no Julgamento de Auschwitz, Tribunal Distrital, Frankfurt am Main, 4Ks 2/63, Hessisches Staatsarchiv e citado em *Democrat and Chronicle* (Rochester, NY), 7 de março de 1964, 1; ver também Nyiszli, Miklós. *I Was Doctor Mengele's Assistant*, pp. 90-2.

37 Nyiszli, Miklós. *I Was Doctor Mengele's Assistant*, p. 92.

38 Ibidem.

39 DuBois Jr., *The Devil's Chemist*, p. 221.

40 Prokop citado em Schlesak, Dieter. *The Druggist of Auschwitz*, 1.916-1.926 de 5.519 (e-book).

41 Wilhelm Prokop em testemunho a 4Ks 2/63, Hessisches Staatsarchiv e citado em Naumann, *Auschwitz*, p. 190.

## "Conheça o diabo"

1 Capesius e Rohde citados em Naumann, *Auschwitz*, pp. 68-9; ver também Fejkiel (primeiro nome), citado na p. 155.

2 Capesius citado em Naumann, *Auschwitz*, p. 69.

3 Capesius citado em Schlesak, Dieter. *The Druggist of Auschwitz*, 356 de 5.519 (e-book).

4 Entrevista de Roland Albert em Schlesak, Dieter. *The Druggist of Auschwitz*, 1.637 de

5.519 (e-book).

5 Jan Sikorski em testemunho a 4Ks 2/63, Hessisches Staatsarchiv e citado em Naumann, *Auschwitz*, p. 193.

6 Schlesak, Dieter. *The Druggist of Auschwitz*, 2.299 de 5.519 (e-book).

7 Naumann, *Auschwitz*, p. 124.

8 Erich Kulka em testemunho a 4Ks 2/63, Hessisches Staatsarchiv e citado em Naumann, *Auschwitz*, p. 125.

9 Testemunho de Hermann Langbein, Julgamento de Auschwitz em Frankfurt, "Caso contra Mulka e outros", 4 Ks 2/63, Landgericht Frankfurt am Main, 3 de junho de 1964, p. 58, referência 4 Ks 2/63 Hessisches Staatsarchiv; Capesius citado em Schlesak, Dieter. *The Druggist of Auschwitz*, 821 de 5.519 (e-book).

10 *Täter Helfer Trittbrettfahrer: NS-Belastete aus dem östlichen Württemberg*, vol. 3, "Der Apotheker Dr. Victor Capesius und die Selektionen in Auschwitz-Birkenau" Dr. Werner Renz (Reutlingen: Wolfgang Proske Verlag, 2014), p. 67.

11 Raphael Gross, et al., *Der Frankfurter Auschwitz-Prozess (1963-1965): kommentierte Quellenedition* (Frankfurt: Campus Verlag, 2013).

12 Raphael Gross et al., *Der Frankfurter Auschwitz-Prozess;* testemunho de Pajor citado em Naumann, *Auschwitz*, p. 301.

13 Krausz citado em Schlesak, Dieter. *The Druggist of Auschwitz*, 600 de 5.519 (e-book).

14 Testemunho de Sarah Nebel citado em Naumann, *Auschwitz*, p. 263.

15 Ver Testemunho de Sarah Nebel em *Verdict on Auschwitz: The Frankfurt Auschwitz Trial (1963-1965)*, documentário de Rolf Bickell e Dietrich Wagner, First Run Films, 1993; Testemunho de Sarah Nebel citado em Naumann, *Auschwitz*, p. 263.

16 Testemunho de Lajos Schlinger em 4Ks 2/63, Hessisches Staatsarchiv e citado em Naumann, *Auschwitz*, p. 243.

17 Ibidem, pp. 242-3.

18 Ibidem, p. 243; ver também Peter Weiss, *The Investigation: Oratorio in 11 Cantos* (Londres: Marion Boyars, 1996), pp. 18-9.

19 Raphael Gross et al., *Der Frankfurter Auschwitz-Prozess (1963-1965)*, p. 475.

20 Ibidem, pp. 475-6.

21 Ibidem, p. 476.

22 Jan Sikorski, citado em "Auschwitz Druggist Tagged As Jekyll-Hyde Character", *Nevada State Journal* (Reno, NV), 21 de junho de 1964, p. 13; ver também Sikorski, citado em "'Jekyl-l-And-Hyde' Described", *Tucson Daily Gazette* (Tucson, AZ), 19 de junho de 1964, p. 12.

23 Schlesak, Dieter. *The Druggist of Auschwitz*, 579; 610 de 5.519 (e-book).

24 Na época que Ella Böhm testemunhou no Julgamento de Auschwitz, ela estava casada e seu nome nos registros consta como Ella Salomon.

25 Salomon (nascida Böhm) em Schlesak, Dieter. *The Druggist of Auschwitz*, 717 de 5.519 (e-book).

26 Josef Glück em testemunho, citado em 4Ks 2/63, Hessisches Staatsarchiv e em Naumann, *Auschwitz*, pp. 217-8.

27 Josef Glück em testemunho, citado em Naumann, *Auschwitz*, p. 218; Ota Kraus e Erich Kulka, "Tovarna na smrt" (Fábrica da Morte) (Praga: Nase vojsko, 1957), p. 200.

28 Josef Glück em testemunho, citado em 4Ks 2/63, Hessisches Staatsarchiv e citado em Naumann, *Auschwitz*, p. 217; ver também carta de Glück a Langbein, citada em Schlesak, Dieter. *The Druggist of Auschwitz)*, 2.255-2.266 de 5.519 (e-book.

29 Testemunho de Martha Szabó, citado em Naumann, *Auschwitz*, p. 222.

30 "Survivor of Auschwitz Labels Capesius 'Devil'", *The Lincoln Star* (Lincoln, NE), 25 de agosto de 1964, p. 19; "Death Camp Defendant Was 'Devil'", *The Troy Record* (Troy, NY), 25 de agosto de 1964, p. 17; Testemunho de Martha Szabó, citado em Naumann, *Auschwitz*, p. 223.

31 "Nazi Called Self the Devil, Witness Says", *Democrat and Chronicle* (Rochester, NY), 25 de agosto de 1964, p. 9; Testemunho de Martha Szabó, citado em Naumann, *Auschwitz*, p. 223.

## "O veneno da Bayer"

1 Citação de Hoven em "Auschwitz: 60 Year Anniversary — The Role of IG Farben-Bayer". *Alliance for Human Research Protection*, 17 de janeiro de 2005.

2 Para detalhes dos experimentos conduzidos pela Farben, ver DuBois Jr. *The Devil's Chemist*, pp. 207-27.

3 Jeffreys, Diarmuid. *Hell's Cartel*, p. 327.

4 DuBois Jr. *The Devil's Chemist*, pp. 125-6.

5 Jeffreys, Diarmuid. *Hell's Cartel*, p. 327.

6 Ibidem, 5.252 de 9.525 (e-book).

7 Entrevista de Capesius em Schlesak, Dieter. *The Druggist of Auschwitz*, p. 22 (edição de capa dura).

8 Apresentação do caso contra os réus pelo promotor Joachim Kügler, no Julgamento de Auschwitz, em Frankfurt, "Caso contra Mulka e outros", 4 Ks 2/63, Landgericht Frankfurt am Main, 13 de maio de 1965.

9 Lifton, Robert. *The Nazi Doctors: Medical Killing and the Psychology of Genocide* (Nova York: Basic Books, 1986).

10 Transcrição do testemunho de Victor Capesius na Audiência Judicial, Tribunal Distrital, Frankfurt, Victor Capesius em pessoa diante do Juiz Examinador Heinz Düx, quinze páginas, 4 Js 444/59, 10 de janeiro de 1962, cortesia do Instituto Fritz Bauer, pp. 13-4.

11 Phil, Miller. "Scots Holocaust Victim in Fight for Compensation." *Sunday Times*, Londres, 30 de dezembro de 2001, Section Home News; Martin, Tom. "Nazi Scientist Stripped Me of Motherhood and I Still Need an Apology." *Sunday Express* (UK), 17 de agosto de 2003, p. 49.

## "Um cheiro inconfundível"

1 Höss, Rudolf. *Commandant of Auschwitz* (Nova York: World Publishing Co., 1960), pp. 175-6; Posner, Gerald L.; Ware, John. *Mengele: The Complete Story* (Nova York: Cooper Square Press), 6.328 (e-book).

2 Höss citado por Allan Hall, "My Beautiful Auschwitz Childhood", *The Daily Mail*, 16 de junho de 2015.

3 Posner; Ware. *Mengele*, 726-733 (e-book).

4 Ibidem, 714.

5 Entrevista de Roland Albert em Schlesak, Dieter. *The Druggist of Auschwitz*, p. 236 (edição de capa dura).

6 Posner; Ware. *Mengele*, 822-823 (e-book).

7 Böhm citada em Schlesak, *The Druggist of Auschwitz*, 275 (edição de capa dura).

8 Posner; Ware. *Mengele,* 1.322 (e-book).

9 Naumann, *Auschwitz*, p. 334.

10 Fabritius não gostava de sua nova casa em Beskidy Mountains, considerando-a um "exílio forçado" de sua terra natal, a Romênia. Uma visão geral da Organização do Partido Nazista para Estrangeiros, "The Nazi Foreign Organization and the German Minorities ('Ethnic Groups')", capítulo IV, Publicação das Nações Unidas, sem data, 8.485; ver também Schlesak, Dieter. *The Druggist of Auschwitz*, 2.435; 2.695 de 5.519 (e-book).

11 Dr. Fritz Klein, testemunho no Julgamento Bergen-Belsen, 1945, transcrito dos arquivos da Yad Vashem.

12 Dampf-Kraft-Wagen era uma fábrica alemã de carros e veículos motores que eventualmente virou a Audi. Testemunho de Hans Stoffel citado em Naumann, *Auschwitz*, p. 334.

13 Entrevista com Albert em Schlesak, Dieter. *The Druggist of Auschwitz*, p. 65 (edição de capa dura).

14 Capesius em Schlesak, Dieter. *The Druggist of Auschwitz*, 1.497-1.498 de 5.519 (e-book).

15 Testemunho de Zdzisław Mikołajski em 4Ks 2/63, Hessisches Staatsarchiv e citado em Naumann, *Auschwitz*, p. 252.

16 Hans Stoffel em testemunho a 4Ks 2/63, Hessisches Staatsarchiv e citado em Naumann, *Auschwitz*, p. 334; e parte do diário de Capesius como o relatado em Schlesak, Dieter. *The Druggist of Auschwitz*, 2.021-2.043 (e-book).

17 Hildegard Stoffel em Schlesak, Dieter. *The Druggist of Auschwitz*, 2.488 de 5.519 (e-book); e testemunho citado em Naumann, *Auschwitz*, p. 335.

18 Hans Stoffel em testemunho a 4Ks 2/63, Hessisches Staatsarchiv, citado em Naumann, *Auschwitz*, p. 334.

19 Schlesak, Dieter. *The Druggist of Auschwitz*, 2043; 2463 de 5519 (e-book).

20 Naumann, *Auschwitz*, p. 334.

21 Uma tradução de "Dorna-Watra", *Geschichte der Juden in der Bukowina*, (História dos Judeus em Bukowina), editado por dr. Hugo Gold, escrito pelo prof. dr. H. Sternberg, Tel-Aviv, publicado em Tel Aviv, 1962; Vladimir Solonari, "The Treatment of the Jews of Bukovina by the Soviet and Romanian Administrations in 1940-1944", *Holocaust and Modernity*, vol. 2, n. 8, 2010, pp. 152-8; Ver Vladimir Solonari, *Purifying the Nation: Population Exchange and Ethnic Cleansing in Nazi-Allied Romania* (Baltimore, MD: Johns Hopkins University Press, 2009).

22 Capesius em Schlesak, Dieter. *The Druggist of Auschwitz*, 1.696 de 5.519 (e-book).

23 Sternberg, *Geschichte der Juden in der Bukowina.*

24 Notas de Capesius citadas em Schlesak, Dieter. *The Druggist of Auschwitz*, 2.048 (e-book).

## Os judeus da Hungria

1 O Museu Estadual Auschwitz-Birkenau, Oświęcim, "Diary of Paul Kremer".

2 Libuša Breder citado em *Auschwitz: Inside the Nazi State, Corruption:* Episódio 4, PBS, 2005.

3 Gröning citado em *Auschwitz: Inside The Nazi State, Corruption*: Episódio 4, PBS, 2005.

4 Depoimento juramentado e testemunho de Konrad Morgen no Julgamento de Auschwitz, Tribunal Distrital, Frankfurt am Main, 1964.

5 Testemunho de Gerhard Wiebeck, Julgamento de Auschwitz, em Frankfurt, "Caso contra Mulka e outros", 4 Ks 2/63, Landgericht Frankfurt am Main, 1964.

6 Nyiszli, Miklós. *I Was Doctor Mengele's Assistant*.

7 Schlesak, Dieter. *The Druggist of Auschwitz*, 785 de 5.519 (e-book).

8 Entrevista de Roland Albert a Schlesak, Dieter. *The Druggist of Auschwitz*, p. 178 (edição de capa dura).

9 Schlesak, Dieter. *The Druggist of Auschwitz*, 591 de 5.519 (e-book).

10 Testemunho de Prokop citado em Schlesak, Dieter. *The Druggist of Auschwitz*, 1.543-1.544 de 5.519 (e-book).

11 Capesius em Schlesak, Dieter. *The Druggist of Auschwitz*, 1.466 de 5.519 (e-book).

12 Testemunho de Hermann Langbein, Julgamento de Auschwitz, em Frankfurt, "Caso contra Mulka e outros", 4 Ks 2/63, Landgericht Frankfurt am Main, 3 de junho de 1964, p. 62, referente a 4 Ks 2/63 Hessisches Staatsarchiv.

13 Carta de Grosz a Langbein, de 21 de novembro de 1962, apresentada no Julgamento de Auschwitz, em Frankfurt, "Caso contra Mulka e outros", 4 Ks 2/63, Landgericht Frankfurt am Main.

14 Wörl citado em Schlesak, Dieter. *The Druggist of Auschwitz*, p. 174 (edição de capa dura).

15 Testemunho de Tadeusz Szewczyk citado em Naumann, *Auschwitz*, p. 225; ver também Tadeusz Szewczyk citado em "Mass Killer Also Accused of Theft". *Tucson Daily Gazette* (Tucson, AZ), 27 de agosto de 1964, p. 36; ver Langbein, *People in Auschwitz*, citando testemunho de Szewczyk, pp. 348-9.

16 Langbein, *People in Auschwitz*, pp. 350-1.

17 Testemunho de Prokop a 4Ks 2/63, Hessisches Staatsarchiv, citado em Schlesak, Dieter. *The Druggist of Auschwitz*, 1.544-1.550 de 5.519 (e-book).

18 Wilhelm Prokop em testemunho a 4Ks 2/63, Hessisches Staatsarchiv, citado em Naumann, *Auschwitz*, p. 190.

## O ouro dos dentes

1 Jeffreys, Diarmuid. *Hell's Cartel*, p. 339.

2 Ver Richard H. Levy, *The Bombing of Auschwitz Revisited: A Critical Analysis* (Nova York: St. Martins Press, 2000); William D. Rubinstein, *The Mith of Rescue* (Londres: Routledge, 1997).

3 Depois da guerra, Capesius alegou que tirara uma licença de quatro semanas, mas o mais provável é que ela fosse de no máximo três. Ele tinha um incentivo para aumentar seu tempo afastado do campo, visto que isso reduzia o número de relatos incriminadores de seus atos por testemunhas oculares sobreviventes. Transcrição de Audiência Judicial, Tribunal Distrital, Frankfurt, Victor Capesius em pessoa diante do juiz examinador Heinz Düx, oito páginas, 4 Js 444/59, 24 de janeiro de 1962, cortesia do Instituto Fritz Bauer, pp. 5; 6.

4 Nogly, Hans. "Die Mörder sind wie du und ich", *Stern*, n. 10, 1965, p. 64; Carta de Victor Capesius, 12 de maio de 1947, sobre o Spruchkammer des Interniertenlagers 74, Artigo/Caso 895/J/74/1213, referente a Klageschrift de 2 de maio de 1947, duas páginas, Landersarchiv Baden-Württemberg, p. 2.

5 Schlesak, Dieter. *The Druggist of Auschwitz*, 4.506 de 5.519 (e-book).

6 Capesius citado em Schlesak, Dieter. *The Druggist of Auschwitz*, p. 31 (edição de capa dura); ver Robert Karl Ludwig Mulka e outros diante da Corte de Frankfurt.

7 Entrevista com Albert em Schlesak, Dieter. *The Druggist of Auschwitz*, 4.491 de 5.519 (e-book).

8 Capesius para Stoffel, citado em Schlesak, Dieter. *The Druggist of Auschwitz*, pp. 136-8 (edição de capa dura).

9 Langbein, *People in Auschwitz*, pp. 409-11; Schlesak, Dieter. *The Druggist of Auschwitz*, p. 97 (edição de capa dura).

10 Transcrição da declaração de Capesius na Audiência Judicial, Tribunal Distrital, Frankfurt, Victor Capesius em pessoa diante do juiz examinador Heinz Düx, oito páginas, 4 Js 444/59, 24 de janeiro de 1962, cortesia do Instituto Fritz Bauer, pp. 5;7-8.

11 Carta de Roosevelt citada por Higham, *Trading with the Enemy*, p. 211.

12 De acordo com testemunho ocular de Miklós Nyiszli, em *I was Doctor Mengele´s Assistant*.

13 Posner, *God's Bankers*, p. 131.

14 Yakoov Gabai em Schlesak, Dieter. *The Druggist of Auschwitz*, 1.498 de 5.519 (e-book).

15 Tadeusz Iwaszko, *Hefte von Auschwitz 16* (Auschwitz: Verlag Staatliches Auschwitz-Museum, 1978), p. 71.

16 Testemunho de Zdzisław Mikołajski citado em Naumann, *Auschwitz*, p. 252.

17 Capesius em Schlesak, Dieter. *The Druggist of Auschwitz*, 1.488 de 5.519 (e-book).

18 Transcrição da declaração de Capesius na Audiência Judicial, Tribunal Distrital, Frankfurt, Victor Capesius em pessoa diante do juiz examinador Heinz Düx, quinze páginas, 4 Js 444/59, 10 de janeiro de 1962, cortesia do Instituto Fritz Bauer, pp. 9-10.

19 Capesius em Schlesak, Dieter. *The Druggist of Auschwitz*, 1.466 de 5.519 (e-book); Prokop em ibidem, 1.498 de 5.519 (e-book).

20 Wilhelm Prokop citado em "Chemist 'Stored Gold Teeth'". *Sydney Morning Herald* (Sydney, Nova Gales do Sul, Austrália), 20 de junho de 1964, p. 3; e testemunho de Prokop citado em Schlesak, Dieter. *The Druggist of Auschwitz*, 1.550-1.552 de 5.519 (e-book).

21 Jan Sikorski, depoimento juramentado e testemunho no Julgamento de Auschwitz, Corte Distrital, Frankfurt am Main, 19 de junho de 1964; e citado em Schlesak, Dieter. *The Druggist of Auschwitz*, 1.498 de 5.519 (e-book).

22 Ibidem.

23 Testemunho de Wilhelm Prokop citado em Naumann, *Auschwitz*, pp. 190-1; em Langbein, *People in Auschwitz*, pp. 349-51; Wilhelm Prokop citado em "Chemist 'Stored Gold Teeth'", *Sydney Morning Herald* (Sydney, Nova Gales do Sul, Austrália), 20 de junho de 1964, p. 3; e também em "Horror Loot of a Nazi Camp Told", *Independente* (Long Beach, CA), 19 de junho de 1964, p. 15; e Prokop em Schlesak, Dieter. *The Druggist of Auschwitz*, 1.515 de 5.519 (e-book).

24 Daniel Brad citado em "Eichmann Accused Anew at Nazi Crimes Trials", *The Cincinnati Enquirer* (Cincinnati, OH), 18 de agosto de 1954, p. 17.

## O fim iminente

1 *Trials of War Criminals before the Nuremberg Military Tribunals under Control Council Law n. 10* (Washington, D.C.: U.S. Government Printing Office), 1949, vol. 5, p. 445.

2 Puzyna citado em Posner e Ware, *Mengele*, p. 58.

3 Sikorski, citado em "Auschwitz Druggist Tagged AS Jekyll-Hyde Character", *Nevada State Journal* (Reno, Nevada), 21 de junho de 1964, p. 13.

4 Sikorski citado em Schlesak, Dieter. *The Druggist of Auschwitz*, 1.507 de 5.519 (e-book).

5 Capesius escreve na terceira pessoa como os Stoffel, em carta enviada a eles da prisão, citada por Schlesak, Dieter. *The Druggist of Auschwitz*, p. 139 (edição de capa dura).

6 Staatsanwaltschaftliche Vernehmung, p. 3.

7 Ibidem; ver também transcrição da declaração de Capesius na Audiência Judicial, Tribunal Distrital, Frankfurt, Victor Capesius em pessoa diante do juiz examinador Heinz Düx, oito páginas, 4 Js 444/59, 24 de janeiro de 1962, cortesia do Instituto Fritz Bauer, pp. 5; 6.

8 Declaração escrita por Victor Capesius, em 22 de agosto de 1946, inclusa em "War Crimes Central Suspect and Witness Enclosure", Central, Civilian Internment Enclosure, APO 205, Exército dos Estados Unidos, p. 9, 20 de dezembro de 1946, arquivadas no Dossiê 76950, 17 de maio de 1951, assunto: "Capesius, Victor Ernst", tornado público em 1º de abril de 2016 a pedido da autora, Nara.

9 Schlesak, Dieter. *The Druggist of Auschwitz*, 4.976 de 5.519 (e-book).

10 Jeffreys, Diarmuid. *Hell's Cartel*, 5.455 de 9.252 (e-book).

11 Ibidem, p. 342 de 9.252 (e-book).

12 O III Exército dos Estados Unidos estabeleceu sua central de operações na sede da Farben.

13 Jeffreys, Diarmuid. *Hell's Cartel*, 355 de 9.252 (e-book).

14 Ibidem, 350-351 de 9.252.

15 Declaração escrita por Victor Capesius, em 22 de agosto de 1946, inclusa no "War Crimes Central Suspect and Witness Enclosure", Central, Civilian Internment Enclosure, APO 205, Exército dos Estados Unidos, p. 9, 20 de dezembro de 1946, guardadas no Dossiê 76950, 17 de maio de 1951, Assunto: " Capesius, Victor Ernst", tornado público em 1º de abril de 2016 a pedido da autora, Nara.

16 Capesius citado por Schlesak, Dieter. *The Druggist of Auschwitz*, p. 352 (edição de capa dura).

## "Sob ordem de prisão"

1 A informação sobre Capesius e sua detenção pelos britânicos foi colhida a partir de suas respostas nos detalhados questionários feitos pelos Estados Unidos, das autoridades alemãs durante seu processo de desnazificação, em 1946 e 1947, do julgamento de Auschwitz em Frankfurt, em 1964, e de algumas entrevistas que Capesius deu após a guerra. Na tentativa de localizar possíveis documentos militares ou governamentais britânicos a respeito de sua detenção, a autora fez pesquisas no National Archives and Records Centre, em Kew, na Inglaterra. Os registros de guerra dos seguintes grupos foram consultados, sem ser localizada nenhuma referência a Capesius: Home Office (HO) 215, prisão no Reino Unido e no exterior, condições etc., soltura e, em alguns casos, repatriação; HO 214, arquivo de casos pessoais, especificamente da Divisão B3, em inimigos estrangeiros detidos na Segunda Guerra Mundial; Foreign Office (FO) 1039/874, Comissão de Controle

(para britânicos) WE, Schleswig-Holstein 1946; FO 1006/309, Condições em Schleswig--Holstein; FO 1039/930, relatórios mensais, Schleswig-Holstein, 1946-47; FO 1051/6755, Relatórios de Inspeção, Schleswig-Holstein; FO 208/4661, MOD, Seção de Prisioneiros de Guerra de Auschwitz — interrogatórios feitos pela London District Cage em prisioneiro de guerra inimigos; junho de 1945 a outubro de 1946; FO 939/32, Prisioneiros de Guerra Alemães — administração, 1946-47; FO 1024/75, Comissão de Controle, registros pessoais de prisioneiros 1946-1954; FO 938/78, Alegações de fome em campos de prisioneiros; FO 939/444, Correspondência sobre Comissão de Controle na Alemanha 1945-47; FO 939/23, Criminosos de guerra — 1945-1947; CO 537/132 Repatriação de prisioneiros de guerra alemães, e FO 945/453 Repatriação de prisioneiros de guerra alemães por britânicos fora do Reino Unido, 1946-7.

2 Simon Rees, "German POWs and the Art of Survival", *Military History*, julho de 2007.

3 "A German POW Remember", contribuição do Epping Forest Distric Museum, 5 de dezembro de 2005, Artigo ID A7564548.

4 Manual do Governo Militar Alemão: Antes da Derrota e Rendição, Supremo Quartel General, Força Expedicionária Aliada, Gabinete do Chefe Administrativo, 385 páginas, U.S. Army Military History Institute, p. 90.

5 Ver Merritt, Richard L., *Democracy Imposed: U.S. Occupation Policy and the German Public*, 1945-1949 (New Haven: Yale University Press, 1995).

6 Nogly, Hans. "Die Mörder sind wie du und ich", *Stern*, n. 10, 1965, p. 66.

7 Ibidem, p. 64.

8 Anotações feitas por Capesius enquanto esteve detido aguardando julgamento, em 1964, Frankfurt, citado por Schlesak, Dieter. *The Druggist of Auschwitz*, 2.332 de 5.519 (e-book).

9 Revisão feita pela autora do arquivo de anotações da promotoria no caso do Julgamento de Crimes de Guerra de Bergen-Belsen — vol. II, Prova contra Kraft.

10 Capesius citado por Schlesak, Dieter. *The Druggist of Auschwitz*, 2.332 de 5.519 (e-book).

11 A apresentação do caso contra os réus pelo promotor Joachim Kügler, no Julgamento de Auschwitz, em Frankfurt, "Caso contra Mulka e outros", 4 Ks 2/63, Landgericht Frankfurt am Main, 13 de maio de 1965; ver também Schlesak, Dieter. *The Druggist of Auschwitz*, 1.377; 2.557 de 5.519 (e-book), que fornece a data de soltura pelos britânicos como 23 de maio, em vez de 20 de maio, como o apresentado pelo promotor de Frankfurt. O próprio Capesius forneceu uma data mais vaga, de junho de 1946, no Staatsanwaltschaftliche Vernehmung, p. 4. Na verdade, os documentos submetidos ao julgamento de desnazificação de Capesius em 1947 confirmam a data de soltura como 25 de maio.

12 Declaração escrita por Victor Capesius, em 22 de agosto de 1946, inclusa no "War Crimes Central Suspect and Witness Enclosure", Central, Civilian Internment Enclosure, APO 205, Exército dos Estados Unidos, p. 9, 20 de dezembro de 1946, arquivada no Dossiê 76950, 17 de maio de 1951, assunto: "Capesius, Victor Ernst", tornado público em 1º de abril de 2016 a pedido da autora, Nara.

13 Ibidem.

14 A autora conseguiu um documento inédito de 112 páginas sobre o caso apresentado à corte em Cluj-Napoca nos Arquivos Nacionais, Ministério do Interior, Bucareste. A corte acolheu depoimentos escritos por testemunhas de acusação, na maioria ausentes. Não houve defesa para Capesius.

15 Depoimento de Marianne Adam, nascida Willner, em 16 de novembro de 1964 em 4Ks 2/63, Hessisches Staatsarchiv.

16 Nogly, Han. "Die Mörder sind wie du und ich", *Stern*, n. 10, 1965, p. 66.

17 Friederike Capesius citado em Schlesak, Dieter. *The Druggist of Auschwitz*, p. 343 (edição de capa dura).

18 Staatsanwaltschaftliche Vernehmung, p. 4. Ver apresentação do caso contra os réus pelo promotor Joachim Kügler, no Julgamento de Auschwitz, em Frankfurt, "Caso contra Mulka e outros", 4 Ks 2/63, Landgericht Frankfurt am Main, 13 de maio de 1965.

19 Meldebogen, Stuttgart, 4 de junho de 1946, duas páginas, de Landesarchiv Baden-Württemberg.

20 Ibidem.

21 Ver, por exemplo, várias cartas que corroboram o formulário de Victor Capesius para o processo de desnazificação, pp. 30-9 do Spruchkammer, 37/40644, em Sachen, "Capesius, Viktor", Landesarchiv Baden-Württemberg.

22 Capesius escreve na terceira pessoa como os Stoffel, em carta enviada a eles da prisão, citada em Schlesak, Dieter. *The Druggist of Auschwitz*, p. 139 (edição de capa dura).

23 Apresentação do caso contra os réus pelo promotor Joachim Kügler, no Julgamento de Auschwitz, em Frankfurt, "Caso contra Mulka e outros", 4 Ks 2/63, Landgericht Frankfurt am Main, 13 de maio de 1965.

24 "War Crimes Central Suspect and Witness Enclosure", Central, Civilian Internment Enclosure, APO 205, Exército dos Estados Unidos, 20 de dezembro de 1946, arquivadas no Dossiê 76950, 17 de maio de 1951, assunto: "Capesius, Victor Ernst", tornado público em 1º de abril de 2016 a pedido da autora, Nara.

25 O Julgamento de Auschwitz. Fitas gravadas, protocolos e documentos em DVD-ROM da coleção do Instituto Fritz Bauer, Direct Media Publishing GmbH, 2ª edição revisada, Berlim 2005, S. 3535.

26 "War Crimes Central Suspect and Witness Enclosure", Central, Civilian Internment Enclosure, APO 205, Exército dos Estados Unidos, p. 9, 20 de dezembro de 1946, arquivadas no Dossiê 76950, 17 de maio de 1951, assunto: "Capesius, Victor Ernst", tornado público em 1º de abril de 2016 a pedido da autora, Nara.

27 Relatório de prisão em ibidem.

28 Declaração escrita por Victor Capesius, em 22 de agosto de 1946, inclusa em ibidem.

## "Que crimes cometi?"

1 Cartas de Wirths mencionadas em Schlesak, Dieter. *The Druggist of Auschwitz*, p. 353 (edição de capa dura).

2 Entrevista a Capesius em ibidem, p. 260 (edição de capa dura).

3 Entrevista a Roland Albert em ibidem, pp. 238-9 (edição de capa dura).

4 Jeffreys, Diarmuid. *Hell's Cartel*, p. 350.

5 Posner, *God's Bankers*, pp. 592-3 (e-book).

6 Capesius escreve na terceira pessoa como os Stoffel, em carta enviada a eles da prisão, citada em Schlesak, Dieter. *The Druggist of Auschwitz*, p. 139 (edição de capa dura).

7 Caso número 31G-6632-452 em "War Crimes Central Suspect and Witness Enclosure", Central, Civilian Internment Enclosure, APO 205, Exército dos Estados Unidos, 20 de dezembro de 1946, arquivado no Dossiê 76950, 17 de maio de 1951, assunto: "Capesius, Victor Ernst", tornado público em 1º de abril de 2016 a pedido da autora, Nara.

8 Planilha 3-3 em ibidem, p. 17.

9 Relatório de prisão em ibidem, p. 10.

10 Governo Militar da Alemanha, Fragebogen em ibidem, pp. 2-3.

11 Ibidem.

12 Ibidem, pp. 5-6.

13 Carta de Capesius aos Stoffel, citada em Schlesak, Dieter. *The Druggist of Auschwitz*, p. 139 (edição de capa dura).

14 Meldebogen, Stuttgart, 24 de dezembro de 1946, duas páginas, de Landesarchiv Baden-Württemberg.

15 Fragebogen (Questionário) de Victor Capesius, 27 de dezembro de 1946, seção D, pergunta 29, Landersarchiv Baden-Württemberg.

16 Carta manuscrita de quatro páginas de Victor Capesius para o promotor, Ludwigsburgo, 3 de janeiro de 1947, Landersarchiv Baden-Württemberg.

17 Ver, por exemplo, várias cartas que corroboram o formulário de Victor Capesius para o processo de desnazificação, pp. 30-9 do Spruchkammer, 37/40644, em Sachen, "Capesius, Viktor", Landesarchiv Baden-Württemberg.

18 Carta de Karl Heinz Schuleri, 17 de dezembro de 1946, uma página; e carta de Mentzel e Braun, 11 de fevereiro de 1947, uma página, do Landesarchiv Baden-Württemberg.

19 Klageschrift, Spruchkammer, Interniertenlager 74, 2 de maio de 1947, Ludwigsberg-Ossweil, duas páginas, de Landersarchiv Baden-Württemberg.

20 Ibidem.

21 A base deste debate parece ser que o acordo entre o governo da Romênia e da Alemanha classificou todos os alemães por descendência como cidadãos romenos. Isto por si só teria evitado que ele tivesse acesso à elite da SS. Ver panfleto da Volks-Deutsche, 17 de novembro de 1943, Landersarchiv Baden-Württemberg.

22 Carta de Victor Capesius, 12 de maio de 1947 sobre "Spruchkammer des Interniertenlagers" 74, Artigo/Caso 895/J/74/1213, referente a Klageschrift de 2 de maio de 1947, duas páginas, Landersarchiv Baden-Württemberg, pp. 1-4.

23 Ibidem.

24 Koch menciona dr. Alexandro Bardeanu como um diretor judeu que tinha um bom relacionamento com Capesius. Eidesstattliche Erklarung, 12 de maio de 1947, de drs. H. Koch, uma página, Landersarchiv Baden-Württemberg.

25 Protokoll, Lager 74, Artigo/Caso 895/J/74/1213, Victor Ernst Capesius, 22 de maio de 1947, Juízes drs. Hoffman, Klein, Krieg, Bächtle e Müller, três páginas, Landersarchiv Baden-Württemberg.

26 Spruch, Lager 74, Artigo/Caso 895/J/74/1213, 22 de maio de 1947, Juízes dr. Hoffman, Klein, Krieg, Bächtle e Müller, duas páginas, Landersarchiv Baden-Württemberg.

27 Conhecimento sobre Spruch, desafiado e testado, em 30 de junho de 1947, John D. Austin, Capitão, uma página, Landersarchiv Baden-Württemberg.

28 Entlassungsschein (Certificado de baixa), Ministério de Liberação Política, em Württemberg-Baden, Lagr. 74, uma página, Landersarchiv Baden-Württemberg; ver também op. cit., Staatsanwaltschaftliche Vernehmung, p. 4.

29 Ray Salvatore Jennings, "The Road Ahead: Lessons in Nation Building from Japan, Germany e Afghanistan for Postwar Iraq". United States Institute of Peace, Washington, D.C., 14 de abril de 2003.

30 Adornung, Ministerim für politsche Befreiung Württemberg-Baden, Int. Lag. 74, Ludwigsburg-Ossweil, In dem Verharen gegen Viktor Ernst Capesius, 1º de agosto de 1947, Landersarchiv Baden-Württemberg, p. 1.

## Ninguém sabia de nada

1 Uma completa transcrição dos autos, em inglês, do vol. VII do Julgamento Militar de Nuremberg está disponível nos sites: <https://web.archive.org/web/20130601070552 | ; http://ww1.mazal.org/?subid1=0a329c4c-a717-11e8-b1ab-dbbdc7b79e2e.

2 Heller, Kevin Jon. *The Nuremberg Military Tribunals and the Origins of International Criminal Law* (Oxford: Oxford University Press, 2011), p. 35.

3 Citação de Rankin no Congressional Record, 28 de novembro de 1947, 10938; Heller, Kevin Jon. *The Nuremberg Military Tribunals and the Origins of International Criminal Law*, p. 35.

4 Citação de Taylor em Jeffreys, Diarmuid. *Hell's Cartel*, p. 194.

5 Borkin, *The Crime and Punishment of I. G. Farben*, p. 137. Apenas 23 estavam na sala do julgamento no dia em que a corte teve início, visto que Max Brüggemann, o advogado principal da Farben, havia sido dispensado por problemas de saúde. Ver "O Julgamento da I.G. Farben".

6 Ação dos Estados Unidos da América contra Carl Krauch et al., U.S. *Military Tribunal Nuremberg, Judgment of 30 July 1948*, <http://werler.rewi.hu-berlin.de/IGFarbenCase.pdf>. Foram juízes: Grover Shake, ex-juiz da Suprema Corte de Justiça do Estado de Indiana; e Paul Herbert, Decano da Louisiana State University Law School. Clarence Merrell, advogado de renome em Indiana, foi escolhido como suplente no caso de um dos três juízes ser impedido de concluir o julgamento.

7 Taylor mencionado em Scott Christianson, *Fatal Airs: The Daily History and Apocalyptic Future of Lethal Gases* (Nova York: Praeger Press, 2010), p. 70.

8 Minskoff mencionado por Borkin, Joseph. *The Crime and Punishment of I. G. Farben*, p. 141.

9 Morris citado em DuBois Jr., *The Devil's Chemist*, p. 82.

10 Testemunho do dr. Hans Braus a respeito de Ambros, em DuBois Jr., *The Devil's Chemist*, p. 169.

11 Frizt ter Meer citado em DuBois Jr., *The Devil's Chemist*, p. 156.

12 Ibidem, p. 157.

13 Christian Schneider citado em DuBois Jr., *The Devil's Chemist*, p. 162.

14 DuBois Jr., *The Devil's Chemist*, p. 163.

15 Bütefisch no testemunho citado por DuBois Jr., *The Devil's Chemist*, pp. 164-6.

16 Borkin, *The Crime and Punishment of I. G. Farben*, pp. 145-6.

17 Ibidem, p. 148.

18 DuBois Jr., *The Devil's Chemist*, p. 219.

19 Strafprozeß-Vollmacht (Procuração para o advogado), Capesius a Rudolf Pander, Seidenstrasse 36, Stuttgart, 8 de setembro de 1947, Landersarchiv Baden-Württemberg.

20 Rudolf Pander, relatório de interrogatório, 7 de dezembro de 1945, Military Intelligence Centre Usfet, CI-IIR/35, RG 165, Entrada (P) 179C, Caixa 738 (Localização: 390: 35/15/01), 5-6, Nara.

21 Apresentação do caso de Victor Capesius por Rudolf Pander, Aktenzeichen 37/40644, três páginas, 7 de outubro de 1947, Landersarchiv Baden-Württemberg.

22 Protokoll, Aktenzeichen 37/40644, Victor Ernst Capesius, 9 de outubro de 1947, Juízes Palmer, Reuss, Schlipf, Zaiss, Entenmann, três páginas, Landersarchiv Baden-Württemberg.

23 Spruch, Aktenzeichen 37/40644, Victor Ernst Capesius, 9 de outubro de 1947, Juízes Palmer, Reuss, Schlipf, Zaiss, Entenmann, três páginas, Landersarchiv Baden-Württemberg.

24 Staatsanwaltschaftliche Vernehmung, p. 4.

25 Ibidem, p. 5.

26 Cinco meses após a corte anunciar seu veredito, o juiz P.M. Herbert emitiu uma nota de amarga discordância da maioria julgando trabalho escravo e genocídio. No mesmo texto, ele também teria condenado todos os réus. Ver "The IG Farben Trial", ação dos Estados Unidos da América contra Carl Krauch et al., U.S. *Military Tribunal Nuremberg, Judgment of 30 July 1948*, <http://werle.rewi.hu-berlin.de/IGFarbenCase.pdf>; também Borkin, *The Crime and Punishment of I. G. Farben*, p. 155.

27 *Trials of the War Criminals before the Nuremberg Military Tribunals*, Under Council 10, vol. VIII, pp. 1.134-1.136, 1.153-1.167 e 1.186-1.187.

28 DuBois citado em Kevin Jon Heller e Gerry Simpson, *The Hidden Histories of War Crimes Trials* (Oxford: Oxford University Press, 2013), p. 186.

## Um recomeço

1 Capesius informa sua renda na Seção H do Questionário de Bens e Renda do Governo Militar da Alemanha, 27 de dezembro de 1946, seis páginas, Landersarchiv Baden-Württemberg.

2 Capesius citado em Schlesak, Dieter. *The Druggist of Auschwitz*, 1.961 de 5.519 (e-book).

3 O Reichsmark foi substituído em 1948 pelo Deutschemark.

4 Staatsanwaltschaftliche Vernehmung, p. 5.

5 Ladislas Farago, *Aftermath: Martin Bormann and the Fourth Reich* (Nova York: Simon & Schuster, 1974), pp. 20-1.

6 Fritz ter Meer citado em Farago, *Aftermath*, p. 20.

7 Ver Jeffreys, Diarmuid. *Hell's Cartel*, pp. 407-8.

8 Borkin, *The Crime and Punishment of I. G. Farben*, pp. 157-61.

9 Nove companhias menores também se tornaram líderes de mercado, inclusive a Agfa, Kalle, Cassella e Huels.

10 Ver Jeffreys, Diarmuid. *Hell's Cartel*, pp. 407-8.

11 DuBois Jr., *The Devil´s Chemist*, p. 359.

12 Schneider, Peter. "Der Anwalt Des Bösen; Fritz Steinacker Hat Sein Leben Lang Die Schlimmsten Nazi-Verbrecher Verteidigt. Ist Er Stolz Auf Seine Erfolge?", *Die Zeit*, 9 de outubro de 2009, pp. 26-33; Messner, Wolfgang. "Man hat nichts getan, man hat nichts gewusst; Zwei Reporter erinnern sich an den Auschwitz-Prozess, vierzig Jahre nach der Urteilsverkündung", *Stuttgarter Zeitung*, 15 de agosto de 2005, p. 3.

13 Nogly, Hans. "Die Mörder sind wie du und ich", *Stern*, n. 10, 1965, p. 66.

14 Krempels, Helge. "Kreisgruppe Ludwigsburg: In Erinnerung an Melitta Capesius", *Siebenbürgische Zeitung*, 3 de dezembro de 2013.

15 Nogly, Hans. "Die Mörder sind wie du und ich", *Stern*, nº 10, 1965, p. 66. Capesius alega imediatamente após sua detenção que ele só tinha doze funcionários, ver Staatsanwaltschaftliche Vernehmung, p. 5.

16 Pendas, Devin O. *The Frankfurt Auschwitz Trial, 1963-1965: Genocide, History, and the Limits of Law* (Cambridge University Press, 2006), pp. 11-2.

17 Müller, Ingo. *Furchtbare Juristen* (Munique, 1987), p. 242.

18 Karl Heinz Seifert e Dieter Hömig, org., Grundgesetz für die Bundesrepublik Deutschland: Tachenkommentar, 4ª edição (Baden-Baden, Nomos Verlag, 1991), pp. 200-2 e 464-8.

19 Oberländer se aposentou em 1960 depois que a Alemanha Oriental o condenou à morte por seus crimes na Segunda Grande Guerra.

20 Pendas, Devin O. *The Frankfurt Auschwitz Trial*, p. 15.

21 "Entre 1950 e 1962, a Alemanha Ocidental investigou 30 mil ex-nazistas, indiciou 12.846, julgou 5.426 e anistiou 4.027... Entre as condenações, apenas 155 foram por assassinato." Rebecca Wittmann, *Beyond Justice: The Auschwitz Trial* (Cambridge, MA: Harvard University Press, 2005), 178 de 3.837 (e-book).

22 Pendas, Devin O. *The Frankfurt Auschwitz Trial*, 52, n. 121.

23 Lilje citado em Farago, *Aftermath*, p. 317.

24 Ibidem, p. 318; Ofer Aderet, *Secret Life of the German Judge Who Brought the Mossad to Eichmann*, Hareetz, 18 de outubro de 2014.

25 Farago, *Aftermath*, p. 319.

26 Wittmann, *Beyond Justice*, 354 de 3.837 (e-book).

## "Inocente diante de Deus"

1 Wittmann, *Beyond Justice*, 639 de 3.837 (e-book); Pendas, Devin O. *The Frankfurt Auschwitz Trial*, pp. 26-7.

2 Wittmann, *Beyond Justice*, 482 de 3.837 (e-book).

3 Ambos os Boger citados em *Verdict on Auschwitz: The Frankfurt Auschwitz Trial (1963-1965)*. Documentário dirigido por Rolf Bickell e Dietrich Wagner. First Run Films, 1993.

4 Posner e Ware, *Mengele*, 2.601 de 7.525 (e-book).

5 "Holocaust: Der Judenmord bewegt die Deutschen", *Der Spiegel*, maio de 1979.

6 Wittmann, *Beyond Justice*, 791-793 de 3.837 (e-book).

7 Observações preliminares no caso contra Mulka e os outros, 4 Ks 2/63. DVD-ROM "Der Auschwitz Prozess: Tonbandmitschnitte Protokolle, Dokumente; Herausgegeben vom Fritz Bauer Institut Frankfurt, und dem Staatlichen Museum Auschwitz-Birkenau, The First Frankfurt Auschwitz Trial, 995.

8 Transcrição de depoimento, Tribunal Distrital, Göppingen, Victor Capesius pessoalmente diante do juiz superior dr. Trukenmüller, cinco páginas. Registro Gs. 385/59, 4 de dezembro de 1959, cortesia do Instituto Fritz Bauer.

9 Schlesak, Dieter. *The Druggist of Auschwitz*, 2.557 de 5.519 (e-book).

10 Entrevista de Capesius em Schlesak, Dieter. *The Druggist of Auschwitz*, p. 95 (edição de capa dura).

11 Carta de Grosz a Langbein, de 21 de novembro de 1962, apresentada no Julgamento de Auschwitz em Frankfurt, "Caso contra Mulka e outros", 4 Ks 2/63, Landgericht Frankfurt am Main.

12 Ibidem.

13 Carta de Ferdinand Grosz a Hermann Langbein, de 21 de novembro de 1962, reproduzida em Schlesak, Dieter. *The Druggist of Auschwitz*, 1.413 de 5.519 (e-book).

14 Testemunho de Stoffel em Schlesak, Dieter. *The Druggist of Auschwitz*, pp. 167-8 (edição de capa dura).

15 Observações preliminares do caso contra Mulka e outros, 4 Ks 2/63. DVD-ROM "Der Auschwitz Prozess: Tonbandmitschnitte Protokolle", Dokumente; Herausgegeben vom Fritz Bauer Institut Frankfurt, und dem Staatlichen Museum Auschwitz-Birkenau, The First Frankfurt Auschwitz Trial, p. 51.

16 Staatsanwaltschaftliche Vernehmung, pp. 1-2.

17 Ibidem, pp. 3; 5.

18 Ibidem, p. 7.

19 Ibidem, p. 8.

20 Ibidem, p. 7.

21 Ibidem, p. 8; citando dra. Gisella Perl, *I Was a Doctor in Auschwitz* (Nova York: International Universities Press, 1948), pp. 13-7.

22 Perl, *I Was a Doctor in Auschwitz*, pp. 16-7.

23 Entrevista de Capesius a Schlesak, Dieter. *The Druggist of Auschwitz*, p. 371 (edição de capa dura).

24 Brozan, Nadine. "Out of Death, A Zest for Life", *The New York Times*, 15 de novembro de 1982.

25 Ibidem, Staatsanwaltschaftliche Vernehmung, p. 9.

26 Ibidem.

27 Ibidem, p. 10.

28 Ibidem, p. 8.

29 Ibidem, p. 12.

30 Ibidem, p. 11.

31 Ibidem, p. 14.

32 Antes de 1965, os interrogatórios que precediam os julgamentos na Alemanha não eram transcritos verbatim, mas eram feitos resumos pelos oficiais de justiça e assinados pelas testemunhas. Rebecca Elizabeth Wittmann, "Holocaust On Trial? The Frankfurt Auschwitz Trial in Historical Perspective". Tese de doutorado em Filosofia pelo Departamento de Graduação em História da Universidade de Toronto, 2001, p. 49.

33 Cartas pessoais de Capesius citadas em Schlesak, Dieter. *The Druggist of Auschwitz*, pp. 157-8 (edição de capa dura).

34 Transcrição de depoimento, Tribunal Distrital, Göppingen, Victor Capesius pessoalmente diante do juiz superior dr. Trukenmüller, cinco páginas, com cobertura adicional da audiência de 7 de dezembro de 1959 no Tribunal Distrital, Oficial de justiça Leonhardt, Registro Gs. 385/59, 4 de dezembro de 1959, p. 3, cortesia do Instituto Fritz Bauer.

35 Ibidem, pp. 1-2.

36 Ebd., Bd. 48, BI. 8.61 O sowie Bd. 60, BI. 11.115 e DVD-ROM, S. 3.566.

37 Op. cit. Transcrição de depoimento, Tribunal Distrital, Göppingen, Victor Capesius pessoalmente diante do juiz superior dr. Trukenmüller, cinco páginas, registro Gs. 385/59, quatro de dezembro de 1959, p. 3, cortesia do Instituto Fritz Bauer.

38 Ibidem.

39 Ibidem, p. 4.

40 Capesius citado em Schlesak, *The Druggist of Auschwitz*, p. 170 (edição de capa dura).

41 Carta de Capesius a Eisler citada em ibidem, 2.008 de 5.519 (e-book).

## "A banalidade do mal"

1 *Täter Helfer Trittbrettfahrer: NS-Belastete aus dem östlichen Württemberg* vol. 3, "Der Apotheker Dr. Victor Capesius und die Selektionen in Auschwitz-Birkenau" Dr. Werner Renz (Reutlingen: Wolfgang Proske Verlag, 2014), pp. 65-66.

2 Posner e Ware, *Mengele*, p. 140 (edição de capa dura).

3 Isser Harel entrevistado por Gerald Posner e John Ware, em agosto de 1985, e relatado em *Mengele*, 2.750 de 7.525 (e-book).

4 Posner e Ware, *Mengele*, 2.757-2.761, 2.761-2.769 e 2.791-2.794 de 7.525 (e-book). Ofer Aderet, *Secret Life of the German Judge Who Brought the Mossad to Eichmann*, Hareetz, 18 de outubro de 2014.

5 Friedlander, Henry. "The Judiciary and Nazi Crimes in Postwar Germany", Museum of Tolerance — Wiesenthal Learning Center, ano 1, capítulo 2.

6 Renz, Werner. *Völkermord als Strafsache*, <https://www.fritz-bauer-institut.de/texte/essay 0800_renz.htm>.

7 Carta de Victor Capesius a Gerhard Gerber, junho de 1960, prova apresentada no Julgamento de Auschwitz, no decorrer da apresentação pela promotoria do caso contra Robert Mulka, 4 Ks 2/63, Tribunal Distrital, em Frankfurt am Main.

8 Ver Klee, Ernst. *Auschwitz — Täter, Gehilfen und Opfer und was aus ihnen wurde. Ein Personenlexikon* (Frankfurt: S. Fischer Verlag, 2013).

9 Pendas, Devin O. *The Frankfurt Auschwitz Trial*, p. 265.

10 Vermerk, Kügler (21 de dezembro de 1960), Ffsta Ha 4 Ks 2/63, Bd. 4, Bl. 659-663, citado em Pendas, Devin O. *The Frankfurt Auschwitz Trial,* p. 48, n. 105.

11 Wittmann, *Holocaust On Trial?*, p. 111.

12 Arendt, Hannah. *Eichmann em Jesuralém: um relato sobre a banalidade do mal.* São Paulo: Companhia das Letras, 1999.

13 Transcrição de Audiência Judicial, Tribunal Distrital, Frankfurt, Victor Capesius em pessoa diante do juiz superior Opper, três páginas, registro 931 Gs. 2240/61, 13 de abril de 1961, p. 2, cortesia do Instituto Fritz Bauer.

14 Ibidem, pp. 1-2.

15 Ibidem, pp. 2-3.

16 Ibidem, Staatsanwaltschaftliche Vernehmung, p. 12.

17 O escritório de Bauer havia solicitado abertura de inquérito judicial preliminar em 2 de julho de 1961. A segunda fase oficial da investigação de Auschwitz começou em 9 de agosto de 1961, quando a corte deu início ao interrogatório. Wittmann, *Beyond Justice*, 503 de 3.837 (e-book).

18 Piotroski, Christa. "Die Unfähigkeit zur Sühne: Vor 25 Jahren Urteilsverkündung im 'Auschwitz'Prozeß' in Frankfurt", *Weltspiegel*, 19 de agosto de 1990; Wittmann, *Beyond Justice*, 492 de 3.837 (e-book).

19 Düx citado em Walters, Guy. *Hunting Evil: The Nazi War Criminals Who Escaped and the Quest to Bring Them to Justice* (Nova York: Broadway Books, 2010), p. 313.

20 Ibidem, pp. 313-4.

21 Posner e Ware, *Mengele*, 3086-3090 (e-book).

## "Eu não tinha poder para mudar nada"

1 No documento acerca desse incidente, a data da confrontação aparece como 11 de janeiro de 1962, durante a audiência de resumo, mas a assinatura do escrivão indica a correção de que a data em que isso aconteceu diante da corte foi, na verdade, 10 de janeiro; Vermerk UR IV, Düx, 4 Js 444/59, 11129, nota, duas páginas, cortesia do Instituto Fritz Bauer.

2 Vermerk UR IV, Düx, 4 Js 444/59, 11129, nota, duas páginas, cortesia do Instituto Fritz Bauer.

3 Transcrição da declaração de Capesius na Audiência Judicial, Tribunal Distrital, Frankfurt, Viktor Capesius em pessoa diante do juiz examinador Heinz Düx, quinze páginas, 4 Js 444/59, 10 de janeiro de 1962, cortesia do Instituto Fritz Bauer, pp. 1; 4.

4 Ibidem, pp. 8-10.

5 Ibidem, p. 4.

6 Ibidem, p. 3.

7 Capesius citado em Schlesak, Dieter. *The Druggist of Auschwitz*, p. 154 (edição de capa dura).

8 Ibidem. Staatsanwaltschaftliche Vernehmung, p. 10.

9 Ibidem. Transcrição da declaração de Capesius na Audiência Judicial, Tribunal Distrital, Frankfurt, Victor Capesius em pessoa diante do juiz examinador Heinz Düx, quinze páginas, 4 Js 444/59, 10 de janeiro de 1962, p. 6.

10 Entrevista com Capesius em Schlesak, Dieter. *The Druggist of Auschwitz*, p. 155 (edição de capa dura).

11 Ibidem. Transcrição da declaração de Capesius na Audiência Judicial, Tribunal Distrital, Frankfurt, Victor Capesius em pessoa diante do juiz examinador Heinz Düx, quinze páginas, 4 Js 444/59, 10 de janeiro de 1962, p. 5.

12 Ibidem, p. 11.

13 Ibidem, p. 14.

14 Transcrição da declaração de Capesius na Audiência Judicial, Tribunal Distrital, Frankfurt, Victor Capesius em pessoa diante do juiz examinador Heinz Düx, oito páginas, 4 Js 444/59, 24 de janeiro de 1962, cortesia do Instituto Fritz Bauer, pp. 5; 1.

15 Ibidem, pp. 5; 3. Capesius citado em Schlesak, Dieter. *The Druggist of Auschwitz*, 1.576 de 5.519 (e-book).

16 Transcrição da declaração de Capesius na Audiência Judicial, Tribunal Distrital, Frankfurt, Victor Capesius em pessoa diante do juiz examinador Heinz Düx, oito páginas, 4 Js 444/59, 24 de janeiro de 1962, cortesia do Instituto Fritz Bauer, pp. 5; 4.

17 Observações preliminares no caso contra Mulka e outros, 4 Ks 2/63. DVD-ROM "Der Auschwitz Prozess: Tonbandmitschnitte Protokolle", Dokumente; Herausgegeben vom Fritz Bauer Institut Frankfurt, und dem Staatlichen Museum Auschwitz-Birkenau, The First Frankfurt Auschwitz Trial", p. 1001.

18 Capesius citado em Schlesak, *The Druggist of Auschwitz*, p. 158 (edição de capa dura).

19 Ibidem. Transcrição da declaração de Capesius na Audiência Judicial, Tribunal Distrital, Frankfurt, Victor Capesius em pessoa diante do juiz examinador Heinz Düx, oito páginas, 4 Js 444/59, 24 de janeiro de 1962, pp. 5; 7.

20 Vermerk, Kügler (27 de junho de 1962), Ffsta Ha 4 Ks 2/63, Bd. 8, Bl. 1547.

21 Carta de Capesius para Eisler citada em Schlesak, Dieter. *The Druggist of Auschwitz*, p. 133 (edição de capa dura).

22 Carta de Capesius para Stoffel citada em ibidem, p. 136 (edição de capa dura).

23 Ver declarações dos Stoffel, 7 de janeiro de 1965, parte dos registros do caso contra Mulka e outros, 4 Ks 2/63, Landgericht Frankfurt am Main.

## "Perpetradores responsáveis por assassinato"

1 Wittmann, *Beyond Justice*, 569-621 de 3.837 (e-book).

2 Acklageschrift, Ffsta 4 Ks 2/63, 273-274, Bundesarchiv.

3 Herbert Ernst Müller citado em Pendas, Devin O. *The Frankfurt Auschwitz Trial*, p. 117.

4 Acklageschrift, Ffsta 4 Ks 2/63, 35, Bundesarchiv.

5 Pendas, Devin O. *The Frankfurt Auschwitz Trial*, p. 149.

6 Seção 47 do Militärstrafgesetzbuch citado em Pendas, Devin O. *The Frankfurt Auschwitz Trial*, p. 119.

7 As acusações contra Breitwieser, Frank, Hantl, Höcker, Lucas, Mulka, Schatz, Scherpe, Schlage, Schoberth e Stark foram reduzidas.

8 Acklageschrift, Ffsta 4 Ks 2/63, 46-48, Bundesarchiv.

9 Bauer citado em Wittmann, *Beyond Justice*, 763 de 3.837 (e-book).

10 Vinte dos 22 indiciados seriam julgados. Além da morte de Baer em junho, Nierzwicki havia sido dispensado por problemas de saúde.

## Burocratas entediados

1 Pendas, Devin O. *The Frankfurt Auschwitz Trial*, pp. 229-30, 270.

2 "Prozeß gegen SS-Henker von Auschwitz", *Neues Deutschland*, 21 de dezembro de 1963, pp. 1, 10.

3 Pendas, Devin O. "'I Didn't Know What Auschwitz Was': The Frankfurt Auschwitz Trial and German Press, 1963-1965". *Yale Journal of Law and the Humanities*, vol. 12: I. 2, artigo 4, p. 425.

4 Pendas, Devin O. *The Frankfurt Auschwitz Trial*, p. 86.

5 Ibidem, pp. 123-30.

6 "21 on Trial for Murder of Millions", *The Bridgeport Post* (Bridgeport, CT), 20 de dezembro de 1963, p. 60.

7 Arthur Miller, "Facing Up to Murder of Millions", *St. Louis Post-Dispatch* (St. Louis, Missouri), 22 de março de 1964, p. 80.

8 Rebecca Wittmann, "Legitimizing the Criminal State: Former Nazi Judges and the Distortion of Justice at the Frankfurt Auschwitz Trial, 1963-1965", Diefendorf (org.), *Lessons and Legacies*, vol. 6, pp. 352-72; ver também Pendas, Devin O. *The Frankfurt Auschwitz Trial*, pp. 123-30.

## "Sem motivos para rir"

1 A acusação usou dez historiadores como testemunhas especialistas, sendo que quatro deles eram acadêmicos: Helmut Krausnick, Hans-Adolf Jacobsen, Hans Buchheim e Martin Broszat. Posteriormente a informação fornecida por esses quatro estudiosos serviu de base para um livro, lançado em 1968: *Anatomy of the* SS *State*, o primeiro estudo histórico profundo sobre a SS a partir de seus próprios registros. Ver Observações preliminares do caso contra Mulka e outros, 4 Ks 2/63. DVD-ROM "Der Auschwitz Prozess: Tonbandmitschnitte Protokolle", Dokumente; Herausgegeben vom Fritz Bauer Institut.

2 Todo o episódio com Langbein e a corte é recontado em "Nazis Rage in Dramatic Confrontation", *Democrat and Chronicle* (Rochester, NY), 7 de março de 1964, p. 1; ver também "Points out His Auschwitz Captors", *The Kansas City Times*, 7 de março de 1964, p. 1.

3 Wittmann, *Beyond Justice*, 2.167 de 3.837 (e-book).

4 Pendas, Devin O. *The Frankfurt Auschwitz Trial*, p. 216.

5 Ver a ocasião em que Laternser acusou a testemunha Erwin Olsźowka de ser comunista e de combinar seu testemunho com Langbein. Pendas, Devin O. *The Frankfurt Auschwitz Trial*, pp. 164; 188-90.

6 Observações preliminares do caso contra Mulka e outros, 4 Ks 2/63. DVD-ROM "Der Auschwitz Prozess: Tonbandmitschnitte Protokolle", Dokumente; Herausgegeben vom Fritz Bauer Institut.

7 Ella Salomon (nascida Böhm) citada em Schlesak, Dieter. *The Druggist of Auschwitz*, p. 8 (edição de capa dura).

8 Testemunho de Ella Salomon (nascida Böhm), 4 Ks 2/63, Hessisches Staatsarchiv e citado em Schlesak, *The Druggist of Auschwitz*, pp. 8-9 (edição de capa dura).

9 "Defendant at Auschwitz Trial Displays Indifference to Murder Charges". *Jewish Telegraphic Agency*, 12 de maio de 1964.

10 Ormond, Henry. "Plädoyer im Auschwitz-Prozeß", *Sonderreihe aus Gestern und Heute* 7, 1965, p. 41.

11 Ver Capesius citado em Naumann, *Auschwitz*, p. 72; Mulka e outros, 4 Ks 2/63. DVD-ROM "Der Auschwitz Prozess: Tonbandmitschnitte Protokolle, Dokumente; Herausgegeben vom Fritz Bauer Institut Frankfurt, und dem Staatlichen Museum Auschwitz-Birkenau, The First Frankfurt Auschwitz Trial", 963.

12 Mulka e outros, 4 Ks 2/63. DVD-ROM "Der Auschwitz Prozess: Tonbandmitschnitte Protokolle, Dokumente; Herausgegeben vom Fritz Bauer Institut Frankfurt, und dem Staatlichen Museum Auschwitz-Birkenau, The First Frankfurt Auschwitz Trial", vol. VII e vol. VIII, 1095.

13 Declaração de Joachim Kügler no 162º dia do Julgamento de Auschwitz, 24 de maio de 1965, Ks 2/63, Hessisches Staatsarchiv.

14 Testemunho de Kulka, 4 Ks 2/63, Hessisches Staatsarchiv e recontado por Naumann, *Auschwitz*, p. 125.

15 Testemunho de Prokop e admissão de Hofmeyer em 4 Ks 2/63, Hessisches Staatsarchiv e citado por Naumann, *Auschwitz*, p. 190.

16 Testemunho de Kaduk, 4 Ks 2/63, Hessisches Staatsarchiv e citado por Naumann, *Auschwitz*, pp. 201-2.

17 Wittmann, *Holocaust On Trial?*, p. 11.

18 Ludwig Wörl citado em "Bribe Allegations at Auschwitz Trial", *The Sydney Morning Herald* (Sydney, Nova Gales do Sul, Austrália), 8 de abril de 1964, p. 3.

19 "Auschwitz Druggist Tagged As Jekyll-Hyde Character", Associated Press, *Nevada State Journal* (Reno, NV), 21 de junho de 1964, p. 13.

20 "Chemist 'Stored Gold Teeth", *The Sydney Morning Herald* (Sydney, Nova Gales do Sul, Austrália), 20 de junho de 1964, p. 3; "Horror Loot of a Nazi Camp Told", *Independent* (Long Beach, CA), 19 de junho de 1964, p. 15.

21 "Auschwitz Story Written in Blood", *Detroit Free Press*, agosto de 1964, p. 14.

22 "Doctor Testifies Man He Aided Killed Family". Telégrafo da UPI, *The Fresno Bee* (Fresno, CA), em 18 de agosto de 1964, p. 31.

23 "Nazi Called Self The Devil, Witness Says", *Democrat and Chronicle* (Rochester, NY), 25 de agosto de 1964, p. 9; Testemunho de Martha Szabó citado em Naumann, *Auschwitz*, p. 223.

24 "Nazi Called Self The Devil, Witness Says", Associated Press, *Democrat and Chronicle* (Rochester, NY), 25 de agosto de 1964, p. 9.

25 Hofmeyer 4 Ks 2/63, Hessisches Staatsarchiv e citado por Naumann em *Auschwitz*, p. 224.

26 Mulka e outros, 4 Ks 2/63. DVD-ROM "Der Auschwitz Prozess: Tonbandmitschnitte Protokolle", Dokumente; Herausgegeben vom Fritz Bauer Institut, 1.145-1.154.

27 Capesius, Pajor e Hofmeyer em Naumann, *Auschwitz*, pp. 300-1.

28 Ormond citado em Naumann, *Auschwitz*, p. 73.

29 Dra. Ella Lingens, em Mulka e outros, 4 Ks 2/63. DVD-ROM "Der Auschwitz Prozess: Tonbandmitschnitte Protokolle", Dokumente; Herausgegeben vom Fritz Bauer Institut, 2.743.

30 Testemunho de Viktoria Ley em 4 Ks 2/63. Hessisches Staatsarchiv e citado por Naumann em *Auschwitz*, pp. 344-6.

31 Testemunho de Capesius citado em Naumann, *Auschwitz*, p. 73.

32 Pendas, Devin O. *The Frankfurt Auschwitz Trial*, 2.162; "'Auschwitz Trial' Enters Sixth Week: Says Archbishop Said to Obey Orders", *The Wisconsin Jewish Chronicle* (Milwaukee, WI), 31 de janeiro de 1964, p. 1.

33 Discurso de abertura das observações preliminares no caso contra Mulka e outros, 4 Ks 2/63. DVD-ROM "Der Auschwitz Prozess: Tonbandmitschnitte Protokolle", Dokumente; Herausgegeben vom Fritz Bauer Institut Frankfurt, 1.243; 4 Ks 2/63. Hessisches Staatsarchiv.

34 Sobre Capesius rir e depois parar, ver "Horror Loot of a Nazi Camp Told", *Independent* (Long Beach, CA), 19 de junho de 1964, p. 15; testemunho em Mulka e outros, 4 Ks 2/63. DVD-ROM "Der Auschwitz Prozess: Tonbandmitschnitte Protokolle", Dokumente; Herausgegeben vom Fritz Bauer Institut, 1.321.

35 Notas de Capesius, 20 de maio de 1964, citadas em Schlesak, Dieter. *The Druggist of Auschwitz*, p. 187 (edição de capa dura).

36 Notas de Capesius, sem data, citadas em ibidem, p. 251 (edição de capa dura).

## O veredito

1 Wittmann, *Beyond Justice*, 754-759 de 3.837 (e-book).

2 Naumann, *Auschwitz*, p. 388.

3 Pendas, Devin O. *The Frankfurt Auschwitz Trial*, p. 216.

4 Mulka e outros, 4 Ks 2/63. DVD-ROM "Der Auschwitz Prozess: Tonbandmitschnitte Protokolle", Dokumente; Herausgegeben vom Fritz Bauer Institut, 1.601.

5 Declaração de Capesius em Naumann, *Auschwitz*, pp. 409-10.

6 Pesquisa do Instituto Divo de 1964 citada por Pendas, *The Frankfurt Auschwitz Trial*, p. 216.

7 As primeiras oitenta páginas eram um resumo da história de Auschwitz, uma versão mais curta das 195 páginas que os promotores haviam enviado com seu indiciamento original. Veredito em Mulka e outros, 4 Ks 2/63. DVD-ROM "Der Auschwitz Prozess: Tonbandmitschnitte Protokolle", Dokumente; Herausgegeben vom Fritz Bauer Institut. Para citações completas, ver 4 Ks 2/63, "Das Urteil im Frankfurter Auschwitz-Prozess" (Julgamento de Auschwitz), Landgericht Frankfurt am Main, agosto de 1965.

8 4 Ks 2/63, "Das Urteil im Frankfurter Auschwitz-Prozess", agosto de 1965; 182ª sessão, 19 de agosto de 1965, em Veredito em Mulka e Outros, 4 Ks 2/63. DVD-ROM "Der Auschwitz Prozess: Tonbandmitschnitte Protokolle", Dokumente, T10-11; Herausgegeben vom Fritz Bauer Institut; Declaração de Hofmeyer em Naumann, *Auschwitz*, pp. 414-5.

9 Veredito em Mulka e outros, 4 Ks 2/63. DVD-ROM "Der Auschwitz-Prozess: Tonbandmitschnitte Protokolle", Dokumente; Herausgegeben vom Fritz Bauer Institut; ver 4 Ks 2/63, "Das Urteil im Frankfurter Auschwitz-Prozess", agosto de 1965.

10 Rückerl, *Investigation of Nazi Crimes*, pp. 64-6.

11 Mulka e outros, 4 Ks 2/63. DVD-ROM "Der Auschwitz Prozess: Tonbandmitschnitte Protokolle", Dokumente; Herausgegeben vom Fritz Bauer Institut; ver também Naumann, *Auschwitz*, p. 424.

12 Ver Schlesak, Dieter. *The Druggist of Auschwitz*.

13 "Former Guards at Auschwitz Get Life Terms", *St. Louis Post-Dispatch* (St. Louis, MO), 19 de agosto de 1965, p. 24.

14 Resumo de Hofmeyer em 4 Ks 2/63, "Das Urteil im Frankfurter Auschwitz-Prozess", agosto de 1965; e citado por Naumann em *Auschwitz*, p. 425.

15 Fritz Bauer, "Im Namen des Volkes: Die strafrechtliche Bewaltigung der Vergangenheit", de Helmut Hammerschmidt (org.), *Zwanzig Jahre danach: Eine Deutsche Bilanz, 1945-1965* (Munique, Desch Verlag, 1965), pp. 301-2; 307.

16 Ibidem, pp. 307-8.

17 "Prosecutors Ask for New Trial of 8 in Nazi Death Camp Trial", *The Bridgeport Post* (Bridgeport, CT), 25 de agosto de 1965.

18 Bulletin des Comité International des Camps, n. 10, 15 de setembro de 1965, p. 4.

19 Wittmann, *Beyond Justice*, 3020-3036 de 3837 (e-book).

20 Dr. K, "Das Urteil von Frankfurt", *Neues Deutschland*, 20 de agosto de 1965.

21 Capesius citado em Schlesak, Dieter. *The Druggist of Auschwitz*, 2.832 de 5.519 (e-book).

22 Sybille Bedford, "Auschwitz — Did a Nation Learn from the Millions of Deaths", *The Courier-Journal* (Lexington, KY), 14 de março de 1965, Seção 1; p. 8.

## "Tudo não passou de um pesadelo"

1 Carta "Attention: Nazi Criminal Victor Capesius Auschwitz", de E. Brand, Arquivo 0.33, p. 8; Carta de dr. Y. Martin para sr. Braner, Yad Vashem, referente a Victor Capesius, 11 de julho de 1965; Carta de sr. Brand para A. L. Kobobi, referente a Victor Capesius, 11 de agosto de 1965, escrita em 21 de novembro de 1965; Carta de Emmanuel Brand referente a Langbein e ao embaixador da Áustria, 19 de novembro de 1965; Coleção de documentos arquivados referentes a Victor Capesius, Yad Vashem.

2 "Nazi Convicted of Auschwitz Murders, Released after Three Years of Prison", *Jewish Telegraph Agency*, 25 de janeiro de 1968; "Nazi Free on Appeal", *The Kansas City Times* (Kansas City, MO), 24 de janeiro de 1968, p. 70.

3 Karen Schnebeck, "Neue Ausstellung zum 25-Jahr-Jubiläum; Jüdiches Museum in Göppingen", *Stuttgarter Zeitung*, 28 de abril de 2016, p. 22.

4 Entrevista com Capesius em Schlesak, *The Druggist of Auschwitz*, p. 23 (edição de capa dura).

5 Ibidem, p. 123.

6 Entrevista com Friederike Capesius em Schlesak, Dieter. *The Druggist of Auschwitz*, 2.832 de 5.519 (e-book).

7 Ibidem, p. 143.

8 Henry Ormond citado em Schlesak, Dieter. *The Druggist of Auschwitz*, pp. 227-8 (edição de capa dura).

## Epílogo

1 Pendas e Wittmann, *The Frankfurt Auschwitz Trial*.

2 Eddy, Melissa. "Chasing Death Camp Guards With New Tools", *The New York Times*, 5 de maio de 2014.

3 Paramaguru, Kharunya. "70 Years Later, German Prosecutors to Hold Nazi Death-Camp Guards to Account", *Time*, 16 de abril de 2013.

4 Eddy, Melissa. "Germany Sends 30 Death Camp Cases to Local Prossecutors", *The New York Times*, 3 de setembro de 2013.

5 Ibidem.

6 Gray, Eliza. "The Last Nazi Trials", *Time*.

7 Ibidem.

8 Oltermann, Philip. "Ex-Auschwitz Guard Talks of Shame During Trial Over Mass Killings", *The Guardian*, 26 de abril de 2016.

9 Hall, Melanie. "Former Auschwitz Guard Convicted in one of Germany's Last Holocaust Trials", *The Telegraph*, 17 de junho de 2016.

# Índice remissivo

R



S

Este livro, composto na fonte Fairfield,
foi impresso em papel Lux Cream 60g/m², na gráfica Rettec.
São Paulo, outubro de 2024.